Diane Bélanger

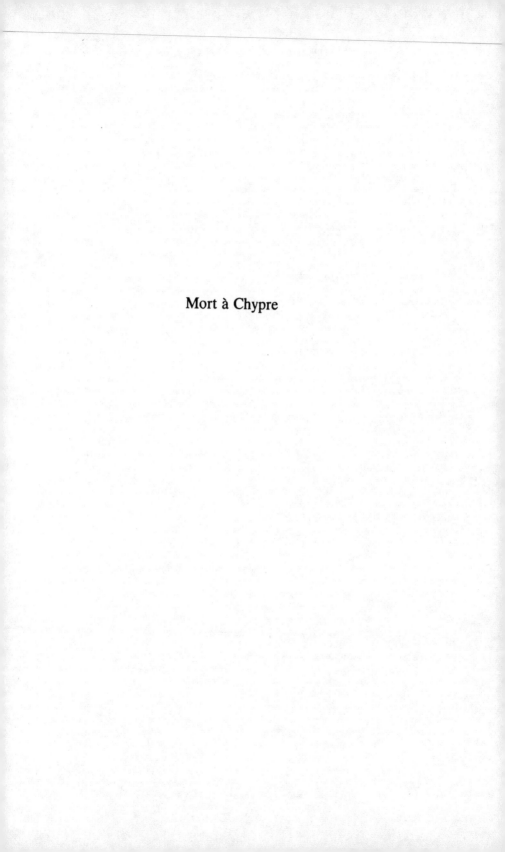

Mort à Chypre

M. M. Kaye

Mort
à Chypre

ROMAN

Traduit de l'anglais par
Thérèse Lauriol

FRANCE LOISIRS
123, boulevard de Grenelle, Paris

Édition du Club France Loisirs, Paris,
avec l'autorisation des Éditions Albin Michel.

Édition originale anglaise
Death Wacked in Cyprus

Copyright © M. M. Kaye, 1956, 1984
Staples Press/Allen Lane, Londres

Traduction française :

© Éditions Albin Michel S.A., 1987

ISBN 2-7242-3952-0

A Maxine et à l'Ile enchantée

Note de l'auteur

Au cours de l'année 1949, le régiment de mon mari se trouvant stationné en Égypte, nous habitions le quartier militaire de Fayid dans ce que l'on appelait alors la « zone du canal de Suez ». Je décidai, avec une amie, d'aller passer une semaine de vacances à Chypre pour y peindre. Nous embarquâmes sur un bateau reliant Port-Saïd à Limassol et, une fois sur l'île, nous louâmes une voiture pour la durée de notre séjour (incidemment, les voitures, à cette époque, possédaient encore un marchepied et un porte-bagages à la place du coffre). A Kyrenia, nous logeâmes dans la ravissante villa que j'ai décrite dans cette histoire et l'intrigue me fut pratiquement fournie par une suite d'incidents curieux qui se produisirent pendant notre séjour. Mais la peinture, alors, m'occupait trop et, plus tard, les multiples changements de garnison m'obligèrent à retarder de presque cinq ans la rédaction de mon roman. En le relisant aujourd'hui, je note avec intérêt que, même à l'époque de ces vacances paradisiaques, il ne m'échappa pas que la paix qui régnait dans cette île où je vivais et travaillais était menacée et que des factions avides et querelleuses étaient destinées à la détruire un jour. Ce jour est arrivé plus tôt que je ne le craignais et Chypre, aujourd'hui, est divisée en deux camps hostiles. Kyrenia et Hilarion, le ravissant village d'Aiyos Epiktitos et la magnifique abbaye de Bellapais, ainsi que la plupart des sites que je connaissais le mieux sont maintenant aux mains des Cypriotes turcs, tandis que les Cypriotes grecs, qui occupent le reste de l'île, ont transformé leurs petites cités maritimes, endormies sous le soleil, en florissantes stations balnéaires hérissées de grands hôtels et de « complexes récréatifs ». « O monde ! O vie ! O temps ! »... comme l'a si bien dit Shelley.

1

Amanda n'avait pas réellement connu la peur jusqu'au moment où elle découvrit le flacon. L'horreur, certes, l'incrédulité, le choc, mais pas la peur. Pas cette froide, insinuante appréhension du mal...

Une minute plus tôt, Julia Blaine était vivante ; elle parlait de sa voix haut perchée, hystérique, sanglotante. L'instant suivant, elle était morte, affaissée sur le plancher de la cabine d'Amanda, masse informe vêtue de satin.

Tout s'était passé si brutalement, de façon si imprévisible. Ou bien en avait-il été autrement ? Rien, au cours des jours, des semaines écoulées, n'avait-il fait prévoir l'éventualité d'un accident aussi affreux, aussi incroyable ?

Amanda Derington demeurait avec une tante, à Fayid, dans la zone du canal de Suez, tandis que son oncle et tuteur, Oswin Derington, de la Derington and Co, traitait ses affaires dans cette chaudière bouillonnante que constitue le Moyen-Orient.

Devenue orpheline à la suite d'un raid aérien sur Londres, une nuit de l'automne 1940, Amanda s'était trouvée arbitrairement annexée par son oncle Oswin malgré les offres de plusieurs tantes compatissantes, toutes prêtes à s'occuper de l'enfant. Mais Oswin Derington, célibataire et misogyne, ne les tenait pas en haute estime et possédait en revanche des idées bien arrêtées sur l'éducation des enfants.

Le chef du clan Derington — firme omniprésente dont le nom et les activités fleurissent, telle une épidémie, partout où l'homme blanc a réussi à s'implanter — était un moraliste austère, fortement marqué par l'empreinte de ses ancêtres calvinistes. Avec cela, heureux en affaires, entiché de lui-même, égoïste, souvent suffisant. Il avait la ferme conviction que la majorité de ses semblables vivaient dans le péché. A l'entendre développer complaisamment son thème favori, on en concluait volontiers que, du moins dans l'esprit de l'orateur, tous les habitants de la planète menaient une existence immorale et dissolue, à l'exception de ce vivant pilier de l'intégrité : Oswin Greatorex Derington.

L'oncle Oswin comptait sans doute les tantes d'Amanda au nombre des impies car sa décision d'assumer seul la charge de l'unique enfant de son frère Anthony fut déterminée autant par le désir de sauver une âme que par celui de mettre en pratique diverses théories chères à son cœur sur l'éducation des jeunes. Nul ne put s'y opposer, son frère Anthony ayant eu la légèreté de le nommer par testament fiduciaire et seul tuteur de sa fille.

L'avenir d'Amanda aurait pu s'annoncer sous de sombres auspices si elle n'avait hérité, outre la beauté de sa mère, la gaieté et le courage de son père. Précieux héritage qu'une suite de pensionnats sévères et toujours différents, ainsi que les conceptions victoriennes et égoïstes de son oncle Oswin sur la conduite des jeunes filles, n'avaient pas réussi à entamer.

Au cours des années qui suivirent Hiroshima, témoins d'un spectaculaire rétrécissement de ces zones roses qui signalent, sur la carte, les territoires soumis ou fidèles à la Couronne britannique, l'empire commercial de Derington and Co subit de nombreux changements. Nombre de filiales, surtout en Extrême-Orient, durent mettre brutalement terme à leurs activités. Mais d'autres, nouvelles, surgirent aussitôt pour les remplacer et vint un temps où Oswin Derington (à qui son médecin, à bout de forces mais non d'idées, avait conseillé un long voyage en mer) décida de surveiller ses affaires en même temps que sa santé en inspectant personnellement quelques avant-postes de l'empire Derington.

Il emmenait Amanda, alors âgée de vingt ans, mettant ainsi en pratique l'une de ses théories favorites : les femmes décèlent d'instinct les malversations et nul directeur de filiale, aussi efficace soit-il, ne saurait remplacer — du moins aux yeux de Mr Derington — la femme de César.

Il se proposait de visiter Alexandrie, Le Caire, Mombassa et Nairobi avant de rentrer par Tripoli. Toutefois, les pérégrinations dans ces villes, ainsi qu'il le découvrit, s'avérèrent riches en surprises désagréables. Aussi, arrivé au Caire, ordonna-t-il à sa nièce de regagner l'Angleterre tandis qu'il poursuivrait seul son périple. Faute de place disponible et comme il s'opposait résolument aux voyages par air (excepté quand ceux-ci l'arrangeaient), il confia la jeune fille à l'une de ses sœurs dont le mari, général de brigade, se trouvait stationné à Fayid.

Amanda se plut à Fayid et réserva à son oncle Oswin une surprise plus désagréable encore que celle de découvrir, parmi certaines races de couleur, une étrange propension à critiquer activement les bâtisseurs d'empires : elle annonça son intention de séjourner plusieurs mois dans cette ville avant de visiter l'île de Chypre.

Amanda avait entre-temps fêté son vingt et unième anniversaire et était maîtresse d'une rente modeste mais confortable. L'oncle Oswin se trouva donc réduit à témoigner sa désapprobation par une crise de fureur aussi épuisante que vaine : sa nièce se montra douce mais inflexible, aidée et soutenue par sa tante qui, depuis des années, guettait l'occasion de se venger de certaines critiques acerbes émises par Oswin sur le choix de son époux à l'époque où le général de brigade n'était encore qu'un fougueux sous-lieutenant dans l'artillerie montée.

Amanda prolongea son séjour à Fayid et commença ses préparatifs pour se rendre à Chypre comme elle en avait l'intention. Elle avait prévu de loger dans un hôtel de Kyrenia mais, après quelques semaines d'un silence désapprobateur, l'oncle Oswin se manifesta à nouveau. Les Derington possédaient une affaire de vins à Chypre : fruit d'une tentative commerciale menée après la guerre et trop médiocre pour justifier la visite d'un Derington de la famille Derington. Un certain Glennister Barton dirigeait l'entreprise. L'oncle Oswin écrivit à Amanda que, si elle tenait à vagabonder à travers le Moyen-Orient d'une façon si peu convenable pour une jeune fille du monde, elle se devait, par souci de la réputation de son oncle, sinon de la sienne, de loger dans une maison privée et respectable plutôt qu'à l'hôtel. Il avait donc pris la liberté de prévenir les Barton de l'arrivée de sa nièce, les priant de l'héberger, de faciliter son séjour et de veiller sur elle. Il avait déjà reçu une réponse favorable, et Mr et Mrs Barton accueilleraient Amanda à Limassol...

« Vous ne prendrez l'avion sous aucun prétexte. J'apprends qu'un accident s'est produit la semaine dernière. On m'informe également qu'un fort courant antibritannique anime les Cypriotes qui soutiennent l'Enosis et veulent le rattachement de leur île à la Grèce. Si vous aviez la moindre considération pour le nom des Derington, vous abandonneriez ce projet fou et peu digne d'une femme et regagneriez le Hampshire », écrivait, sans guère d'espoir, l'oncle Oswin.

Amanda lut la lettre et soupira. Elle aurait préféré de loin l'hôtel et son indépendance. Pourtant, bien qu'elle n'aimât pas son oncle Oswin, elle se sentait certaines obligations à son égard. En dépit de son égoïsme, de sa suffisance, de sa conviction d'avoir été mis au monde pour combattre le vice et restaurer les vertus victoriennes, il était — ou avait été — son tuteur légal. Et, s'il s'était arrangé pour qu'elle visite Chypre sous la houlette des Barton, elle ne tenait pas à envenimer leurs relations par un refus. Elle écrivit donc aux Barton qu'elle acceptait avec joie leur aimable invitation.

A la consternation de son oncle et de sa tante, effrayés par la perspective du voyage jusqu'à Port-Saïd sous escorte armée et par les formalités de la douane égyptienne, Amanda réserva une place sur l'*Orantares* qui assurait la liaison entre Port-Saïd et Limassol. Ils découvrirent toutefois avec soulagement que d'autres résidents de Fayid, partant eux aussi pour Chypre en vacances, avaient choisi le même itinéraire. Amanda voyagerait donc en compagnie du capitaine Gates, du major Blaine, de sa femme et de Persis Halliday.

L'honorable Tobias Allerton Gates, capitaine, était un agréable jeune homme dont les plus charmantes qualités étaient pour lors quelque peu obscurcies par ses sentiments : Toby était amoureux — pas pour la première fois — et le fait que l'objet de son adoration, Miss Amanda Derington, refusât de le prendre au sérieux plongeait cette nature jusquelà inconstante dans une mélancolie profonde.

14

Toby n'avait pas l'intention de passer sa permission à Chypre. Il songeait plutôt à Roehampton et à Cowdray Park. Mais, en apprenant que Miss Derington avait l'intention de visiter l'île, il avait aussitôt annulé son voyage et retenu une chambre à Kyrenia, dans l'hôtel où son idole daignait s'installer. Et voilà, semblait-il, qu'elle n'y résiderait pas. Elle n'irait même pas à Kyrenia. Elle séjournerait à Nicosie, chez le directeur de la filiale cypriote d'une des entreprises de la Derington and Co. Le capitaine Gates se demandait tristement s'il pourrait annuler sa réservation à l'hôtel du Dôme et trouver à se loger dans un hôtel de Nicosie.

Le major Alastair Blaine du 6ᵉ hussard et sa femme, Julia, devaient passer trois semaines chez des cousins qui possédaient une maison à Kyrenia. Ils projetaient de s'y rendre par avion mais les seules places disponibles se trouvant sur un avion qui partait le 13 du mois, Julia, superstitieuse, avait refusé de voyager un jour aussi néfaste et exigé de prendre le bateau. Le cinquième membre du groupe était Persis Halliday.

Mrs Halliday, peu connue hors des frontières de son pays, n'avait nul besoin d'introduction pour les citoyens des Etats-Unis. Persis écrivait des romans d'amour et, contrairement à la plupart de ses consœurs, réussissait à ressembler à ses héroïnes. Ses livres se vendaient par centaines de milliers d'exemplaires et son nom sur la couverture d'un magazine féminin assurait une hausse astronomique des tirages.

Un accident d'avion, trois ans plus tôt, l'avait rendue veuve. Sa présence à Fayid résultait du fait qu'elle parcourait le monde pour rassembler les matériaux en vue d'un roman d'amour situé en Orient. Elle était, en outre, une amie de la tante d'Amanda.

Persis, ayant entendu Amanda mentionner que, selon la légende, Vénus-Aphrodite était née de l'écume près des côtes cypriotes, avait aussitôt décidé de visiter l'île.

— Voyons, chérie, quoi de plus naturel ? déclara Persis. Le berceau de la déesse de l'Amour ! Merveilleux, non ? Vous pouvez compter sur moi. C'est une visite que je ne manquerais pas pour tout l'or du monde.

— Quand on songe à l'argent que vous a fait gagner la

déesse en question, le moins que vous puissiez faire, en effet, est d'aller visiter son lieu de naissance, commenta Julia Blaine d'un ton acide.

Cela se passait au cours d'un bal donné au club des officiers de Fayid. A la véhémence de Julia, Persis répondit par un haussement de sourcils, manifestant une surprise réelle ou feinte, puis elle se mit à rire et s'éloigna dans des effluves de parfum coûteux.

— Sottises! fit Mrs Blaine avec colère en la suivant du regard.

— Comme cela? demanda Amanda, stupéfaite.

— Ses livres. Des fadaises stupides, sentimentales, larmoyantes, assaisonnées d'une pointe de sexe. Comment peut-on lire ce genre de niaiseries?

— Pour s'évader, fit Amanda. Songez à ce qu'est la vie pour des millions de jeunes filles! Une routine ingrate, laborieuse. Alors, en lisant les livres de Persis, elles se disent : « Voilà ce qui pourrait m'arriver! » et elles se sentent beaucoup mieux.

— Voulez-vous dire que *vous* les lisez? demanda Mrs Blaine, incrédule.

— Autrefois. La directrice du dernier collège que j'ai fréquenté les avait interdits car dans l'un d'eux, l'héroïne, une jeune fille pauvre mais honnête, coiffée d'un chapeau écossais, se trouvait mêlée à une bande de gangsters, avec une histoire de trafic de drogue et de traite des Blanches. Elle s'en tirait vierge et pure, naturellement — mais la mise à l'index fut suffisante pour que ses livres circulent sous le manteau par douzaines dans les dortoirs.

Julia Blaine émit un son qui ressemblait fort à un grognement et rétorqua sèchement :

— Cela ne fait que prouver ce que je viens de dire. Ces livres sont destinés à des écolières stupides!

Elle se leva et s'éloigna d'un pas vif, dégageant d'un geste brusque le long foulard de mousseline couvrant ses épaules grassouillettes, resté accroché au dossier de la chaise.

— Les raisins sont trop verts, j'en ai peur, dit la tante d'Amanda d'un ton de regret. Pauvre Julia! Elle-même écrivait autrefois — ou du moins essayait. Un magazine avait

16

accepté l'une de ses nouvelles et elle a cru au succès. Cette première publication n'a pas eu de suite, malheureusement, et elle a abandonné. Rien n'a jamais bien tourné pour Julia.

— Et à qui la faute ? grogna le brigadier.

Il s'épongea le front et tenta d'orienter sa chaise vers le ventilateur le plus proche.

— Elle est votre cousine, je ne l'ignore pas. Mais c'est une sotte !

— Je sais, soupira la tante d'Amanda. Elle a un caractère difficile. Pauvre Julia ! Il faut toujours qu'elle trouve un motif d'irritation — et un motif futile, le plus souvent, comme les livres de Persis Halliday par exemple. Elle en inventerait au besoin. C'est une manie. Quel dommage qu'elle n'ait pas d'enfants ! Le père d'Alastair avait huit frères et sœurs, je crois bien, mais deux seulement se sont mariés. Alastair est le dernier héritier des Blaine de Tetworth et Julia en est consciente. C'est peut-être pour cette raison qu'elle se montre aussi aigrie. Elle ne devrait pas l'être, pourtant. Les femmes corpulentes comme elles jouissent en général d'un caractère heureux et placide.

— J'accuse ces litres de citronnade glacée qu'elle ingurgite, dit le brigadier. Ils suffiraient à aigrir n'importe qui. Comment arrive-t-elle à en boire autant ?

— Il s'agit d'un régime amaigrissant, dit la tante d'Amanda. Mais il ne semble guère efficace. Quoi qu'il en soit, elle est stupide de se montrer aussi grossière envers Persis. Sous ses airs gais et affables et malgré les bons sentiments qu'elle affiche dans ses romans, Persis est une femme dure et vaniteuse. Elle ne serait pas arrivée là où elle est sans cela. Or, ce n'est pas parce qu'elle se moque de ses livres qu'elle admet que les autres en fassent autant.

— Julia est jalouse, dit le brigadier.

— Je sais, la pauvre. Elle l'a toujours été, même enfant. Elle est jolie — ou l'était — et elle a beaucoup d'argent. Mais elle aurait voulu être fascinante, célèbre et riche à crever. Et elle jalouse quiconque possède ce qu'elle n'a pas.

— Ce n'est pas ce que je veux dire, remarqua le brigadier. Je songeais à Alastair.

— Oh ! lui ! fit la tante d'Amanda.

17

Elle soupira.

— C'est tout simplement une maladie chronique, chez Julia. Elle a refusé d'adresser la parole à Amanda pendant plusieurs jours uniquement parce qu'il avait entrepris de lui donner des leçons d'équitation et elle continue à bouder chaque fois qu'il invite ma nièce à danser.

Amanda se mit à rire.

— Je me demande bien pourquoi. Il est très gentil et fort bien élevé. Mais il est ennuyeux comme... comme l'eau d'un lac — quoique je comprenne mal le sens de l'expression. Ne dit-on pas que cette eau grouille d'une vie étrange et mystérieuse ? Or, même si on l'observait au microscope, je crois qu'on ne trouverait rien d'étrange ni de mystérieux chez Alastair. Je le comparerais simplement à un verre d'eau, limpide, agréable — légèrement chloré. On le vide aux repas, sans y penser, pour l'oublier dès qu'une autre boisson, plus agréable, se présente.

— Par exemple ? demanda le brigadier. Du champagne ? Avez-vous déjà bu du champagne, Mandy ?

— Oui, dit Amanda avec un sourire qui découvrit ses fossettes.

Tous trois étaient installés dans un coin de la salle de bal et la tante d'Amanda se retourna pour observer Persis Halliday qui dansait avec le major Blaine.

Alastair Blaine, sans être particulièrement beau, possédait un visage agréable et bronzé, la minceur du cavalier, d'épais cheveux blonds et des yeux d'un bleu d'acier. Il avait quarante ans mais ne les paraissait pas et on lui donnait facilement cinq ans de moins que sa revêche et corpulente épouse de trente-huit ans. Il était populaire, surtout parmi les hommes, et chacun s'accordait à reconnaître que son attitude envers une femme insatisfaite et querelleuse était irréprochable. Car Julia Blaine n'était pas facile à vivre. Enfant unique, elle avait été gâtée par des parents riches et âgés. Jeune fille jolie et potelée, à la tête d'un revenu plus que confortable, elle était tombée amoureuse du jeune Alastair Blaine qui rentrait des Indes pour une permission, et l'avait épousé.

Julia ne se plut pas aux Indes. Alastair, jeune officier dans un régiment de la cavalerie indienne, connaissait trop de monde, avait trop d'amis et Julia était jalouse de tout ce qui détournait l'attention de son mari. Ce fut là-bas qu'elle mit au point une tactique qui devait, plus tard, ruiner son bonheur conjugal et sa propre tranquillité d'esprit. Soirées, piques-niques, bals : à chaque réunion mondaine où Alastair semblait s'amuser, elle prétextait une migraine ou un brusque malaise et demandait à rentrer chez elle.

Cette habitude devint sa façon d'exiger l'attention de son époux et de prouver sa mainmise. Elle répondait à un instinct jaloux, avide, qui ne supportait pas de le voir intéressé ou diverti par un être ou un objet quelconque en dehors d'elle. Elle l'aimait d'un amour triste, exclusif, qui la conduisait à des excès presque maladifs dans le but de se prouver qu'elle possédait au moins le pouvoir de le blesser et qui ne servaient qu'à l'éloigner davantage. Ainsi flattée, encouragée, sa fragilité nerveuse et physique, d'abord imaginaire, devint réelle. Nul enfant n'était venu orienter ses forces et ses sentiments vers des voies plus normales. Les charmantes rondeurs de sa jeunesse s'étaient muées en embonpoint vers la trentaine et les méchantes langues en conclurent vite que seul l'argent de sa femme empêchait Alastair de la quitter pour une rivale plus jeune et plus séduisante. Nul, toutefois, ne réussit jamais à avancer un nom. Alastair était aimé de toutes mais, malgré la folle jalousie de son épouse, personne ne pouvait l'accuser de s'intéresser à une autre femme que la sienne. Quant à l'attention qu'il accordait à Amanda, elle dépassait peut-être celle qu'on lui avait jamais vu témoigner à une femme.

En cet instant, il dansait avec Persis Halliday. Persis, mince et éclatante dans sa robe de mousseline couleur flamme, flirtait avec lui avec une ostentation malicieuse destinée sans nul doute à exaspérer l'irritable épouse.

— J'espère seulement que Persis changera d'avis et n'ira pas à Chypre, murmura la tante d'Amanda en observant Mrs Halliday d'un air soucieux. Julia sera furieuse et elle a vraiment besoin de vacances. La chaleur a été éprouvante et elle n'a pas la santé pour la supporter.

— Vous voulez dire qu'elle est trop grosse, fit Amanda avec la brutalité que lui conféraient ses vingt ans et sa taille de guêpe. Si elle prenait un peu d'exercice au lieu de siroter ses éternelles citronnades, elle se sentirait beaucoup mieux. Qui sont ces gens qui les hébergent à Chypre, Alastair et elle ?

— Les Norman. Lui est un cousin germain d'Alastair et le futur héritier de Tetworth si Alastair n'a pas d'enfant — ce qui semble probable désormais. Je les ai rencontrés là-bas, l'année dernière. Ils possèdent une résidence splendide à Kyrenia. Claire Norman est de santé fragile — les poumons sans doute — c'est pourquoi ils doivent vivre dans un climat chaud. Ils sont sûrement très riches car George Norman ne travaille pas. Ils viennent de séjourner quelque temps à Alexandrie, chez des amis, m'a appris Julia et prendront le même bateau que vous. Vous serez sans doute amenée à les fréquenter.

— J'espère bien que non, dit Amanda avec conviction, si cela implique que je doive fréquenter Mrs Blaine. Sa place est sur le divan d'un psychiatre qui la débarrassera de ses complexes. On ne peut blâmer Mrs Halliday d'essayer de la faire marcher : Julia n'a cessé de se montrer grossière envers elle toute la soirée. Ce n'est pas le meilleur moyen de garder un mari !

— Quand vous en aurez un à vous, Mandy, vous nous montrerez la façon de s'y prendre, fit sèchement le brigadier.

Amanda éclata de rire et lui fit une grimace :

— Si vous tenez à le savoir, très cher, j'ai décidé de rester célibataire.

— Quoi ? Voulez-vous dire que nul parmi cette foule d'hommes empressés n'a attiré votre regard ?

— Un seulement, dit Amanda, songeuse. Vous excepté, mon cher, naturellement.

— Ah ! fit le brigadier. Voilà donc la raison de votre allusion au champagne. Ne me dites pas que le jeune Toby a enfin réussi à toucher votre cœur ? Où est-il, à propos ?

— Parti relever la garde ou accomplir quelque autre devoir militaire urgent. Il va revenir bientôt. Non, Toby ne ressemble pas à l'idée que je me fais du champagne, pauvre chou.

— Ce n'est pas Andrew Carron, j'espère — ou le jeune Haigh ? Ou le petit Plumbly ? Pas le major Cotter, en tout cas ! Je ne peux croire cela de vous.

20

— Vous ne le connaissez pas, dit Amanda avec regret. En fait, je ne le connais pas moi-même.

Et elle indiqua d'un geste un homme installé à l'écart, sur la terrasse, près de la porte ouvrant sur la salle de bal. Ses longues jambes étendues devant lui, il tenait les mains enfoncées dans les poches d'un pantalon couleur rouille, semblable à ceux portés par les marins bretons.

— Juste ciel ! fit le brigadier, outré. « L'artiste » ?

— Exactement. Il a une mine intéressante, vous ne trouvez pas ?

— Pas du tout. Il a besoin d'une bonne coupe de cheveux. Où l'avez-vous connu ?

— Je ne le connais pas. Je l'ai croisé, simplement, de temps à autre. Et comme je pars pour Chypre lundi, je ne le connaîtrai jamais, je suppose. Dommage. C'est tout à fait mon genre d'homme.

— Drôle de genre, remarqua le brigadier en déplaçant sa chaise pour observer l'intéressé. Il porte sans doute des espadrilles, se peint les ongles des pieds et tient Picasso pour un génie.

— Eh bien, moi aussi, si vous voulez le savoir.

— Ta ! ta ! ta ! Voilà bien les femmes. Elles peuvent choisir parmi une foule de garçons gentils, bien élevés et normaux auxquels elles n'accordent même pas un regard ! Et elles succombent au charme d'un quelconque séducteur chevelu qui se donne des airs d'artiste. Que fait-il ici, d'ailleurs ?

— Il peint les Pyramides, soupira la tante d'Amanda. Comme tous les autres.

Elle sourit affectueusement à sa nièce.

— Vous avez raison, Mandy. Il est tellement plus excitant que l'eau ou le gin soda. Je dois absolument faire sa connaissance, et sur-le-champ.

— De quoi diable parlez-vous ? s'enquit le brigadier, ahuri.

— Du champagne, naturellement, fit la tante d'Amanda. Tellement plus stimulant que... que la bière, par exemple.

Elle se leva dans un envol de mousseline grise et se dirigea vers la porte.

— Muriel ! fit le brigadier, scandalisé. Vous ne sauriez, même à votre âge, accoster un étranger.

— C'est ce que nous allons voir.

Une demi-heure plus tard, Amanda, abandonnant la salle de bal pour aller respirer sur la terrasse, s'entendit héler par sa tante.

— Amanda, ma chérie, venez donc. Je désire vous présenter Steven Howard. Mr Howard, voici ma nièce, Amanda Derington.

Mr Howard se leva. Amanda lui tendit la main et plongea son regard dans une paire d'yeux noisette, froids et observateurs, qui la fixaient avec une attention déconcertante. Nulle trace d'admiration dans ce regard tranquille qui ne semblait pas remarquer à quel point Miss Derington était ravissante, mais seulement cette étrange lueur d'intérêt.

« Brun... des yeux marron clair... un visage bronzé... la trentaine ; il n'est pas vraiment beau, songea confusément Amanda, ses traits sont irréguliers. Ce qui le rend si mystérieux... »

Un muscle frémit au coin de la bouche de Mr Howard et Amanda s'aperçut soudain qu'elle tenait toujours sa main dans la sienne et qu'elle venait de le dévisager pendant une bonne minute. Ecarlate, elle retira brutalement sa main, furieuse contre elle-même et — sans la moindre logique — contre Steven Howard.

— Mr Howard est un artiste. Il peint, dit la tante d'Amanda venant à son secours. Il rassemble des études pour une exposition cet automne.

— Oh ! fit seulement Amanda.

Mr Howard prit la parole :

— Votre tante, je le crains, me prête trop de zèle. A dire vrai, l'art me semble une admirable excuse pour ne pas travailler et lézarder au soleil.

Sa voix était basse, plaisante, légèrement moqueuse.

— Vraiment ? dit Amanda d'un ton froid.

L'orchestre attaqua *La Vie en rose*.

— Vous m'excuserez de ne pas vous inviter à danser, mais comme vous pouvez le constater, ma tenue est inadéquate. Un autre soir, j'espère...

— Je ne serai plus là, fit sèchement Amanda. Je pars lundi. Toby, n'est-ce pas notre danse ?

Elle le planta là. Quand elle revint sur la terrasse, accompagnée de Toby, il avait disparu.

— Moi qui croyais que vous vouliez le connaître, Mandy! protesta la tante d'Amanda. Pourquoi avoir ainsi traité ce pauvre garçon, après tout le mal que je me suis donné?

— Je ne sais pas, admit Amanda à contrecœur. Peut-être parce que j'ai eu l'impression de me donner en spectacle. Ou encore parce que je n'aime pas qu'on se moque de moi. D'ailleurs, il ne semblait pas mortifié le moins du monde. Il s'amusait et... à la réflexion, il ne me plaît pas du tout.

— Très bien. De toute façon, je ne pense pas que vous le revoyiez un jour.

En cela, elle se trompait. Amanda devait le revoir cinq minutes après la mort de Julia.

2

Le pont de l'*Orantares,* qui allait quitter Port-Saïd à destination de Limassol, était brûlant et envahi par la foule. Les voyageurs de Fayid se réfugièrent dans le salon et commandèrent des boissons glacées après avoir mis les ventilateurs en marche.

Ils furent rejoints par Mr et Mrs Norman arrivés d'Alexandrie un peu plus tôt dans la journée.

Claire Norman était une femme petite, menue, à la peau de magnolia et aux larges yeux gris frangés de cils noirs. Une masse de boucles brunes coupées court comme celles d'une enfant entourait son visage d'un halo gracieux. Sans être particulièrement jolie, sa petite taille, sa gracilité évoquaient un fragile perce-neige ployé sous le vent et faisaient paraître les autres femmes énormes et gigantesques. Elle possédait en outre une voix exquise et mélodieuse et sa robe de toile vert pâle, admirablement coupée, son petit chapeau blanc, le léger parfum de narcisse qui l'enveloppait soulignaient encore son côté printanier.

Son mari, George Norman, semblait par contraste presque exagérément grand et fort. Il s'affairait, inquiet, auprès de sa minuscule épouse, tel un énorme saint-bernard. Son visage carré et sans grâce était brûlé par le soleil, son épaisse chevelure brune, striée de gris et il paraissait totalement déplacé dans le salon bondé et surchauffé, rempli d'une foule élégante et cosmopolite. On l'aurait deviné plus à l'aise, vêtu de tweed usagé et coiffé d'un chapeau décoré de mouches pour la pêche au saumon, en train de boire de la bière dans un pub de la campagne anglaise, plutôt qu'habillé de toile fine, recevant un gin glacé des mains d'un serveur à la peau sombre, le chef surmonté d'un fez rouge.

24

— Quelle chaleur ! soupira Claire Norman. Je suis four-bue.

— Claire se fatigue si facilement, expliqua George Norman au petit groupe rassemblé. Ma chérie, ne croyez-vous pas que vous devriez aller vous étendre ? Il fait sans doute beaucoup plus frais dans la cabine.

— Et quitter cette chère Julia, et Alastair, juste quand nous venons de nous retrouver ? Certainement pas. Voyons, je mourais d'envie de les revoir. Après tant d'années.

— Janvier, fit Julia, écrasante. Six mois à peine.

— C'est vrai. Mais ils m'ont paru des siècles. Se séparer de vrais amis...

— ... et avant cela, septembre, continua Julia sans prendre garde à l'interruption.

— Et nous voici réunis. C'est si merveilleux de vous retrouver, Julia, et vous aussi, Alastair...

D'un geste caressant, Claire Norman posa sa petite main blanche sur la main élégante et bronzée d'Alastair. Amanda le vit rougir et surprit sur son visage une expression étrange, indéfinissable.

Julia reposa son verre avec une grimace de dégoût.

— Elle est sucrée ! Alastair, demandez au serveur de m'en apporter une autre. J'ai bien précisé : seulement du citron et de l'eau, *pas* de citronnade sucrée. Ils n'écoutent jamais ce qu'on leur dit.

Docile, le major Blaine héla un serveur.

— C'est si gentil à vous deux de venir loger à la maison, Julia, dit Claire. Je me sens si seule à Chypre, si loin de mon pays et de mes amis.

— Dans ce cas, pourquoi y vivre ? demanda Julia.

Claire Norman soupira doucement et sourit d'un air triste.

— Les médecins. Selon eux, je ne pourrais... Mais ne parlons pas de moi. Parlons d'un sujet plus intéressant : *vous !* Vous paraissez florissante, Julia chérie. J'aimerais tant pouvoir grossir un peu, moi aussi. George m'oblige à boire des litres de crème et à manger des kilos de beurre, mais en vain. Je n'arrive pas à prendre un gramme. Papa disait toujours que j'étais une enfant-fée... trop petite pour appartenir aux mortels...

Persis avala de travers son gin soda, se tapota les lèvres à

25

l'aide d'un grand mouchoir de mousseline et murmura quelques paroles qui ressemblaient étonnamment au refrain populaire : « Mon Dieu, quelle femme, qu'elle est petite ! » Les fossettes d'Amanda se creusèrent, elle détourna la tête vers le hublot et dit :

— Nous allons bientôt appareiller. Ils retirent la passerelle, on dirait.

Des cris, des invectives leur parvinrent : deux passagers qui avaient bien failli manquer le bateau grimpaient en hâte la passerelle et arrivaient hors d'haleine sur le pont.

Ils formaient un couple mal assorti. La femme, une séduisante brune, était vêtue d'un ensemble de toile rose, aussi coûteux que les toilettes de Persis. Malgré la chaleur et la poussière, ses chaussures et ses gants étaient d'une blancheur immaculée. Elle transportait d'une main une mallette en cuir blanc et, de l'autre, ce qui semblait être un chevalet de peintre. Par contraste, son compagnon paraissait sale, congestionné, habillé avec une négligence voulue. Il portait des pantalons de toile bleue d'une propreté douteuse, une chemise de sport orange qui aurait, elle aussi, nécessité un lavage, un béret noir et arborait une barbe roussâtre et clairsemée.

« Un artiste », se dit Amanda, et elle songea aussitôt à Steven Howard. Mais personne, en voyant Mr Howard pour la première fois, n'aurait pu le cataloguer dans cette profession. Il portait, c'est vrai, un pantalon de couleur vive ; mais c'était le cas de bon nombre de membres du club de voile et rien d'autre dans sa tenue ne suggérait ses activités artistiques. Il aurait pu être n'importe qui, rêva Amanda. Prince ou aventurier, comme dans la chanson. Et elle se demanda pour quelle raison elle se rappelait si précisément chaque détail de sa mise, chaque trait de son visage.

Après avoir déposé sur le pont deux valises et un carton mal ficelé contenant ses toiles, « l'artiste » dit d'un air mécontent, comme s'il poursuivait une conversation déjà entamée :

— Bien sûr que je les ai déclarées ! Quel pays ! Impossible de trouver un seul tube de gouache. Des boîtes de couleurs pour débutants — pouah ! Posez ça, imbécile de coolie ! Posez cette toile, je vous dis ! Elle n'est pas sèche. Juste ciel...

George Norman dont l'attention avait été attirée par le tumulte qui régnait sur le pont se leva et regarda par le hublot.

— C'est bien ce que je pensais, dit-il. C'est ce type : Potter.

Claire se tourna vivement vers lui :

— Lumley ? Que peut-il bien venir faire ici ?

— Peindre les Pyramides, je suppose, répliqua son mari en écho à la suggestion de la tante d'Amanda.

— Dites-lui de venir nous rejoindre, ordonna Claire.

Elle se tourna vers le major Blaine :

— Vous vous souvenez de Lumley Potter, n'est-ce pas, Alastair ? Il possède un atelier d'artiste à Famagouste. Vous l'avez rencontré une fois ou deux à la maison lorsque vous habitiez chez nous, l'année dernière, avec Julia. Je crois vous avoir emmené voir ses toiles.

— Et comment ! fit Julia. Lumley ! Ce n'est certes pas le prénom que lui a donné sa mère. J'ai rencontré une certaine Mrs Deadon au Caire, l'année dernière, qui savait tout sur ce Mr Potter. Je ne suis pas surprise qu'il ait décidé de s'installer à Chypre. Quant à sa peinture... je pourrais faire aussi bien les yeux fermés — et même mieux ! Si vous appelez cela de l'art...

— Mais, Julia chérie, c'*est* de l'art. Claire prononça le mot comme s'il possédait un A majuscule. Ne soyez pas conventionnelle, ma chère. Lumley ne peint pas l'ordinaire ni le convenu, mais l'*âme* d'un lieu, ses effluves spirituels.

— Des effluves d'ail, vous voulez dire ! coupa Julia. N'essayez pas de m'embobiner, Claire ! Cet homme est un peintre raté, une nullité, un truqueur, et vous le savez. Il est incapable de peindre, alors il se déguise, se laisse pousser la barbe, débite un tas d'inepties et peint le plus mal possible dans l'espoir de passer pour un génie aux yeux d'un tas de snobs entichés d'art. C'est d'ailleurs ce que je lui ai dit.

— Je m'en souviens, en effet, fit sèchement Claire. Et vous lui avez fait perdre ainsi beaucoup d'argent. Ce couple de nouveaux riches australiens avait pratiquement acheté huit de ses toiles mais, après vous avoir écoutée, ils ont pris peur et se sont rétractés. Alastair, du moins, ne partage pas votre avis. Il a acquis les *Cypriotes en vert glauque,* n'est-ce pas, Alastair ?

27

— Uniquement parce qu'il s'y sentait obligé, pour compenser le refus des Blagg d'acheter ces horribles croûtes, rétorqua Julia d'un ton désagréable.

— Oh! chérie! Vous mésestimez vraiment Alastair. Il possède un sens réel et profond de l'Art vrai.

— Je comprends Alastair parfaitement, merci Claire, fit Julia sèchement.

Alastair Blaine rougit, gêné, et Persis se leva avec décision.

— Eh bien, je ne sais pas si vous êtes comme moi, mais je crois avoir épuisé les réserves de gin de ce bateau, remarqua-t-elle gaiement. Alastair, très cher, si nous laissions ces jeunes femmes discuter de votre sensibilité artistique pendant que vous m'escorterez sur le pont ? J'aimerais contempler la ville une dernière fois avant le départ. Acceptez-vous de me le prêter, Julia ?

Le major Blaine se leva avec empressement pour aider Persis à rassembler son sac et ses gants tandis que Claire Norman les observait, une ride barrant soudain son front d'albâtre. Elle attendit un moment puis, se tournant vers son mari :

— George, mon cher, je vous ai demandé d'appeler Lumley.

— Euh... eh bien...

George Norman, l'air embarrassé, semblait hésiter.

— Je pense qu'il serait préférable de nous en abstenir. Il n'est pas seul.

— Oh ?

La voix flûtée de Claire Norman se durcit légèrement :

— Qui donc l'accompagne ? Quelqu'un que nous connaissons ?

— Anita.

— Qui ? fit le major Blaine en se retournant brusquement. Mais je croyais...

Il jeta un coup d'œil à Amanda mais n'acheva pas sa phrase car Persis prit son bras en disant : « Allons-y », et ils sortirent.

— Anita ! s'exclama Claire Norman.

Deux taches pourpres étaient apparues sur ses joues pâles. Sa bouche se serra et la fleur délicate et souple se transforma l'espace d'un instant en une inflexible tige d'acier.

La métamorphose fut brève. Les coins de sa bouche s'abaissèrent comme ceux d'une enfant, l'air fragile, un peu triste, reparut et Mrs Norman dit de sa voix douce, comme pour se faire pardonner :

— Je crois finalement que je vais aller m'étendre un moment, George. Je me sens si lasse. Je vous verrai à l'heure du dîner, Julia, si j'ai la force de me lever.

Elle adressa un pâle sourire à Amanda, un autre à Toby Gates, plaça une petite main confiante sur le bras de son époux et s'éloigna d'une démarche gracieuse.

Julia Blaine la fixait en silence et Amanda, surprise, remarqua son visage livide, ses yeux élargis emplis d'une expression ressemblant étrangement à de la crainte. Gênée, la jeune fille cherchait une remarque anodine pour rompre le silence pesant qui les enveloppait comme un charme. Mais avant qu'elle n'ait eu le temps d'ouvrir la bouche, Mrs Blaine se leva, repoussant si violemment sa chaise que celle-ci tomba sur le tapis. Puis elle quitta le salon d'un pas rapide.

Dix minutes plus tard, le navire appareillait. Amanda et Toby sortirent sur le pont et contemplèrent la ville de Port-Saïd et sa parure d'arbres éclatants qui s'éloignaient lentement dans une brume embrasée de chaleur.

Des felouques à la poupe élargie, aux immenses voiles triangulaires glissaient parmi une foule de bateaux venant de presque tous les pays du monde : un torpilleur britannique en partance vers Colombo et l'Extrême-Orient ; des pétroliers venus d'Angleterre, d'Amérique, de Hollande, de France, de Scandinavie ; un paquebot de la compagnie P. & O., éblouissant de blancheur sous le soleil ardent ; un transporteur de troupes revenant de Singapour ; un *dhaw* de Dacca et un cargo du Brésil.

Ils dépassèrent la longue jetée de pierre où la statue de Lesseps contemple l'étroit ruban de mer qu'il commémore à jamais. Au-delà du monument de bronze, une flottille de bateaux de pêche s'égrenait, immobile, sur les hauts-fonds qui s'allongent en direction de Damielta et du delta du Nil, leurs voiles dressées, tels des fantômes, dans la brume. Une brise fraîche, venue de la mer, balaya doucement le pont brûlé par le soleil tandis que le bateau inclinait sa proue en direction de

29

Chypre. Quand les blanches terrasses et les luxueux édifices de Port-Saïd eurent disparu dans la brume de chaleur, Amanda descendit dans sa cabine pour se débarrasser de la poussière du voyage.

Il faisait une chaleur étouffante dans le long couloir d'une blancheur aveuglante où régnaient de puissants effluves de nourriture, de désinfectant et d'huile de machine mêlés à cette autre odeur, curieuse, omniprésente, propre à tous les navires. Un petit groupe volubile se tenait à mi-chemin de la coursive où dominait la voix de Mrs Blaine :

— Peu importe, il faudra me trouver une autre cabine. Je n'y avais pas prêté attention ou je ne vous aurais jamais laissés installer mes bagages. Je ne dormirai pas ici, c'est mon dernier mot.

Rouge de colère, elle se dégagea du groupe et aperçut Amanda.

— Ces gens sont vraiment impossibles ! déclara-t-elle avec véhémence. Il y a certainement des douzaines d'autres cabines disponibles !

— Que se passe-t-il ? La vôtre ne vous convient pas ?

— C'est le numéro, fit amèrement Julia. Le 13 ! Je ne voyagerai pas là-dedans. Je préfère dormir sur le pont. Si encore le bateau était plein ! Mais il est à moitié vide. Et inutile de parler de superstitions ridicules. Je suis superstitieuse, c'est vrai. Pas en ce qui concerne les chats et les échelles, mais pour le chiffre 13.

— Eh bien, ce n'est pas mon cas, dit gaiement Amanda. Nous allons faire un échange si vous voulez. On m'a donné une cabine double pour moi toute seule.

— Vraiment ? Vous accepteriez ?

— Bien sûr. Je n'ai pas encore défait mes valises ; le déménagement ne prendra qu'une minute. J'ai le numéro 14, juste à côté du vôtre.

La femme de chambre, le garçon de cabine, un matelot cypriote qui traînait dans les parages et un individu qui occupait manifestement les fonctions de commissaire du bord exprimèrent un soulagement bruyant et le transport des bagages s'accomplit en quelques minutes.

— C'est très aimable à vous, dit Julia Blaine.

Elle hésitait, gênée, sur le seuil de son ancienne cabine et s'exprimait d'une voix rauque, hachée :

— Je sais qu'il est stupide de se montrer aussi superstitieuse mais... eh bien, je tenais tellement à m'éloigner de Fayid, de... de cette chaleur et je... je voudrais tellement que ces vacances soient réussies. Alors, quand j'ai vu ce numéro sur la porte, cela m'a paru... un mauvais présage et je...

Sa voix faiblit et elle se tut.

Amanda lui sourit avec gentillesse mais Julia Blaine ne lui rendit pas son sourire. Elle ne regardait pas Amanda mais son propre reflet, dans le miroir étroit au-dessus de la tête de la jeune fille. Son visage un peu gras, vieillissant, avait retrouvé sa pâleur et son expression craintive.

Amanda prit le thé au salon en compagnie de Toby Gates. Le soleil se coucha dans un flamboiement d'or, de rose et d'améthyste et, sous un ciel constellé d'étoiles, le groupe réuni dîna dans la salle à manger : Amanda, Toby, Julia et Alastair Blaine, les Norman et Persis Halliday.

La pièce était loin d'être pleine et Amanda aperçut le peintre barbu, amateur d'effluves spirituels, dînant à une petite table avec sa compagne. Celle-ci avait troqué son ensemble pour une robe décolletée en dentelle rouge.

Amanda s'était contentée d'enfiler une robe de toile et Julia Blaine n'avait même pas pris la peine de se changer. Claire Norman, en revanche, semblait fraîche et éthérée, parée de perles, dans sa toilette de mousseline blanche, et Mrs Halliday, bravant la chaleur, avait choisi une robe de lamé or et d'extraordinaires émeraudes. Le tissu rehaussait les reflets dorés de sa chevelure rousse et les émeraudes soulignaient la lumineuse clarté de ses yeux verts. Elle était éblouissante, le savait et s'amusait à flirter outrageusement avec George Norman.

Alastair Blaine était assis près d'Amanda mais Claire Norman, à sa gauche, accaparait toute son attention et, pour une fois, Julia avait fait taire sa langue acérée. Elle observait son mari et Claire Norman à la dérobée, avec une attention presque craintive. Mais si Alastair en était conscient, il paraissait décidé à ignorer le fait. Le major Blaine — pour la première fois depuis qu'Amanda le connaissait — semblait se ressentir des effets, bons ou mauvais, de l'alcool. Son teint était anormalement coloré, ses yeux bleus brillaient d'un éclat inaccoutumé et il cherchait ses mots.

Ils en étaient au milieu du repas quand Claire se pencha vers Amanda :

— Alastair me dit que c'est votre premier voyage à Chypre, Amanda. Je peux vous appeler Amanda, n'est-ce pas ? Comptez-vous y rester longtemps ?

— Seulement dix jours, dit Amanda avec regret. Cela semble presque trop court : dix jours sont si vite passés.

— Oh ! mais Chypre est une toute petite île. Où résiderez-vous ? A Kyrenia ?

— Non, je le crains. J'aurais de beaucoup préféré séjourner près de la mer mais mon oncle s'est arrangé pour que je loge chez l'habitant, à Nicosie.

— Des militaires, je suppose. Ils sont presque tous cantonnés à Nicosie, les pauvres.

Amanda secoua la tête.

— Non. Ils travaillent dans le commerce du vin. Les Barton.

— Les Barton ! Vous voulez parler de Glenn Barton ?

— Oui, c'est lui, je crois. Glennister Barton. Vous le connaissez ?

— Oui, naturellement ; mais vous ne sauriez loger à la villa Sosis. Voyons...

Elle se tut soudain et se mordit la lèvre.

— Je logerai chez eux pourtant, dit Amanda en riant. Vous pensiez qu'ils étaient absents ?

— Non. Je veux dire...

Cette fois encore, Claire Norman n'acheva pas sa phrase. Elle éclata de rire, un rire léger, en cascade, qui donna à Amanda l'impression que la jeune femme était à la fois déconcertée et furieuse.

— Enfin... nous verrons bien. Ce sera intéressant. Mais, personnellement, j'aurais cru Glenn plus respectueux des convenances. Il est tellement formaliste.

Après cette remarque énigmatique, elle reporta son attention sur Toby Gates. Amanda n'eut plus l'occasion d'aborder le sujet car, à cet instant, l' « artiste », Mr Potter, et sa

32

compagne se levèrent pour quitter la salle à manger et s'arrêtèrent à leur table. Amanda vit le peintre tirer la jeune femme par le bras comme s'il souhaitait l'entraîner, mais celle-ci se dégagea et, d'une voix haute et claire :

— Bonjour Claire. Bonjour Mrs Blaine. Alastair ! Comme c'est amusant de vous revoir ici !

Alastair Blaine se leva vivement. Il chancelait un peu.

— Bonjour, Anita. Que faites-vous ici ?

— Comme si vous ne le saviez pas ! ironisa la compagne de Mr Potter. Quoi qu'il en soit, si vous l'ignorez, Claire aura tôt fait de vous renseigner. N'est-ce pas, Claire ?

Claire Norman se raidit sur sa chaise. Lentement, elle se tourna vers la jeune femme et un long silence parut s'écouler avant qu'elle ne se décide à parler.

— Bonjour, Anita. Je ne m'attendais pas, moi non plus, à vous voir ici. Je pensais...

Elle s'interrompit, haussa ses épaules délicates et partit de son rire cristallin :

— Allons, cela ne me regarde pas, n'est-ce pas ? Bonjour, Lumley. Vous vous souvenez du major et de Mrs Blaine ?

Elle ne daigna même pas présenter la jeune femme qu'elle avait saluée sous le nom d'Anita mais, s'adressant aux trois hommes qui occupaient la table :

— Asseyez-vous, très chers. Il est inutile de rester debout pendant que les plats refroidissent. Nos amis s'apprêtaient à partir.

Le visage de Mr Potter, déjà plus rouge que sa barbe, s'empourpra encore et il dit rapidement :

— Oui, nous... nous apprêtions à aller sur le pont. Venez, Anita.

Il saisit le bras de sa compagne et la tira presque hors de la salle à manger.

— Qui est cette fille ? demanda Persis, intéressée.

— Seulement une personne que nous avons le malheur de connaître, fit Claire d'une voix froide.

Et elle changea aussitôt de sujet.

Persis haussa les sourcils mais ne la pressa pas davantage. Bientôt, tous quittèrent la table et montèrent au salon pour prendre le café. Plus tard, ils mirent le phonographe en marche et dansèrent sur le pont à la clarté des étoiles.

Il était presque onze heures quand Amanda descendit se coucher et, à l'exception d'un marin cypriote, le long couloir brillamment éclairé était silencieux et désert. La cabine semblait étouffante après la brise nocturne qui rafraîchissait le pont, et Amanda fut agréablement surprise de l'attention de la femme de chambre : un verre plein à ras bord d'un liquide glacé où flottait une rondelle de citron l'attendait sur une petite table, près de la couchette. Puis elle comprit que la boisson avait sans doute été commandée par Julia et placée dans la cabine que celle-ci aurait dû occuper. « Je devrais aller la lui porter », songea-t-elle. Mais elle s'était déjà déshabillée et elle décida de s'acquitter de la commission après sa toilette. Elle enfila une chemise de nuit en soie légère, baigna son visage à l'eau froide puis, ôtant les épingles qui retenaient son chignon, entreprit de brosser sa longue et brillante chevelure.

Les cheveux d'Amanda — d'un brun sombre, doré, évoquant les tons des premières châtaignes de septembre — étaient un somptueux anachronisme. A la clarté du soleil, d'autres reflets, pourpres, verts et bronze, s'y mêlaient. Ils lui descendaient bien au-dessous de la taille, chatoyante cascade, digne de rivaliser avec le fameux manteau de plumes de Montezuma.

Pourtant — et ce n'était pas la première fois depuis le début de cet été torride — elle regretta de ne pas avoir le courage de braver le courroux de son oncle et de les couper.

Oswin Derington n'aimait pas les cheveux courts et Amanda, bien que majeure et ayant énergiquement prouvé son indépendance, n'en demeurait pas moins marquée par des années d'obéissance. Elle craignait la fureur outragée de l'oncle Oswin si jamais elle osait sacrifier ce qu'il s'entêtait à définir comme « le glorieux diadème » de la Femme.

Avec un soupir elle fouilla dans sa valise à la recherche d'un ruban. Elle achevait de nouer ses cheveux lorsque la porte de sa cabine s'ouvrit brutalement : Julia Blaine apparut en robe de chambre de satin rose bordée de flots de dentelles sur une chemise de nuit moulante en même tissu, chaussée de mules ornées de plumes.

Elle claqua la porte derrière elle et s'affaissa sur la

couchette d'Amanda. Elle tremblait violemment et claquait des dents comme si elle avait froid.

— Que se passe-t-il ? demanda Amanda, effrayée à la vue de son visage ravagé. Vous sentez-vous mal ? Voulez-vous que j'appelle la femme de chambre ?

— Non, fit Mrs Blaine d'une voix rauque. C'est... c'est Alastair...

— Alastair ? Il est malade ?

— Non. Mais il n'est pas rentré. Il... il est resté à danser sur le pont. Je lui ai dit que je ne me sentais pas bien et que j'allais me coucher mais il a refusé de m'accompagner. Il n'a même pas voulu me conduire jusqu'à ma cabine ! Il a prétendu que je pouvais trouver le chemin toute seule. J'ai attendu, attendu. Enfin, j'ai envoyé la femme de chambre lui demander de descendre parce que je me sentais vraiment mal et il... il l'a renvoyée en la chargeant de me dire de prendre un comprimé d'aspirine car il était occupé. Occupé ! C'est cette femme ! J'aurais dû m'en douter. J'ai toujours pensé que cela arriverait un jour. Alastair... Alastair !

Elle éclata en sanglots haletants, hystériques.

— Mrs Blaine, ne croyez-vous pas que vous feriez mieux de regagner votre cabine et de vous étendre ? dit doucement Amanda. Vous ne devriez pas me raconter tout cela, je vous assure. Demain matin, vous verrez la situation sous un tout autre jour. La journée a été torride et épuisante, il est normal que vous vous sentiez déprimée. Vous ne pensez pas vraiment ce que vous dites. Allez vous coucher, je vous en prie.

Mais Julia Blaine n'était pas accessible à la raison. Elle *voulait* parler. Amanda, la femme de chambre ou même un simple inconnu, peu lui importait son interlocuteur.

— Je dirai tout ! s'exclama-t-elle avec violence. Je raconterai la vérité à tout le monde ! A tout le monde. J'ai toujours su qu'il me quitterait un jour. Je le sentais : là...

Elle frappa son opulente poitrine de ses poings serrés tandis que des larmes roulaient le long de ses joues grasses et fanées.

— Mais voilà, il ne pouvait pas me quitter. Il avait besoin d'argent et j'en avais. Lieutenant de régiment dans la cavalerie indienne, il parvenait encore à s'en tirer mais une fois nommé en Angleterre, il lui *fallait* de l'argent. Et j'en avais plus que les autres, beaucoup, beaucoup plus. Il y avait bien des femmes plus jolies, plus jeunes et... et plus minces, comme Anita. Mais elles n'auraient pu lui donner les chevaux, les voitures, le luxe que je lui offrais. A présent c'est différent. Cette Américaine ! Elle est riche. Vous avez vu ses émeraudes ? Elles doivent coûter une fortune. Et Claire... ce n'est pas George qui est riche, c'est Claire. C'est pour cette raison que George vit à Chypre. Il déteste cette ville... il l'a toujours détestée. S'il quittait Claire, il n'aurait pas un sou et il a pris goût à l'oisiveté. Quand elle l'a obligé à quitter l'armée, elle lui a promis qu'ils achèteraient une ferme en Angleterre. Et puis elle en a décidé autrement. Il n'a même pas droit à une pension. Elle l'a amené là où elle voulait. Elle l'a réduit à merci. Mais je n'avais pas compris qu'elle voulait Alastair. Il ne peut pas me faire ça ! C'est impossible !

Elle pleurait bruyamment en balançant son corps massif d'avant en arrière. Amanda s'assit près d'elle et entoura de son bras les lourdes épaules cuirassées de satin, cherchant vainement des paroles susceptibles de réconforter cette pauvre créature désespérée et hystérique.

— Je... tout cela est de la pure imagination, j'en suis sûre, dit-elle enfin.

— Je connais Alastair mieux que vous, sanglota Julia. C'est la première fois que je le vois agir de la sorte. Mais elle ne l'aura pas ! Je me tuerai plutôt ! Je préfère mourir que de subir cette humiliation... cette torture horrible.

Amanda se demanda si elle ne devait pas sonner la femme de chambre pour lui demander un calmant ou l'aide du médecin de bord.

— Ne voulez-vous pas un cachet d'aspirine ou... ou un verre d'eau ? demanda-t-elle, décontenancée.

Mrs Blaine tourna lentement la tête et regarda Amanda comme si elle se réveillait d'un profond sommeil. Son visage marbré, défiguré par les larmes, prit peu à peu une vilaine couleur rougeâtre. Elle repoussa le bras d'Amanda et se leva brusquement.

— Ce sont les paroles même d'Alastair. Il a dit que je devais prendre de l'aspirine. La femme de chambre m'en a apporté quelques comprimés. Celle qui... qui a transmis son message.

36

Sa main droite et potelée s'ouvrit, découvrant deux petits comprimés blancs qui commençaient à s'effriter.

— Prenez-les, dit Amanda, et mettez-vous au lit. Ils vous feront dormir et vous vous sentirez beaucoup mieux demain matin.

— Oui, dit Julia lentement. C'est peut-être la chaleur. Je suis toujours si mal à l'aise quand il fait chaud. C'est horrible de devoir vivre en Orient. Je déteste la vie de garnison... mais Alastair l'aime. Peut-être que si j'arrive à dormir...

Elle mit les comprimés dans sa bouche et étendit sa main couverte de bagues en direction du verre posé près de la couchette. A la lumière du plafonnier, les diamants étincelèrent de mille feux tandis qu'elle élevait le verre jusqu'à ses lèvres et buvait avidement.

Elle fit une grimace de dégoût, but encore, vacilla légèrement.

— J'ai été stupide, murmura-t-elle d'une voix dure. Je n'aurais jamais dû le laisser revenir à Chypre. Mais je ne soupçonnais pas... Claire est très intelligente. Nous avons logé chez eux l'année dernière, vous savez. Ensuite, ils sont venus chez nous et nous avons passé Noël et le nouvel an tous ensemble, à Alexandrie. Il ne semblait pas lui prêter attention à l'époque. Il... il disait qu'il n'aimait pas les petites femmes. Mais ce soir... ce soir...

De nouveau, elle chancela et se rattrapa au bord de la couchette.

Elle se redressa, toute trace d'hystérie disparue, et d'une voix soudain ferme, mais froide et venimeuse, lança :

— Il ne peut pas divorcer ! Je n'accepterai jamais le divorce. *Jamais !* Il le sait. Je préférerais me tuer... me *tuer !*

Agrippée à la couchette, elle respirait avec effort, tremblante, le regard fixe. De grosses gouttes de sueur perlèrent à son front et roulèrent sur ses joues sillonnées de larmes. Le silence qui régnait dans la cabine, brisé seulement par son souffle rauque, haletant, devenait oppressant.

— Allez vous coucher, je vous en prie, dit Amanda qui l'observait, décontenancée. Vous vous tourmentez inutilement. Je suis certaine que votre mari vous rejoindra bientôt.

Julia Blaine la regarda comme si elle ne la reconnaissait pas ou ne parvenait pas à distinguer nettement son visage. Puis, levant le verre qu'elle tenait encore à la main, elle but à nouveau, avidement.

Une minute plus tard, elle chancela et parut étouffer. Lâchant le bord de la couchette, elle se plia en deux et se mit à vomir. Son visage était congestionné et les yeux lui sortaient de la tête.

Le verre s'échappa de sa main et roula sur le tapis, répandant les dernières gouttes de liquide qu'il contenait, mêlé à des morceaux de glace fondue. Julia émit un cri étrange, étouffé et, basculant en avant, s'écroula, le visage contre le sol de l'étroite cabine.

3

« Elle a perdu connaissance, se dit Amanda, affolée. Que doit-on faire dans ces cas-là ? Maudite soit cette femme ! »

Elle s'élança et pressa la sonnette. La femme de chambre saurait quoi faire.

Elle tenta de soulever le corps inerte mais il pesait trop lourd. Elle parvint à retourner Mrs Blaine sur le dos mais, à la vue du visage convulsé, elle sentit son cœur s'arrêter : la bouche de Julia pendait, ses yeux fixes étaient grands ouverts.

— Elle n'est pas évanouie, elle a eu une attaque, dit Amanda sans s'apercevoir qu'elle parlait tout haut.

Elle ramassa le verre intact, le remplit d'eau froide et en jeta le contenu au visage de Mrs Blaine : le liquide inonda le visage crispé de Julia mais ses paupières ne bougèrent pas.

Amanda se releva, glacée et tremblante. Elle bondit vers la sonnette et pressa encore, violemment, puis, saisie d'une horreur soudaine, ouvrit la porte de la cabine et s'élança dans le couloir désert. Amanda ignorait où logeait la femme de chambre, et où elle avait une chance de la trouver. Il lui fallait de l'aide, et vite.

La cabine de Julia était vide. Personne n'occupait le numéro 12 dont la porte était ouverte. A bout de ressources, elle tambourina à celle d'à côté.

— Qui est-ce ?

C'était une voix d'homme, impatiente.

Amanda tenta de parler et s'aperçut qu'elle en était incapable. La porte s'ouvrit et Steven Howard apparut, ensommeillé et vêtu d'un pyjama. Il la considéra d'un air mi-amusé, mi-étonné.

— Quelle surprise ! dit-il gentiment tout en détaillant avec intérêt la tenue peu orthodoxe de la jeune fille.

Il remarqua sa pâleur, son visage bouleversé et aussitôt son attitude changea. Sa main saisit l'épaule d'Amanda, la soutint :

— Que se passe-t-il?

— C'est Mrs Blaine, dit-elle avec un frisson. Elle se trouve dans ma cabine. Je... je crois qu'elle a eu une attaque et je n'arrive pas à la ranimer. J'ai sonné plusieurs fois mais personne n'est venu et... et...

— Donnez-moi une minute, dit-il vivement.

Il prit une robe de chambre, l'enfila.

— Où est-elle?

Amanda le conduisit jusqu'à sa cabine et s'effaça pour le laisser passer. Il entra rapidement, s'agenouilla près du corps affaissé dans sa robe de satin rose trempée d'eau.

Après quelques instants, il releva la tête :

— Elle est morte.

Il se redressa lentement et regarda Amanda. Elle reconnut dans ce regard appuyé, scrutateur, ce curieux mélange d'attention et de curiosité qu'elle avait déjà noté sur la terrasse de la salle de bal, à Fayid.

— Non! fit-elle dans un murmure. Non, c'est impossible! Elle... me parlait il y a une minute. Pourquoi ne courez-vous pas chercher un médecin? Pourquoi restez-vous planté là, sans rien faire? S'il s'agit d'une attaque, un médecin...

Mr Howard la coupa :

— Je ne suis pas si sûr qu'il s'agisse d'une attaque.

— Mais... de quoi d'autre?

— Eh bien, d'un suicide par exemple.

— Non, dit Amanda avec force. Elle ne se serait pas suicidée. Cela signifierait qu'il pourrait...

— Qu'il pourrait quoi? demanda doucement Steven Howard.

— Rien, dit-elle, confuse. Je ne voulais pas.. c'est simplement quelque chose qu'elle a dit.

Mr Howard alla fermer la porte de la cabine.

— Je crois que vous devriez me dire exactement ce qui s'est passé. Vite, avant que quelqu'un ne vienne. Si vous avez sonné, la femme de chambre risque d'arriver d'un moment à l'autre. Alors, racontez-moi tout.

Il parlait d'une voix tranquille mais avec une note d'autorité qu'Amanda, pour une raison qu'elle ne s'expliqua pas, ne chercha pas à discuter. Elle lui rapporta exactement le discours exalté de Julia, son comportement hystérique.

— Et vous l'avez vue avaler ces cachets ?

— Oui. Elle les a mis dans sa bouche, elle a bu un peu de citronnade. Un moment plus tard, elle a été prise d'un malaise et elle est tombée en avant... je l'ai retournée, simplement.

— Est-ce le verre en question ?

— Oui.

Amanda s'aperçut qu'elle claquait des dents et elle se mordit la lèvre.

Mr Howard prit le verre avec précaution en le tenant par le bord. Il le flaira, le reposa.

— Pourquoi toute cette eau sur ses vêtements ? Elle ne vient pas seulement du verre, n'est-ce pas ?

— Je l'ai rempli au robinet du lavabo et lui ai jeté l'eau à la figure. J'ai pensé que cela la ranimerait.

— Je vois.

Il s'agenouilla à nouveau et examina le visage convulsé, aux yeux grands ouverts, puis souleva l'une après l'autre les mains molles. Quelques grains de poudre humide adhéraient encore à l'une des paumes. Steven Howard la flaira, passa délicatement son doigt sur la peau puis, le portant avec précaution à sa bouche, fronça les sourcils.

Assis sur ses talons, il regardait attentivement le tapis.

— Rappelez-moi ses dernières paroles.

— Elle a dit qu'elle se tuerait, mais je ne l'ai pas crue. Je pensais qu'elle voulait seulement...

— Je comprends, dit sèchement Mr Howard. Et pourtant, il semblerait que telle ait été son intention.

Les sourcils froncés, il regarda pensivement les petites mains grasses ornées de bagues étincelantes puis, se levant brusquement :

— Personne ne semble décidé à venir. Il vaudrait mieux aller chercher de l'aide. Voyez si vous pouvez dénicher un steward ou une femme de chambre, ou bien accrochez le premier officier que vous rencontrerez et demandez-lui d'envoyer un médecin.

Toisant Amanda de la tête aux pieds, il ajouta d'un ton sec :

— Et vous feriez bien d'enfiler une robe de chambre.

Une heure plus tard, le corps de Julia Blaine se trouvait à l'infirmerie et l'on avait nettoyé la cabine d'Amanda. Après avoir répété son récit au moins une douzaine de fois — en passant toutefois certains détails sous silence — la jeune fille se retrouva enfin seule.

La cause du décès avait paru embarrasser le médecin qui, à son tour, avait avancé l'hypothèse du suicide. Mais la femme de chambre, véhémente et légèrement hystérique, jura n'avoir donné à Mrs Blaine que deux cachets d'aspirine. Elle montra le flacon et le médecin, après un examen soigneux, déclara les cachets inoffensifs.

Alastair Blaine, blême et incrédule, convint que sa femme était déprimée depuis quelque temps et qu'elle se montrait extrêmement nerveuse, qu'en dépit d'une santé défaillante elle n'avait jamais souffert de troubles cardiaques ; enfin, qu'il ignorait comment elle avait pu se procurer du poison.

— C'est pourtant facile en Orient, commenta sèchement le capitaine. Un peu d'argent et...

Il esquissa le geste furtif, précis, du trafiquant oriental.

Amanda, à la suggestion de Steven Howard, reconnut que Mrs Blaine avait parlé suicide. Devant le visage décomposé d'Alastair Blaine, elle se retint de toute allusion à des noms ou à des motifs et laissa entendre que sa fragilité nerveuse, sa mauvaise santé et la chaleur de la journée expliquaient sans doute l'état dépressif de Mrs Blaine. Elle n'avait pas regardé Steven Howard et elle constata, soulagée, qu'il s'était abstenu de faire remarquer que cette dernière version différait sensiblement de celle qu'elle lui avait fournie quelques instants plus tôt. En fait, il parla à peine et pourtant Amanda devinait, sans pouvoir l'expliquer clairement, qu'il avait dirigé l'interrogatoire en l'éloignant d'un terrain dangereux. Finalement, et toujours sans avoir l'air d'y toucher, il s'était arrangé pour se débarrasser du commandant, du second, du médecin, de la femme de chambre et des spectateurs de moindre importance qui avaient envahi les lieux, posaient des questions et parlaient tous à la fois. Resté seul avec Amanda, il se tenait sur le seuil, les mains enfoncées dans les poches de sa robe de chambre, la fixant d'un air préoccupé.

— Etes-vous sûre que tout ira bien ? Voulez-vous que je demande à Mrs Halliday ou à l'une des femmes de chambre de dormir près de vous, dans la couchette du haut ?

— Non, merci, dit Amanda avec lassitude. Je vais bien. Aussi incroyable que cela puisse paraître après tout ce qui s'est passé, j'ai sommeil. Je me sens complètement abrutie comme si j'avais été droguée.

— La réaction après le choc. Quoi qu'il en soit, si jamais vous aviez peur, n'attendez pas qu'on réponde à votre coup de sonnette. Sortez dans le couloir et hurlez !

— Peur ? Mais qu'ai-je donc à craindre ? demanda Amanda, étonnée.

— Je l'ignore, fit lentement Steven Howard. Rien, je l'espère.

Il promena son regard sur l'étroite cabine comme s'il voulait s'assurer que personne ne pouvait s'y cacher et la ride qui marquait son front se creusa. Puis, haussant les épaules, il esquissa un rapide sourire et disparut.

Amanda bâilla. Une extraordinaire lassitude l'envahissait. Elle abandonna sa robe de chambre en tas sur le sol, s'étendit sur sa couchette et éteignit la lumière.

Un instant plus tard, elle prit conscience d'un objet dur sous l'oreiller et, à moitié endormie, tâtonna à sa recherche d'une main impatiente.

C'est ainsi qu'elle découvrit le flacon.

C'était une petite bouteille dont le contenu tintait contre la paroi de verre. Amanda resta un moment allongée dans la demi-obscurité, tournant et retournant l'objet dans sa main, se demandant comment il avait pu arriver là. Rallumant la lumière, elle s'assit pour l'examiner.

Un flacon ordinaire, pareil à ceux qui contiennent habituellement de l'aspirine. Trois petits cachets se trouvaient à l'intérieur et il portait sur le flanc une étiquette d'un rouge éclatant avec un seul mot inscrit en lettres noires : POISON.

Soudain, Amanda eut peur. Elle avait éprouvé un choc, un sentiment d'horreur quand Julia s'était écroulée, de l'effroi devant son regard fixe et aveugle qui ne cillait pas quand l'eau ruisselait sur son visage. Mais ce qu'elle ressentait en cet instant était différent. C'était une crainte sourde qui, lentement, glaçait son sang et ralentissait les battements de son cœur. Le flacon ne se trouvait pas à cette place quelques heures plus tôt. Elle en était certaine, et pour une raison fort simple.

Avant de se changer pour le dîner, elle s'était assise pour lire son courrier. Elle avait soulevé l'oreiller pour le caler contre le dossier de la couchette. Aucun flacon n'était dissimulé dessous.

Quelqu'un l'avait donc placé là après huit heures du soir. Julia ? Mais Julia ne s'était pas approchée de l'oreiller. Elle s'était assise au bord de la couchette et ne s'était levée que pour mettre les cachets dans sa bouche et prendre le verre. Amanda se trouvait entre Mrs Blaine et l'oreiller, il était hors de question que celle-ci ait pu l'atteindre et y dissimuler un objet sans que la jeune fille le remarque.

Qui alors ? Et pourquoi ?

La réponse se présenta soudain à l'esprit d'Amanda aussi nette que si quelqu'un la lui avait soufflée à l'oreille.

Julia Blaine n'était pas morte d'une attaque, elle ne s'était pas suicidée. Elle avait été assassinée. Et la petite bouteille étiquetée : POISON en était la preuve !

Les cachets absorbés par Julia étaient de simples comprimés d'aspirine fournis par la femme de chambre. Le poison se trouvait *dans* le verre. Dans cette innocente boisson glacée dont l'absence de sucre masquait l'amertume suspecte.

Quelqu'un qui savait que Julia Blaine buvait de la citronnade, mais qui ignorait qu'elle avait changé de cabine avec Amanda, lui avait tendu ce piège mortel. Julia aurait dû avaler le contenu de ce verre dans sa propre cabine et on l'aurait retrouvée morte. Le flacon aurait été découvert sous l'oreiller, confirmant l'hypothèse du suicide.

La fatalité avait servi l'assassin car le hasard avait conduit Julia à son ancienne cabine et elle avait finalement bu le poison destiné à la faire disparaître. Mais c'est Amanda qui avait découvert le flacon. Et sa présence, sous l'oreiller, ne constituait plus un indice de suicide mais la preuve d'un assassinat.

— Non !

La voix d'Amanda résonna dans le silence de l'étroite cabine. Elle répéta plus bas :

— Non !

Sans presque savoir ce qu'elle faisait, elle se glissa hors du lit. La moquette était encore humide et collait légèrement à ses pieds nus. Elle enfila sa robe de chambre et appuya sur la sonnette. Cette fois, on répondit aussitôt.

Elle entendit les pas de la femme de chambre dans le couloir, le crissement net, rassurant de l'uniforme empesé.

— Que se passe-t-il ? Une insomnie ?

D'âge moyen, robuste et maternelle, elle était, par miracle, anglaise.

— Auriez-vous... auriez-vous placé, par erreur, dans ma cabine un verre de citronnade destiné à Mrs Blaine ?

La femme de chambre parut stupéfaite.

— Un citron pressé ? Non. En voulez-vous un ?

— Non merci. Mais il y avait un verre ici. Il se trouvait sur la table de nuit quand je suis entrée. Est-ce vous qui l'avez apporté ?

— Oh ! non. Nous n'apportons pas de boissons dans les cabines sauf à la demande des passagers. Il vous suffit de sonner.

— Mais est-ce que Mrs Blaine en a commandé une ? C'était sa cabine et je... j'ai pensé qu'on avait apporté cette boisson ici par erreur.

— Elle n'a rien demandé, la pauvre dame. Et aucun des membres du personnel qui assurent le service des cabines n'aurait commis une telle erreur, je puis vous l'assurer. Nous étions tous au courant de l'échange. Le verre a dû être placé là par l'un de vos amis. A présent, que puis-je faire pour vous ?

— Rien, dit Amanda, toute pâle. Je... je m'étonnais simplement... Voyez-vous, quand elle... Mrs Blaine... a avalé ces cachets, elle a bu dans un verre qui se trouvait sur cette table et je... je me demandais qui l'avait placé là.

— Je vais vous dire ce qui ne va pas, dit gentiment la femme de chambre. Vous avez subi un choc, voilà tout. Ne vous tourmentez pas. La pauvre dame n'était pas dans son état normal. Vous allez oublier tout cela et dormir. Elle a dû boire dans ce verre à dents, sur la tablette.

— Non, dit Amanda fermement. Il s'agissait d'un autre verre.

— Mais où est-il?

Amanda le chercha du regard. En vain. Il ne se trouvait nulle part dans la cabine.

— Vous voyez bien, dit la femme de chambre, rassurante. Vos nerfs vous jouent des tours et ça n'a rien d'étonnant. Je vais vous apporter une bonne tasse de lait chaud et vous allez vous endormir.

— Non, merci, dit Amanda, d'une voix tremblante. C'est très gentil à vous mais je ne veux rien. Je suis désolée de vous avoir dérangée.

— Ce n'est rien. Et maintenant, retournez au lit. Je vais éteindre la lumière et, si vous avez besoin de moi, il vous suffit de sonner.

Elle borda Amanda dans sa couchette et sortit après avoir éteint la lumière. Le crissement de sa jupe empesée s'éloigna le long du couloir et Amanda perçut le bruit d'une porte qui se refermait.

Un rai de lumière filtrait à travers l'étroit vasistas grillagé au-dessus de la porte et, par le hublot ouvert, on apercevait le ciel éclairé par la lune.

A l'exception du murmure apaisant des vagues et du ronronnement des moteurs, la nuit était calme et silencieuse. Sans qu'elle ait surpris le moindre bruit de pas, elle entendit soudain la porte s'ouvrir et se refermer. Quelqu'un se tenait là, tout près, silhouette sombre dessinée par la faible lueur filtrant par le vasistas.

Amanda eut l'impression que son cœur s'arrêtait. Une nausée l'envahit. Elle se redressa, recula contre la paroi de la couchette, tenta de crier. En vain. Sa gorge était sèche, nouée par la terreur. Une main se posa sur sa bouche.

— Ne criez pas, chuchota la voix. C'est moi, Steve Howard.

Amanda s'effondra contre lui en sanglotant. Il passa un bras autour de son épaule, la soutint et s'assit près d'elle sur la couchette.

Il chuchota, tout contre son oreille :

— Je suis navré. Je ne voulais pas vous effrayer, mais il fallait que je vous parle. Voyons, ma chère, reprenez-vous.

Elle releva la tête, furieuse.

— Sortez de ma cabine, ordonna-t-elle d'une voix basse, entrecoupée de sanglots.

— Voilà qui vous ressemble davantage, fit Howard d'un air satisfait.

Il tira un mouchoir de sa poche et entreprit de sécher les yeux de la jeune fille. Amanda le lui arracha et, s'étant chargée elle-même de l'opération, étendit la main en direction de l'interrupteur.

Steve Howard lui saisit le poignet.

— Non ! N'allumez pas. Je ne tiens pas à ce que la femme de chambre vienne voir pourquoi vous ne dormez pas encore. Que lui avez-vous raconté au sujet de ce verre ? La porte était ouverte et je vous ai entendue lui parler. De quoi s'agit-il ?

Amanda frissonna, ses dents se mirent à claquer. Elle dit d'une voix hachée :

— Quand je suis descendue tout à l'heure, il y avait un verre ici, un verre de citronnade. Mrs Blaine en... en buvait toujours. Pour maigrir. Et nous avons échangé nos cabines.

— Quand ?

Sa voix s'était durcie soudain.

— Quand et pourquoi avez-vous changé de cabine ?

— Cet après-midi. Juste avant le thé. Cette cabine était la sienne. Mais elle a refusé de s'y installer quand elle a vu le numéro : le 13. Elle était superstitieuse. Je lui ai dit qu'elle pouvait prendre la mienne.

— Qui était au courant de cet échange ?

— Je l'ignore. La femme de chambre m'a dit que... que tout le personnel du bateau l'était. Mais à part eux, personne je suppose. Excepté Alastair, naturellement, son mari. La... la femme de chambre a dit que c'était sans doute l'un des passagers qui avait placé le verre ici.

— Oui, je sais. Je l'ai entendue. Pourquoi lui avez-vous posé la question ?

— Je... j'avais peur. Mrs Blaine a bu dans ce verre. Et à présent, il a disparu. Quelqu'un a dû l'emporter.

— Moi, dit doucement Steven Howard.

— Vous ! Mais pourquoi ? Je ne comprends pas.

— Vraiment ? Vous aviez peur parce que Mrs Blaine a bu dans ce verre. Pourquoi ?

— A cause du flacon, murmura Amanda dans un souffle. Il y avait un flacon dissimulé sous mon oreiller et j'ai pensé...

— Montrez-moi ça !

L'ordre claqua comme un coup de fouet dans le silence.

Amanda fouilla d'une main incertaine sous l'oreiller et lui tendit le flacon.

Mr Howard saisit délicatement l'objet et le tourna vers le rai de lumière filtrant du vasistas. Les yeux d'Amanda s'étaient accoutumés à l'obscurité et elle distingua nettement le mot inscrit sur l'étiquette rouge.

Steven Howard se tourna vers elle :

— Où l'avez-vous découvert ?

— Je vous l'ai dit. Sous l'oreiller. Mais il ne s'y trouvait pas auparavant.

Elle lui expliqua pourquoi elle était certaine que le flacon n'était pas à cette place avant huit heures du soir.

— Vous ne croyez pas que Mrs Blaine aurait pu l'y cacher elle-même pendant votre conversation ?

C'était moins une question qu'une affirmation.

— Je suis certaine du contraire.

— Alors, quelle est votre théorie ?

Elle ne répondit pas, se contentant de fixer la petite bouteille qu'il tenait avec précaution dans un coin de son mouchoir.

— De quoi aviez-vous peur, Amanda ?

Lentement, les yeux de la jeune fille remontèrent jusqu'au visage de Steven Howard. Il tournait le dos à la lumière et ses traits étaient dans l'ombre mais elle voyait ses yeux briller, distinguait les contours de sa bouche et de sa mâchoire crispées.

— Vous connaissez la réponse. C'est pour cette raison que vous avez emporté le verre.

— Chut ! fit-il. Parlez plus bas. Oui, je connais la réponse. Vous ne croyez ni à une crise cardiaque, ni à un suicide. Je ne me trompe pas, n'est-ce pas ?

— Mais alors ? demanda Amanda avec un frisson. Si... si le poison se trouvait dans le verre et non dans les cachets, il s'agit de... d'un...

— D'un meurtre, acheva doucement Steven Howard. C'est évident. Et je crois que vous avez raison : les cachets d'aspirine absorbés par Mrs Blaine était inoffensifs. Le poison se trouvait dans le verre.

— Pourquoi... pourquoi en êtes-vous aussi sûr ? murmura Amanda d'une voix tremblante.

— Le verre ne porte que deux séries d'empreintes, toutes deux très nettes.

— Mais bien sûr, dit Amanda, puisque deux personnes seulement l'ont touché. Mrs Blaine et moi-même. Et... et vous, naturellement.

Howard secoua la tête.

— J'ai soulevé le verre par le bord et c'est là que se trouvent mes empreintes. Mais que faites-vous de la personne qui a apporté le verre dans la cabine ? Il devrait y avoir au moins trois séries d'empreintes.

Amanda porta les mains à sa gorge. Elle avait l'impression d'étouffer.

— Alors, elle a vraiment été assassinée. Non, c'est impossible ! Je refuse d'y croire.

Sa voix avait monté d'un ton et, aussitôt, la main de Steven Howard vint se poser sur sa bouche. Elle la repoussa et chuchota, frémissante :

— Mais... mais vous ne comprenez pas ! Cela signifie qu'elle connaissait l'assassin. Que moi je le connais aussi. Qu'il pourrait s'agir de Persis, ou Toby, ou... Non, c'est impossible. Je vous dis que je ne peux pas y croire.

— C'est la vérité, pourtant. A moins que...

Il se tut et Amanda répéta dans un souffle :

— A moins que...

Howard ne répondit pas. Son regard n'avait pas quitté le visage d'Amanda mais il semblait aux aguets. Sa main se referma sur le poignet de la jeune fille comme pour la mettre en garde.

Quelqu'un se trouvait dans le couloir. Amanda n'aurait pu dire pourquoi elle en était si sûre ni comment Steven

Howard s'en était aperçu car elle n'avait surpris aucun bruit de pas. Un frôlement près de la porte, peut-être, ou une ombre qui s'était rapidement profilée sur le mur blanc du couloir.

Steven Howard, assis entre elle et la porte, lui bloquait la vue, mais un rai de lumière filtrait entre les parois mal jointes, voilées par le temps. A cet instant précis, la lumière s'éteignit.

Steve vit les yeux de la jeune femme s'élargir. Une seconde, il resserra sa prise sur son poignet. Puis, avec une précaution extrême, il tira un objet de la poche de sa robe de chambre. Amanda, stupéfaite, vit luire le canon d'un pistolet et songea, sans guère de logique : « Il est gaucher. »

Un bruit de bottes martela la coursive et la lumière revint. La personne qui espionnait derrière la porte de la cabine avait disparu aussi discrètement qu'elle était venue.

Quelqu'un — sans doute un officier — passa rapidement. Une porte claqua. Howard remit le pistolet dans sa poche et soupira.

— C'est ce que je craignais, dit-il doucement.

— Quoi donc ?

Il se retourna, la regarda.

— Sans vouloir vous alarmer, je crois que vous devriez vous montrer extrêmement prudente pendant les quelques jours à venir. En fait, je vous conseillerais de vous faire adresser un télégramme urgent et de prendre le prochain avion pour l'Angleterre.

— Mais pourquoi ? Je ne comprends pas...

— Vraiment ? La situation est pourtant claire. Quelqu'un a décidé, semble-t-il, de maquiller un meurtre en suicide. Cette personne a compris — ou comprendra sous peu — que son plan a échoué par le fait que vous, et non Mrs Blaine, occupiez la cabine numéro 13 et que vous vous trouviez ainsi en mesure de savoir — ou du moins de soupçonner — que Mrs Blaine a été assassinée. En conclusion, celui ou celle qui a caché le flacon pourrait risquer le tout pour le tout afin de le récupérer.

— Alors, qu'allez-vous en faire ? murmura Amanda, la gorge sèche.

— M'en débarrasser.

— Mais vous n'avez pas le droit ! Le commandant doit le voir — et la police. Si vous refusez de leur en parler, moi je le ferai.

Howard se leva.

— Je m'en abstiendrais, à votre place, dit-il tranquillement. A moins que vous ne vouliez qu'on vous arrête.

Amanda se laissa aller sur l'oreiller, le souffle coupé.

— Que voulez-vous dire ?

Il la considéra un moment, les mains enfoncées dans ses poches, puis énonça enfin d'une voix douce :

— Voyez-vous, on pourrait croire que c'est vous qui avez manigancé toute l'affaire.

Un silence qui parut durer d'interminables minutes tomba dans l'étroite cabine. Dehors, la nuit tranquille s'animait à nouveau : on percevait le bruissement des vagues contre la coque, le ronronnement des moteurs, les mille craquements, cliquetis, grincements que le mouvement de l'hélice imprime à la carcasse d'un navire.

— Vous ne pensez pas ce que vous dites, articula enfin Amanda. C'est impossible.

— Peut-être. Mais il y aura une autopsie et la police, elle, risque d'arriver à cette conclusion, si elle découvre qu'il y a eu meurtre. Voyez-vous, elle n'aura que votre parole pour décider de ce qui s'est passé dans cette cabine et comment vous êtes entrée en possession du flacon. S'il s'avère qu'il contient le même poison que celui qui a tué Mrs Blaine, on risque même de penser que c'est vous qui l'avez invitée ici pour bavarder. Son mari est sans doute son seul héritier. Le major Blaine va donc devenir un veuf extrêmement recherché — et vous le voyiez souvent à Fayid, n'est-ce pas ?

Amanda sursauta violemment puis, retrouvant péniblement son souffle :

— Allez-vous-en ! ordonna-t-elle d'une voix contenue, furieuse. Sortez d'ici avant que je sonne pour qu'on vous jette dehors !

— Ne faites pas la sotte, Amanda.

Il n'avait pas élevé la voix mais son ton froid, coupant, lui fit l'effet d'une gifle.

51

— Vous ne pouvez vous permettre de vous conduire en gamine stupide. Savez-vous ce que signifie une enquête de police dans ce pays pour celui qui s'y trouve mêlé? Ça n'est drôle nulle part mais, ici, ce serait l'enfer. Si vous avez le moindre grain de bon sens, vous ne mentionnerez ni le verre ni le flacon et vous laisserez entendre que Mrs Blaine s'est suicidée. Toute autre alternative serait délicate, sinon dangereuse. Et vous vous trouvez déjà dans une situation difficile, croyez-moi.

— Qui êtes-vous? demanda Amanda.

Le jeune homme sourit.

— Mon nom est Howard. Steve pour mes amis. Je peins, plutôt mal, et j'adore me mêler des affaires qui ne me concernent pas. Vous désirez savoir autre chose?

— Oui. Qui êtes-vous *vraiment*? Pourquoi êtes-vous armé? Quel est votre rôle dans cette affaire? Ne me dites pas que vous êtes simplement venu ici pour peindre. Je ne vous croirais pas!

Howard se mit à rire.

— Très bien. Disons que, pour des raisons strictement personnelles, je m'intéresse à une ou deux personnes sur ce bateau.

— Vous êtes de la police? demanda-t-elle brutalement.

— Non.

— Dans ce cas, pourquoi vous occuper de cette histoire?

Steven Howard sourit.

— Mon côté chevaleresque. Ou ma manie de l'intrigue. Choisissez. Et maintenant, vous allez dormir, si vous y arrivez. Il y a un verrou à cette porte, je vous conseille de le pousser. Bonne nuit, belle Amarantha.

La porte se referma doucement derrière lui.

4

Amanda poussa le verrou d'une main tremblante et revint s'asseoir sur la couchette, les bras noués autour de ses genoux, l'oreille tendue, sursautant au moindre bruit suspect.

Elle venait seulement de prendre conscience de la gravité des paroles de Steven Howard : tôt ou tard, on finirait par comprendre qu'elle, Amanda, occupante de la cabine numéro 13, se trouvait en possession de la preuve d'un assassinat. L'idée était singulièrement déplaisante. Plus déplaisant encore le fait que, si Julia n'était pas venue lui rendre visite, c'est elle, Amanda, qui lui aurait apporté son verre dans la cabine voisine. On aurait alors découvert ses empreintes et, pour expliquer pourquoi elle avait offert une boisson empoisonnée à l'épouse d'Alastair Blaine, la police aurait dû se contenter de la croire sur parole.

L'épouse d'Alastair ? Etait-ce là la clé de ce meurtre cruel ? Alastair avait-il... Mais non ! L'hypothèse était absurde. Alastair ne pouvait être le coupable car lui, du moins, n'ignorait pas que sa femme avait changé de cabine. Alors ? Une personne suffisamment proche de Julia pour connaître sa passion pour les citronnades glacées supposées l'aider à maigrir, une personne qui avait noté son numéro de cabine mais qui ignorait qu'elle l'avait échangée contre celle d'Amanda ? Mrs Norman ? George Norman ? Persis ? Toby ? Impossible. Elle s'était trompée. Julia avait eu une attaque, ou bien elle s'était suicidée. Quant au flacon, il y avait sans doute une explication pour justifier sa présence sous l'oreiller. Il *devait* en exister une !

« Pourquoi avait-elle proposé cet échange de cabines à Julia Blaine ? » se dit-elle avec désespoir. Personne, sinon, n'aurait soupçonné l'éventualité d'un meurtre. Personne n'aurait jamais su. Mais à cause de cet échange, elle savait — et quelqu'un devait soupçonner qu'elle savait — que la mort de Julia n'était pas un suicide mais un meurtre soigneusement prémédité.

Le ciel pâlissait. Le bruit des tuyaux d'arrosage, le raclement des brosses sur le pont annonçaient l'aube quand Amanda, épuisée, s'endormit enfin. Des coups vigoureux frappés à sa porte la tirèrent du sommeil. Réveillée en sursaut, elle vit la cabine inondée de soleil et entendit la voix de la femme de chambre qui demandait la permission d'entrer.

Les rayons du soleil matinal firent oublier ses terreurs à Amanda.

Sa première impression fut qu'elle avait dû faire un cauchemar particulièrement effrayant et tenace. Mais la femme de chambre dissipa aussitôt l'illusion en annonçant que la police se trouvait à bord et que le commandant désirait voir Miss Derington dès que possible.

Amanda s'aperçut soudain qu'on n'entendait plus le bruit de l'eau ni celui des moteurs.

— Nous sommes arrivés ?

— Depuis une demi-heure au moins, dit la femme de chambre. Nous sommes à Limassol. Je voulais vous réveiller plus tôt mais le passager de la cabine numéro 11 m'a ordonné de vous laisser dormir. Quel homme charmant ! Et si attentionné. Il n'y en a plus tellement de nos jours. Désirez-vous votre petit déjeuner ? Vous me semblez un peu pâlotte — qui, d'ailleurs, s'en étonnerait ?

— Non, merci. Apportez-moi du café, simplement. Savez-vous pourquoi le commandant désire me voir ?

— Je n'en ai aucune idée. A mon avis, il veut seulement que vous racontiez à la police ce qui s'est passé cette nuit — simple routine, comme on dit — avant qu'on enterre la pauvre dame. Son mari est très affligé. Il a l'air d'un fantôme. Quant à la petite dame du 31, elle est toute chose depuis qu'elle a appris la nouvelle. La défunte et son mari avaient l'intention d'habiter chez elle à ce qu'il paraît. Vous imaginez ! Ils étaient cousins, ou parents. Très fragile cette petite

Mrs Norman. Le genre sensible, à mon avis. Elle est bouleversée. « Voyons, Mrs Norman », lui ai-je dit...

Un coup frappé à la porte mit heureusement fin au discours de la femme de chambre. On entendit la voix de Toby Gates demander si Amanda allait bien et si elle ne trouvait pas toute cette affaire horrible.

Amanda répondit aux deux questions par l'affirmative, ajoutant qu'elle serait prête dans cinq minutes. Pendant que la femme de chambre allait lui chercher du café, elle s'habilla rapidement et tressa ses cheveux en deux nattes qu'elle épingla simplement autour de sa tête au lieu de les nouer en chignon sur la nuque, sa coiffure habituelle qui nécessitait beaucoup plus de soin et de temps.

La robe de toile jaune portée la veille semblait trop gaie pour un interrogatoire touchant à une mort subite (elle répugnait, même en son for intérieur, à prononcer le mot « meurtre »).

Elle fouilla rapidement dans sa valise et choisit une robe de popeline gris argent ornée d'une étroite ceinture blanche. Elle avala le café apporté par la femme de chambre, enfila une paire de sandales blanches et retrouva Toby Gates qui l'attendait au bout du couloir.

Il prit son bras et ils montèrent rapidement l'escalier.

— Ils veulent nous voir tous, dit-il. Tous ceux qui la connaissaient. Elle a dû avoir une congestion cérébrale. Elle m'a toujours paru un peu bizarre. Sale coup pour Alastair ! Pauvre diable ! Un vrai cauchemar.

— Pourquoi désirent-ils nous voir, Toby ?

— Pour avoir notre opinion sur les événements, je suppose. Question de routine, comme ils disent. Ils ont déjà interrogé ce pauvre vieil Alastair pendant plus d'une demi-heure. Charmante façon d'entamer les vacances, je dois dire !

Le bateau avait jeté l'ancre près d'une ville aux maisons blanches, serties de verdoyantes frondaisons et d'oliviers argentés, au pied de collines basses et dénudées. Le soleil brillait dans un ciel sans nuages. De larges traînées aux tons d'émeraude, d'azur et de jade laiteux striaient le bleu des eaux peu profondes. Par ce clair et gai matin Amanda douta à

55

nouveau de la réalité des événements de la veille. La mort de Julia Blaine paraissait incroyable.

— Prenez l'escalier, indiqua Toby. A gauche. Nous y sommes.

La cabine du commandant semblait trop étroite pour contenir toutes les personnes assemblées. Outre le commandant, le commissaire de bord et la femme de chambre, trois hommes en uniforme appartenant sans doute à la police et dont l'un, au moins, était anglais, l'occupaient. Alastair Blaine, les Norman et Persis Halliday étaient présents également. Appuyé au hublot dans un coin de la pièce, Steven Howard contemplait, au-delà du pont inondé de soleil, la petite ville de Limassol. Il se retourna à l'entrée d'Amanda et de Toby, mais ne prononça pas un mot et reprit sa pose nonchalante.

Alastair Blaine, le visage gris, paraissait épuisé. Il semblait vieilli de dix ans et le soleil matinal accusait durement les mèches argentées qui striaient son épaisse chevelure blonde.

Persis Halliday, fraîche et impeccable, paraissait, comme toujours, tout juste sortie d'un luxueux emballage. Assise sur le bras d'un fauteuil, elle balançait son pied gainé de soie et chaussé de crocodile en jouant avec une cigarette qu'elle n'avait pas encore allumée. Elle leva les yeux à l'entrée d'Amanda :

— Bonjour, chérie. Vilaine histoire, dites donc! Avez-vous réussi à dormir un peu?

— Dormir? fit Claire Norman. Personne ici n'a dormi, j'en suis sûre. Comment l'aurions-nous pu? Pauvre Julia! Je ne me le pardonnerai jamais. Jamais! Dire que je dansais pendant qu'elle agonisait!

Son ton était tragique, sa voix frémissante et elle avait réussi à dénicher dans ses valises une robe de coton noir de coupe simple mais extrêmement élégante qui soulignait encore sa petitesse, sa blancheur et sa fragilité.

George Norman lui tapota l'épaule avec une tendresse maladroite et Persis, se tournant vers elle, lança :

— Ainsi, vous saviez déjà hier soir qu'elle était morte? Voilà qui est extrêmement intéressant. Je n'ai moi-même appris la nouvelle que ce matin, par la femme de chambre. Comment étiez-vous au courant?

56

Deux tâches pourpres apparurent sur les joues d'ivoire de Claire Norman et elle se tut ; ses yeux n'étaient plus limpides, ni tristes, mais étrangement attentifs et méfiants. Elle ne répondit pas à la question de Mrs Halliday et ce fut George Norman qui rompit le silence.

— Nous n'avons rien su avant ce matin, dit-il. Claire parlait par images. Elle est bouleversée.

Le corps fragile de Claire se détendit. Elle ne contesta pas l'affirmation de son époux et l'échange s'arrêta là. Le commandant, manifestement impatient d'en finir, présenta les policiers et ouvrit l'enquête qui s'avéra une simple répétition de l'interrogatoire et des réponses de la veille, exception faite des quatre amis ou connaissances de Mrs Blaine qui, présents cette fois, donnèrent chacun leur avis sur l'état physique et moral de la défunte.

Amanda fut priée de répéter sa version ; ce qu'elle fit, avec les mêmes réserves que la nuit précédente. Mrs Blaine, remarqua-t-elle, s'était montrée surexcitée et hystérique. Elle supportait mal la chaleur, s'était plainte de l'Orient et de la vie de garnison en général et avait parlé suicide. Elle avait des comprimés dans la main — non, elle n'aurait su dire combien — et les avait avalés un moment plus tard...

La voix lui manqua soudain et, par-dessus l'épaule du commandant, son regard rencontra celui, faussement détaché, de Steven Howard. Il inclina légèrement la tête. C'était un signe imperceptible mais, vu les circonstances, aisément déchiffrable. Amanda détourna les yeux et contempla les visages silencieux qui l'entouraient : celui, rouge et impatient du commandant ; avide, de la femme de chambre ; las et résigné, du médecin de bord ; attentif et vigilant, des trois policiers. Elle s'abstint de mentionner le verre qui se trouvait dans sa cabine et, sans même regarder en direction de Steven Howard, elle eut l'impression qu'il se détendait.

Les policiers se montrèrent courtois et compréhensifs. Quant au commandant, il n'avait qu'une hâte : se débarrasser de tout le monde au plus vite. Après avoir laissé leur nom et leur adresse, les passagers furent donc reconduits hors de la cabine et autorisés à se rendre à terre.

Vingt minutes plus tard, ils descendaient la passerelle et

s'éloignaient en barque du bateau. L'eau était si transparente qu'en approchant du rivage, ils pouvaient distinguer rochers, galets et coquillages qui constellaient le fond ainsi que les motifs de la carapace d'une énorme tortue nageant paresseusement au-dessous d'eux.

Un homme attendait sur les marches de la jetée. Nu-tête, anglais sans nul doute à en juger par son pardessus léger, de bonne coupe, taillé dans un tweed très britannique. De taille moyenne, mince, la trentaine, il avait un visage si tanné par le soleil et le vent que ses yeux et ses cheveux bouclés, légèrement grisonnants, semblaient clairs par contraste. Mais son teint était pâle sous le hâle, d'une pâleur qui prêtait une étrange teinte grise aux méplats de son visage. Un visage fin, agréable et qui aurait pu être beau sans l'expression de fatigue extrême et d'inquiétude qui le marquait.

— C'est Glenn, dit George Norman. Croyez-vous qu'il...

Il se tut brusquement et toussa pour dissimuler sa gêne. La proue racla la pierre, les passagers débarquèrent et, un instant plus tard, Claire Norman tendait sa petite main blanche à l'homme au manteau de tweed.

— Glenn ! Quel plaisir de vous voir ! Vous êtes venu accueillir Miss Derington, je suppose. Ou... quelque autre passager ?

Une brève pause avait précédé ses derniers mots. L'aimable visage de Glannister Barton s'empourpra et sa bouche se contracta.

— Amanda, dit Claire Norman, je vous présente Glenn Barton. Votre hôte à Chypre.

Amanda tendit la main et ses yeux rencontrèrent deux yeux gris dont l'expression désespérée la frappa. Soudain, et sans la moindre raison, elle en voulut à Mrs Norman pour des paroles qui — bien que dénuées de sens pour elle — contenaient certainement pour cet homme charmant et plutôt timide une allusion cachée et blessante.

Glenn Barton effleura la main d'Amanda, salua ses compagnons et échangea quelques politesses. Il s'enquit de son oncle Oswin puis, s'étant chargé des bagages, aida la jeune femme à remplir les formalités douanières et la conduisit jusqu'à une longue limousine grise garée devant le bâtiment des douanes.

Amanda s'attendait à être accueillie par Mrs Barton mais elle ne vit aucune trace de sa présence. Glenn Barton empila les bagages sur le siège arrière et ouvrit la portière.

« A bientôt à Kyrenia, chérie ! » lança Persis, et Toby Gates, aussi déconfit qu'un chiot qu'on oublie d'emmener en promenade, lui murmura d'une voix pressante :

— Vous m'autorisez à venir vous rendre visite, n'est-ce pas ?

Amanda jeta un coup d'œil par-dessus son épaule mais Steven Howard lui tournait le dos. Nonchalamment appuyé à un pilier, les mains dans les poches, il conversait avec Claire Norman. Irritée sans savoir pourquoi, elle monta dans la voiture en lançant un « Naturellement, Toby » avec une cordialité appuyée. Glenn Barton desserra le frein et la voiture s'élança sur la route ensoleillée menant à Nicosie.

La campagne, une fois quitté la côte et ses eaux aux fabuleux tons de saphir, de turquoise et de jade, était brûlée par le soleil. De maigres arbustes poussaient sur le sol brun et rocailleux et, à l'exception de rares oliveraies, il n'y avait guère de verdure et presque pas d'ombre pour agrémenter la route en lacet qui longeait des collines dénudées et des cours d'eau à sec où la chaleur semblait sourdre des pierres et des blocs éboulés.

L'étrangeté du paysage, sa nouveauté auraient sans doute fasciné Amanda si le silence de son hôte et le fait qu'il conduisait beaucoup trop vite ne l'avaient empêchée de se livrer à sa contemplation. Etait-ce sa timidité ou la remarque apparemment innocente de Claire qui expliquait son comportement ? Avec un crissement de pneus martyrisés, la voiture avalait les tournants, volait dans les lignes droites avec la rapidité d'une flèche. Amanda, peu craintive de tempérament, s'agrippait malgré elle à son siège, l'œil fixé sur l'aiguille du compteur.

Elle s'obligea à détourner la tête pour examiner discrètement l'homme qui l'avait accueillie. Il se tenait légèrement penché en avant, tel un cavalier soucieux de rassurer un cheval nerveux avant l'obstacle et chaque muscle de son visage et de son corps trahissait sa tension. Ses mains serraient étroitement le volant, les phalanges blanchies sous le hâle, et une ride profonde barrait son front. « Comme il semble malheureux ! » songea Amanda. Embarrassée, inquiète, elle se hâta de détourner les yeux.

L'aiguille du compteur atteignit les cent kilomètres à l'heure. Amanda agrippa plus étroitement son siège, ferma les yeux et avala péniblement sa salive. Bravement, elle se força à émettre quelques remarques polies sur le paysage auxquelles Mr Barton répondit brièvement avec la même courtoisie. La voiture se faufila entre une charrette à bœufs et un autobus chargé de paysans cypriotes en route pour le marché, évitant de justesse la collision. Elle dépassa en trombe une procession de chameaux, s'engagea sur un pont étroit et manqua de peu d'écraser un gamin juché sur son âne.

De nouveau, Amanda ferma les yeux et les rouvrit en entendant Mr Barton lui demander si elle avait fait bon voyage.

— Epouvantable ! fit-elle avec conviction, et elle lui raconta la mort de Julia Blaine.

Mr Barton lui exprima sa sympathie sans manifester de surprise.

— Vous étiez au courant ?

— Oui, dit-il. Nous embarquons une grande partie de notre vin à Limassol, voyez-vous. Bon nombre de nos employés travaillent donc sur les bateaux ou les quais et la plupart avaient entendu parler de l'événement. Cette mort a fait beaucoup de bruit. Les Blaine ont habité l'île pendant une quinzaine de jours, l'année dernière. Ils logeaient chez Claire et George Norman. Ils sont apparentés, je crois. J'étais en voyage d'affaires à l'époque et je ne les ai pas rencontrés mais ma... ma femme les connaît un peu.

Il se tut un instant et reprit, sur un ton d'excuse :

— J'ignorais, naturellement, que Mrs Blaine était morte dans votre cabine, sinon je me serais abstenu de poser une question aussi stupide. Vous avez dû vivre une expérience éprouvante. Je suis navré qu'elle serve de prélude à votre visite à Chypre et j'aimerais pouvoir atténuer cette impression pénible.

Il se tourna vers elle et un sourire éclaira son visage triste et fatigué. C'était un sourire d'une séduction irrésistible et Amanda lui sourit à son tour avec une franche amitié.

« Il est charmant, songea-t-elle. Mais quelque chose le tracasse. Il est fatigué, tourmenté et mortellement inquiet, et malgré tout, il est venu m'accueillir pour m'installer chez lui et prendre soin de moi ! »

— C'est très gentil à vous et à votre femme de m'inviter, dit-elle. J'espère ne pas trop vous déranger. J'ai un peu honte de... m'imposer de la sorte. J'imagine que l'oncle Oswin ne vous a guère laissé le choix, n'est-ce pas ?

— Eh bien... non, admit Glenn Barton, avec un sourire un peu contraint.

Son visage avait retrouvé son expression inquiète. Il ralentit et demanda brusquement :

— Voudriez-vous manger quelque chose ? Il y a une auberge pas loin d'ici. Nous pourrions manger du pain, du fromage et des olives et boire du lait de chèvre, si vous aimez cela.

— Avec joie ! dit Amanda, se rappelant qu'elle n'avait pas pris de petit déjeuner.

Barton ralentit et arrêta la voiture devant une petite construction miteuse à demi dissimulée sous les arbres.

L'auberge consistait en une pièce unique et vaste meublée de chaises et de tables en bois grossier, décorée des portraits du roi et de la reine des Hellènes découpés dans quelque magazine et épinglés au mur. Encadré d'une guirlande de lierre, le charmant et délicat visage de Frederika lui souriait et Amanda se souvint qu'elle arrivait dans une île où nombre d'habitants refusaient l'occupation britannique et demandaient leur réunion à la Grèce.

Une foule de Cypriotes aux cheveux de jais et aux yeux sombres occupaient les tables où traînaient des effluves d'ail et de vin renversé. L'hôtelière, une accorte personne aux joues rouges, semblait bien connaître Mr Barton. Après un bref échange en grec, elle leur trouva une table et leur servit du pain de campagne accompagné de raisins, de figues et de fromage de chèvre. A la demande de Mr Barton, elle apporta une bouteille d'un liquide incolore qui ressemblait à du gin, une carafe d'eau et deux verres.

Amanda savoura avec délice ce repas frugal tandis que Barton versait une petite quantité du curieux liquide dans leurs verres. Il ajouta de l'eau et le mélange prit une teinte laiteuse.

— Qu'est-ce donc ? demanda Amanda, intriguée.

— De l'*ouzo*, la boisson nationale. Voyez-vous ce vieil homme, là-bas, près de la porte ?

Amanda se retourna et aperçut un vieillard à la barbe grise qui somnolait, confortablement installé dans son fauteuil.

— Le mari de notre hôtesse. La première fois que j'ai débarqué à Chypre, c'était un gaillard solide et dur à la besogne. Mais il s'est mis à boire son *ouzo* pur. On prétend que ça rend fou si l'on en abuse. Mais pris en petite quantité c'est parfaitement inoffensif. Essayez.

Amanda prit son verre, le flaira et fronça le nez. Glenn Barton se mit à rire.

— Cela sent fort, n'est-ce pas ? Un parfum d'anis. Vous n'aimez pas ?

— Non, dit Amanda avec franchise. J'ai pris l'anis en horreur à l'école. Mon voisin en classe, un petit garçon, suçait des bonbons à l'anis. Je le détestais, et ses bonbons aussi.

— Le goût vaut mieux que l'odeur, affirma Glenn Barton. Il leva son verre.

— A votre séjour à Chypre. Je souhaite que vous vous y plaisiez.

— Merci, dit Amanda en lui souriant.

Barton but et reposa son verre. Il avait repris son expression soucieuse. Amanda remarqua que ses lèvres avaient pâli et qu'un léger tremblement agitait ses mains. Il lui offrit une cigarette qu'elle refusa. Il en alluma une pour lui et commença d'une voix hachée, hésitante :

— Je... j'ai peur que nous ne puissions vous loger en définitive. Voyez-vous, ma femme n'est pas en très bonne santé et je craindrais de vous inviter dans une maison qui... que...

Il se tut et passa ses mains dans ses cheveux en un geste enfantin qui exprimait son désarroi.

— Mais naturellement ! dit Amanda émue et pleine de sympathie. N'y pensez plus, je vous en prie. Je suis navrée d'apprendre que votre femme ne va pas bien. Puis-je faire quelque chose pour l'aider ?

— Non, rien, dit Glenn Barton d'un air malheureux. C'est extrêmement gentil à vous de le prendre ainsi. Je me sens tellement coupable : vous offrir l'hospitalité, vous laissez venir jusqu'ici et vous abandonner de cette façon...

— Ne dites pas de bêtises ! fit Amanda avec une bonne humeur. C'est sans importance. Je trouverai facilement un hôtel.

— Oh ! non. C'est hors de question.

Il leva les yeux et la fixa d'un air implorant.

— J'ai tout arrangé. Une amie à moi qui habite Kyrenia, Miss Moon, vous logera. Elle est un peu excentrique mais très gentille. Je suis certain qu'elle vous plaira.

— Mais je ne tiens pas à ennuyer vos amis, dit Amanda, embarrassée. Je trouve déjà suffisamment déplaisant qu'oncle Oswin m'ait imposée à vous de cette façon et...

— Je vous en prie ! interrompit Glenn Barton avec un sourire contraint. Vous êtes très gentille de le prendre ainsi mais je vous serais extrêmement reconnaissant de vous montrer plus aimable encore en acceptant de loger chez Miss Moon. De cette façon, je serai tout à fait rassuré. D'ailleurs, elle vous attend. C'est une femme charmante et elle se fait une joie de vous accueillir. Elle aime la jeunesse, surtout lorsqu'elle possède un visage aussi ravissant que le vôtre.

Le sourire couronnait le compliment et Amanda capitula en riant. Elle aimait mieux habiter sur la côte qu'à Nicosie et, d'ailleurs, Persis et Toby seraient à Kyrenia. Elle aurait préféré l'hôtel et son indépendance mais pouvait difficilement faire fi de la proposition de Mr Barton.

— C'est donc convenu, dit celui-ci. Nous devrons faire une courte halte à mon bureau de Nicosie, je le crains, mais nous serons à Kyrenia pour déjeuner. Si vous vous refusez à essayez l'*ouzo,* nous ferions mieux de nous mettre en route.

5

L'accorte hôtesse apporta l'addition et entama avec Barton une conversation qui, à en juger par son regard rieur, concernait Amanda.

— Que dit-elle ?

— Elle me demandait d'où vous veniez. Elle vous trouve très jolie et désire savoir si vous pouvez vous asseoir sur vos cheveux quand ils sont défaits, déclara Glenn Barton en souriant.

Amanda éclata de rire.

— Répondez-lui que j'y arrive tout juste.

— Vous êtes venue sur l'*Orantares*, hein ? demanda la femme dans un anglais hésitant... Mon mari aussi. C'est un beau bateau.

Elle fit un grand sourire à Amanda, ramassa quelques pièces laissées par Mr Barton et s'éloigna aussitôt à l'appel d'un client impatient.

— Est-ce que tous les gens sont aussi gais et amicaux, dans ce pays ? demanda Amanda.

— Beaucoup. Pourquoi ? Vous semblez surprise.

— C'est vrai, admit Amanda. Chaque fois que les journaux parlent de Chypre, c'est pour évoquer le mécontentement qui règne parmi ses habitants.

Glenn Barton sourit :

— Je crois qu'ils ont su préserver leur joie de vivre.

Il laissa tomber sa cigarette dans le verre d'Amanda et la regarda s'éteindre d'un air absent. Son visage, quant à lui, était loin d'exprimer la gaieté. Il se leva enfin avec un soupir étouffé.

— Partons, voulez-vous ?

Ils sortirent dans l'éclatante lumière et reprirent la route de Nicosie. Glenn Barton conduisait plus lentement. La halte à l'auberge semblait avoir calmé sa nervosité. Il se montrait plus à l'aise et communicatif. Il s'abstint de toute allusion à la maladie de sa femme et semblait manifestement désireux d'éviter le sujet.

Amanda se demanda à quoi ressemblait Mrs Barton et si elle aurait l'occasion de la rencontrer — ce qui la conduisit à s'interroger sur Steven Howard : le reverrait-elle ? Pourquoi, d'ailleurs, s'inquiéter à son sujet ? Howard s'était montré cassant, mal élevé et brutal. Il avait eu l'audace de sous-entendre qu'elle, Amanda, aurait pu préméditer d'assassiner Julia Blaine parce qu'elle avait une liaison avec Alastair, son époux. Il n'avait rien dit, c'est vrai, qui pût faire penser que lui-même croyait à cette hypothèse. Mais qu'il l'eût même envisagée l'effrayait et l'irritait à la fois. Elle aurait dû être heureuse à l'idée de ne plus jamais le revoir et l'oublier aussitôt.

Mais elle s'aperçut qu'elle était incapable de le chasser de ses pensées. Qui était-il ? Pourquoi voyageait-il sur l'*Orantares* ? Que faisait-il à Fayid et quelle était la personne qu'il suivait jusqu'à Chypre ?

La route descendit en lacets à travers les collines brûlées par le soleil et ils arrivèrent dans la vaste plaine, plate et poudreuse, qui occupe la partie centrale de Chypre. Vers midi apparurent les frondaisons trouées de terrasses, les églises byzantines et les mosquées de Nicosie.

La chaleur était partout : dans les ruelles populeuses, sur les minarets, les dômes et les balcons sculptés, les murs de béton et les toits des innombrables maisons nouvelles des quartiers périphériques, les pompes à essence, les jeeps, les camions de l'armée et les charrettes délabrées tirées par des bœufs.

La voiture s'engagea entre deux montants de pierre blanchis à la chaux, ombragés par des flamboyants et des lauriers-roses, et stoppa devant une petite villa.

— Notre bureau de Nicosie, expliqua Glenn Barton. Voulez-vous entrer ? Je n'en ai que pour quelques minutes.

Les murs nus étaient blanchis à la chaux et un tapis de corde rêche recouvrait le sol. Les jalousies de bois vertes protégeaient de la chaleur de midi et baignaient les pièces d'une ombre fraîche. Une femme assise devant un bureau encombré se leva à leur entrée. Glenn Barton fit les présentations :

— Voici Miss Ford, ma secrétaire. Monica, je vous présente Miss Derington.

Miss Ford était une personne laide, solidement charpentée, âgée d'une trentaine d'années. Sa mâchoire était légèrement proéminente et ses cheveux grisonnants étaient sévèrement tirés en un maigre chignon épinglé sur la nuque.

— Je ne m'attendais pas à vous trouver ici aujourd'hui, Monica, dit Glenn Barton. Etes-vous sûre que vous vous sentez bien ? Vous n'auriez pas dû venir.

Il y avait de l'inquiétude dans sa voix. Il posa sa main sur l'épaule robuste, la pressa affectueusement et, se tournant vers Amanda :

— Monica n'est pas seulement ma secrétaire. Elle est mon bras droit, et mon bras gauche ! Je ne sais pas ce que je ferais sans elle. C'est elle qui dirige l'affaire, pratiquement.

Le visage olivâtre de Miss Ford s'empourpra de plaisir et, un instant, elle ressembla presque à une jeune fille.

— C'est ridicule, voyons, dit-elle en s'adressant à Amanda. Glenn travaille beaucoup trop. Je lui dis toujours qu'il finira par tomber malade s'il ne se ménage pas davantage. Comment va votre oncle, Miss Derington ? Il y a plus d'un an que je ne l'ai vu. C'est lui qui m'a nommée à ce poste, vous savez. Je travaillais auparavant dans ses bureaux de Londres.

— Oncle Oswin va bien. Il parcourt le Moyen-Orient en semant une sainte terreur dans ses bureaux, ce qui correspond à sa conception du bonheur.

Glenn Barton se mit à rire :

— Dans ce cas, nous pouvons nous estimer heureux qu'il nous ait envoyé une aussi charmante représentante au lieu de venir en personne.

— Oh ! je ne suis pas sa représentante, dit Amanda en lui rendant son sourire. Je prends simplement des vacances pour mon compte. L'oncle Oswin serait venu, d'ailleurs, s'il en avait eu le temps, mais une fois son programme établi, rien ne saurait le lui faire modifier d'une heure, encore moins d'un jour. Il a donc décidé qu'il vous faudrait vous passer de lui encore un an ou deux.

— Je regrette qu'il n'ait pas pu venir, dit Glenn Barton avec un soupir. Nous avons beaucoup de problèmes ici dont votre oncle, je le crains, ne saisit pas l'importance. Ils ne représentent pas grand-chose sur le papier, mais quelques jours sur place lui auraient permis de comprendre la situation. Peut-être pourriez-vous le persuader de s'arrêter ici sur le chemin du retour ?

— Je crains que non, dit Amanda avec gaieté. En ce moment, il se trouve au Kenya. Il se rendra à Tripoli à la fin de la semaine avant de regagner Londres pour une conférence. Même la bombe H ne lui ferait pas modifier son emploi du temps. A moins, bien entendu, que vous ne trouviez, pour l'attirer, un appât exceptionnel : un cas flagrant d'immoralité au sein du personnel, par exemple ! Oncle Oswin est un ardent défenseur de la Morale : c'est son cheval de bataille.

Elle éclata d'un rire qui demeura sans écho. Elle devina aussitôt qu'elle venait de faire une remarque extrêmement maladroite : Glenn Barton avait blêmi tandis qu'une rougeur disgracieuse empourprait le visage ingrat de Miss Ford.

Il y eut un silence gêné et Miss Ford se tourna vivement vers Barton.

— Kostos est ici, Glenn. Il est arrivé juste avant vous. Il aurait pu s'épargner le voyage et vous voir à Limassol. Les gens de ce pays ne prennent jamais la peine de réfléchir.

— C'était impossible. Un accident s'est produit sur le bateau. L'une des passagères est morte, ce qui a entraîné une certaine confusion. Je vais le voir tout de suite. Voulez-vous vous charger de Miss Derington ?

— Certainement. Souhaitez-vous vous rafraîchir, Miss Derington ? Je sais à quel point nos routes sont sales. Et que diriez-vous d'un jus d'orange ou d'un porto ? J'ai également du café glacé, si vous préférez. Glenn en a pour un quart d'heure environ. Il lui faut vérifier quelques factures.

— Le café glacé me paraît une excellente idée, dit Amanda, reconnaissante. Et je serais ravie de faire un peu de toilette. Je meurs de soif et je suis couverte de poussière !

— Je ferai aussi vite que possible, assura Mr Barton, et Monica Ford entraîna Amanda.

— Venez me rejoindre sur la véranda quand vous serez prête, lui dit-elle. Je prépare le café.

La véranda était vaste et abritée mais la réverbération était éblouissante au sortir de la fraîche pénombre qui baignait les pièces. Monica Ford avait installé deux fauteuils et versait le café.

— Merveilleux ! fit Amanda en buvant avec délice. C'est exactement ce dont j'avais besoin.

Elle sourit avec gratitude à Miss Ford et remarqua qu'en pleine lumière le visage sans grâce, au teint jauni, trahissait son âge et un médiocre état de santé. Des cernes bistres marquaient ses yeux que les larges lunettes à monture de plastique rose ne parvenaient pas à dissimuler, et la jeune fille la soupçonna d'avoir pleuré. Le visage large, ingrat, avec ses yeux bleu pâle et ses cils décolorés, évoquait le bon sens et l'efficacité. Impression quelque peu démentie par la tenue de la secrétaire : une ample jupe de coton aux couleurs vives qui seyait mal à sa taille épaisse et à son teint sans maquillage. Touche finale et incongrue : un collier et des boucles d'oreilles composés d'énormes fleurs de plastique et, répandu en abondance, un parfum bon marché à la violette.

Amanda soupçonna les boucles d'oreilles d'être une acquisition récente à laquelle Miss Ford n'était pas encore habituée. Elle les touchait sans arrêt, en serrait et desserrait les vis comme si elles la gênaient, ses fortes mains aux doigts courts et dépourvus de vernis contrastant étrangement avec les pétales transparents des fleurs en plastique.

Elle était arrivée à Chypre moins d'un an plus tôt, confia-t-elle à Amanda, sur la demande de Mr Oswin Derington, son employeur depuis plus de cinq ans.

— Il estimait que Mr Barton avait besoin d'aide. Le bureau ne marchait pas très bien, au début. Dans ce pays, les secrétaires, peu qualifiées, sont souvent plus encombrantes qu'utiles. Il y avait un travail énorme. Vous n'imaginez pas les difficultés que Glenn a dû affronter : les problèmes posés par la douane, la main-d'œuvre, les préjugés locaux. Et personne pour l'aider ou l'encourager. C'était une bataille continuelle. Il devrait prendre un congé mais il s'y refuse. Il travaille jusqu'à épuisement. Certains hommes sont ainsi, Bobby par exemple...

Sa voix se brisa soudain et Amanda s'aperçut avec horreur que ses yeux s'étaient remplis de larmes.

Elle fouilla dans l'une des immenses poches qui garnissaient sa jupe, en tira un mouchoir humide et se moucha énergiquement.

— Pardonnez-moi. Je... je ne suis pas dans mon assiette aujourd'hui. Le... le rhume des foins, vous comprenez...

— Je suis désolée, dit poliment Amanda. Mais cela n'a rien de surprenant avec cette abondance de fleurs autour de vous.

— Elles sont merveilleuses, n'est-ce pas? Dire que je ne voulais pas venir à Chypre !

— Alors, vous vous plaisez ici?

— Oh ! certainement, fit Monica Ford en joignant brusquement les mains en un geste convulsif. C'est... c'est une île magnifique. Je ne pourrais pas la quitter. Je n'accepterais jamais... jamais...

Elle se tut brusquement, le visage empourpré. Un silence embarrassé suivit et Amanda dit enfin, sur un ton de sympathie :

— Je suppose qu'oncle Oswin veut vous obliger à revenir à Londres ou à Liverpool. C'est un vrai tyran, n'est-ce pas? Ne l'écoutez pas. Il m'a terrorisée pendant des années. Et puis, j'ai compris un jour que je n'étais plus une gamine, je me suis défendue bec et ongles et j'ai gagné. Il suffit de lui tenir tête, simplement.

Monica Ford eut un sourire hésitant.

— Un peu de café? proposa-t-elle.

— Volontiers, dit Amanda en tendant son verre. Je suis navrée d'apprendre que Mrs Barton est malade. De quoi souffre-t-elle? Je n'ai pas osé interroger son mari ; il semblait bouleversé. Est-ce que c'est grave?

Le visage ingrat de Miss Ford prit une teinte écarlate. Elle laissa échapper le pot de café et le liquide se répandit sur sa jupe. Elle bondit sur ses pieds.

— Mon Dieu ! fit-elle d'une voix étouffée. Et le café tache tellement ! Excusez-moi une minute.

Elle quitta la véranda en courant. Amanda la regarda

disparaître, stupéfaite. De quoi souffrait donc Mrs Barton ? Etait-elle devenue folle ? S'agissait-il d'une maladie virale, comme la poliomyélite, que les autorités désiraient cacher par crainte de créer la panique ? Tout cela était fort mystérieux et Amanda se sentit soudain pleine de compassion à l'égard de Glenn Barton. Accablé de soucis et de travail, encombré d'une épouse souffrante — ou pire — et d'une secrétaire aux nerfs défaillants (car elle ne croyait pas au prétendu rhume des foins), il avait dû voir en l'arrivée d'Amanda le couronnement de ses malheurs.

Une porte s'ouvrit à l'extrémité de la véranda et Barton apparut.

— Pardonnez-moi de vous avoir fait attendre. J'espère que Monica vous a tenu compagnie. Où est-elle ?

— Elle a renversé du café sur sa jupe et elle est allée la nettoyer, dit-elle en se levant. Je crois qu'elle ne se sent pas très bien.

Une ombre passa sur le visage de Barton. Il jeta un coup d'œil en direction de la porte et, baissant la voix :

— Je sais. Pauvre Monica. Elle vient de subir un choc effroyable qu'elle assume avec beaucoup de courage. Elle a appris hier la mort de son frère tué par des terroristes mau-mau au Kenya. Il possédait une ferme, là-bas, qu'ils ont attaquée et dévastée. Il était sa seule famille, et elle l'adorait.

— Je suis vraiment navrée ! dit Amanda, impressionnée. C'est affreux. Je comprends à présent qu'elle soit si bouleversée.

Elle détourna les yeux pour contempler le jardin écrasé de soleil, ses fleurs éclatantes et soudain, malgré la chaleur qui régnait sur la véranda paisible, un frisson la saisit.

— Qu'y a-t-il ? demanda doucement Glenn Barton.

— Rien. Je... je songeais seulement que par une belle journée comme celle-ci de telles tragédies semblent incroyables. Et elles se produisent pourtant. Elles frappent des êtres gentils, sans histoire, comme Alastair et Miss Ford.

— Je n'aurais pas dû vous raconter cette histoire ! fit Glenn Barton d'un air contrit. Je suis désolé. Vous avez été suffisamment bouleversée par ce qui s'est passé sur le bateau. La tragédie ne convient pas à la jeunesse. Oubliez tout cela et amusez-vous. Vous avez raison, c'est une journée vraiment magnifique !

Il lui tendit la main.

— Venez, ou nous serons en retard pour le déjeuner et Miss Moon ne me le pardonnerait jamais.

6

La route de Nicosie à Kyrenia traverse la plaine sur quelques kilomètres avant d'escalader l'étroite chaîne montagneuse qui la sépare de la côte nord de l'île.

Le col franchi, la route descendait en lacets. A leurs pieds, la mer : une vaste étendue striée de saphir et de jade, bordée de rivages blancs si noyés dans la brume de chaleur que mer, ciel et terre se confondaient dans la même lumière.

Les taches sombres des champs d'oliviers aux troncs noueux, tordus par l'âge, sans doute témoins de l'arrivée des Croisés, contrastaient avec le bleu éclatant des eaux. Plus bas, la petite ville de Kyrenia, toute blanche sous le soleil de midi, collier de perles et de galets baigné par la mer.

Ils suivirent la longue route qui sinue entre les oliviers, les caroubiers, les cyprès, les mûriers et les pins jusqu'au pied des collines avant de s'élancer en droite ligne vers la mer.

Arrivée à une lieue environ du port, la voiture s'engagea dans une artère secondaire et stoppa devant une grande construction carrée à deux étages séparée de la route par un mur blanc, un rideau de cyprès et des massifs de lauriers-roses.

— Nous y sommes, annonça Glenn Barton. Voici « Les Lauriers ». Andréas se chargera de vos bagages.

La haute bâtisse, patinée par l'âge, était magnifique. La peinture rose des murs, écaillée par endroits, avait pris une teinte abricot, chaude et inégale, et les balcons de fer forgé ainsi que les volets de bois des fenêtres étaient d'un vert émeraude, doux et fané. Les tuiles du toit venaient sans doute du sud de la France car elles n'étaient pas rouges mais d'un rose vif, ravissant, incurvées et marquées du dessin d'un cœur. Un petit sentier dallé et six marches de pierres plates conduisaient à la porte d'entrée ornée d'un lourd heurtoir de cuivre verdi par le temps. Dans le jardin à l'abandon foisonnaient orangers, citronniers, figuiers et pruniers, ainsi que des lauriers, des rosiers et d'éclatants massifs de jasmin blanc et jaune. Une vigne vierge courait le long du balcon en fer forgé, à droite de la porte, et un dauphin de bronze crachait de l'eau dans une profonde vasque pleine de nénuphars et de roseaux, son ruissellement délicat répondant au roucoulement des pigeons nichés dans l'ombre chaude d'un olivier.

Amanda s'arrêta, la main posée sur la grille, saisie d'une émotion mystérieuse. Dans son cadre parfait, la maison était le symbole même du calme et de la beauté.

Glenn Barton qui l'observait dit avec inquiétude :

— Je crains que le jardin ne laisse à désirer. Mais Miss Moon refuse de l'entretenir et prétend qu'elle l'aime tel qu'il est.

— Moi aussi, dit Amanda avec ravissement. Il est magnifique. C'est exactement l'image que je me faisais d'une maison dans une île de la Méditerranée mais je craignais toujours d'être déçue. C'est un véritable enchantement.

Glenn Barton parut soulagé bien que sceptique. Visiblement, il n'admirait guère la maison délabrée, ni le jardin à l'abandon. Il précéda la jeune fille jusqu'à la porte d'entrée et frappa. On entendit un bruit de pas légers et la porte tourna sur ses gonds bien huilés pour laisser apparaître une petite femme corpulente et brune. Elle portait une large blouse, plutôt sale, et un mouchoir de coton aux couleurs vives noué sur une abondante chevelure grisonnante.

— Ah! *Kyrie Barton! Kalossorisis. Ti habaria. Kopiase messa!*

— Voici Euridice, dit Glenn Barton en se tournant vers Amanda. Elle s'occupe de tout dans la maison : cuisine, ménage et entretien.

Amanda sourit et la femme lui répondit par un sourire éclatant. Elle se lança dans un discours incompréhensible tout en les précédant dans un vaste hall d'entrée puis dans un grand salon obscur aux meubles anciens magnifiques et aux vitrines poussiéreuses.

— Elle ne parle pas anglais? s'inquiéta Amanda.

— Mais si. Suffisamment pour se faire comprendre en tout cas. Mais comme Miss Moon s'est toujours refusée à lui parler en grec, Euridice, qui est à son service depuis trente ans, refuse de s'exprimer en anglais. C'est un point d'honneur pour toutes les deux.

— Comment s'arrangent-elles ?

— Chacune parle à l'autre très lentement et très fort dans sa propre langue. Voici, je crois, notre hôtesse...

Un bruit de talons martela vivement l'escalier de l'entrée. Un tintement de bracelets, un lourd parfum d'héliotrope : c'était Miss Moon.

Petite, osseuse, fragile, Miss Moon évoquait un humble moineau déguisé en paon. Sa maigre chevelure teinte en une curieuse nuance d'écarlate était frisée en une multitude de bouclettes et ornée d'un nœud de gaze violette. Sa robe aux couleurs assorties, mauve et violette, appartenait au style connu sous le nom de « tea-gown » cinquante ans plus tôt, serrée à la taille par une large ceinture d'argent filigrané dont la boucle, en émail, représentait des iris. De nombreux colliers et bracelets en argent, d'améthystes et d'opales ornaient son cou et ses poignets et de splendides pendants d'améthyste rococo, ses oreilles.

— Glenn, mon cher petit ! Quelle joie de vous voir ! Et voici Amanda ! Laissez-moi vous regarder, mon enfant. Ravissante ! Un vrai bonheur pour les yeux. Comme c'est gentil à vous de venir habiter ici. Si peu de jeunes à présent se soucient de faire plaisir aux vieilles gens comme moi, hélas ! Ce sera merveilleux de vous avoir dans la maison. Tout à fait merveilleux. Elle a besoin d'un peu de gaieté, et moi aussi. Vous regardez ma robe ? Ce n'est pas exactement le genre de tenue qui convient pour accueillir une invitée. Le rose aurait été préférable. Le rose est la couleur de la joie. Mais nous sommes mardi aujourd'hui et, ce jour-là, je m'habille toujours en mauve. Le lundi est le jour du rose. Je déteste qu'on parle des lundis « noirs » ! Le lundi est un nouveau départ au contraire. Une nouvelle semaine où tout peut arriver. Je m'habille donc toujours en rose ce jour-là pour fêter dignement son avènement. Les couleurs sont tellement importantes, vous ne trouvez pas ? Mais je bavarde alors que vous devez être affamée. Glenn, mon petit, vous ne voulez pas changer d'avis et déjeuner avec nous ?

— C'est malheureusement impossible. Je le regrette, croyez-le, mais j'ai rendez-vous avec Gavriledes au Dôme. Il m'invite à déjeuner et nous pourrons parler affaires pendant ce temps.

— Mon Dieu, comme je suis déçue ! Vous savez naturellement que Lumley Potter a loué le dernier étage de l'une des maisons du port ? Il arrive aujourd'hui.

— Potter... mais qui vous l'a dit ? demanda Glenn Barton, le visage blême.

— Ainsi vous l'ignoriez ? Je croyais qu'Anita vous l'aurait dit. C'est si gênant si vous vous rencontrez. Lady Cooper-Foot m'a renseignée. L'appartement — si l'on peut l'appeler ainsi — appartient à un cousin de sa cuisinière. Mr Potter a l'intention d'y installer son studio.

— Mais... mais je croyais qu'il devait habiter à Famagouste.

— Il veut peindre à Kyrenia. Famagouste n'a pas d'âme, à ce qu'il paraît. Je suis bien de son avis là-dessus.

Les yeux fixes, égarés, Glenn Barton se tourna vers Amanda comme pour lui parler, puis se ravisa. Après un moment de silence, il annonça d'une voix incertaine et guindée :

— Je dois partir à présent. J'espère vous revoir très bientôt. Au cas où vous désireriez écrire à votre oncle, remettez-moi la lettre et je me chargerai de la faire partir avec celles du bureau. Elle arrivera plus vite. Je veillerai à ce qu'on vous appelle tous les jours pour prendre votre courrier si besoin est. Miss Moon s'occupera parfaitement de vous, j'en suis certain. Je ne vous dis pas adieu, donc, mais *au revoir**.

Il prit la main ridée et chargée de bagues de Miss Moon, la baisa en un geste affectueux et dénué d'affectation, et sortit rapidement.

Miss Moon poussa un profond soupir.

— Pauvre garçon ! Comment cette femme peut-elle... Mais je ne dois pas vous retenir toute la journée avec mes bavardages, n'est-ce pas ? Je vais vous montrer votre cham-

* En français dans le texte.

75

bre. Andréas a dû monter vos bagages. Ensuite, nous déjeunerons et nous nous raconterons votre vie. Ce sera follement excitant !

Elles regagnèrent le hall obscur et gravirent un large escalier aux marches basses.

— Voici la salle de bains, ma chère, et les toilettes. Ma chambre est là et voici la vôtre.

Elle ouvrit une porte et Amanda pénétra dans une vaste pièce à haut plafond, aux murs peints en vert pâle et au sol recouvert d'un tapis de corde. Des fleurs ornaient les grands vases et les meubles, comme ceux du salon, étaient anciens, magnifiques et couverts de poussière. Le portrait d'une jeune fille en robe de satin vert de l'époque de la Restauration était accroché à l'un des murs. Sur un autre, un large miroir d'argent au tain piqué par l'âge, au cadre chargé de guirlandes, de nœuds et d'angelots ternis, surmontait un petit bureau français en bois peint qui servait de table de toilette. Au plafond pendait un gracieux lustre en verre de Venise où l'on devinait quelques toiles d'araignées. Seul le lit offrait une note incongrue. Un lit de fer, étroit et bon marché, dont les portants de tailles différentes retenaient, attachés par de la ficelle, les quatre coins d'une moustiquaire rapiécée. Protégée de la chaleur du jour par ses persiennes closes, la chambre baignait dans une clarté verdâtre où flottait un parfum de lis et de seringa, de poussière et de bois sec.

Amanda, les yeux brillants, se tourna vers son hôtesse :

— C'est si gentil à vous de m'accueillir. Vous possédez la plus belle maison que j'aie jamais vue.

— Comme je suis heureuse qu'elle vous plaise ! dit Miss Moon en l'embrassant dans un geste spontané. Dès l'instant où je vous ai vue, j'ai su que vous étiez exactement la personne qui convenait et que la maison vous aimerait. Si peu de gens vous ressemblent, hélas ! Et c'est dommage car tout est beau sur cette île. J'y suis venue pour la première fois avec mon cher papa, il y a quarante-trois ans. Cela fait bien longtemps, n'est-ce pas ? Je ne devais guère être plus âgée que vous, à l'époque. Quand père est mort, j'ai songé à repartir pour le Norfolk et puis, je ne sais pourquoi, je ne l'ai jamais fait. J'avais traversé le miroir, comme Alice, et je ne pouvais revenir sur mes pas. J'étais sous le charme. J'ai acheté cette maison et je ne l'ai jamais quittée depuis. Quand je mourrai, on m'enterrera parmi les citronniers et les lauriers du jardin. J'ai tout prévu. Ah ! Kyrenia... Le nom seul chante à l'oreille, n'est-ce pas, comme une brise tiède dans les oliviers ? Je suis si heureuse que vous partagiez mon sentiment. Etes-vous prête, ma chère ? Euridice nous attend pour servir le déjeuner.

La salle à manger, au-delà du foisonnement des citronniers, ouvrait sur un vieux mur de pierre aux arceaux profonds, à demi écroulés, où nichaient des pigeons paons. Le déjeuner débuta par des fruits rafraîchis servis en piles colorées sur des plats en verre de Venise : figues vertes et écarlates, melons, oranges, raisins et prunes minuscules, semblables à des balles de velours bleu. Dans l'un des hauts verres de Venise couleur émeraude, mouchetés d'or, Miss Moon versa un vin blanc de fabrication locale.

— Il est tout à fait inoffensif, ma chère. Un enfant pourrait en boire. C'est Glenn qui me le procure. La maison le met en bouteilles avant de l'exporter, mais cela nuit à son bouquet et le goût n'est plus tout à fait le même. Celui-ci sort du tonneau et il est, paraît-il, délicieux. Je ne bois, pour ma part, que de l'infusion d'orge. Euridice me la prépare chaque jour, toute fraîche, après le petit déjeuner.

— Je crois que je vais remercier le Ciel que Mrs Barton soit malade !

— Malade ? fit vivement Miss Moon. Qui vous a dit qu'elle était malade ?

— Mr Barton. C'est la raison pour laquelle je suis ici. Je devais loger chez eux à Nicosie, conformément aux dispositions de mon oncle. Mais cela s'est avéré impossible à cause de la maladie de Mrs Barton. Il ne vous a rien dit ?

— Si, bien sûr, à présent que vous m'en parlez. Mais je n'aurais jamais cru qu'il vous aurait raconté une telle fable. Sa prétendue maladie, je veux dire. Il vaut toujours mieux s'en tenir à la vérité, même si elle est déplaisante. Je ne comprends pas pourquoi Glenn essaie de protéger sa femme à ses propres dépens. Il m'a demandé de ne rien vous dire mais, comme ils habiteront finalement à Kyrenia, vous finirez par le savoir.

77

— Savoir quoi ? demanda Amanda, stupéfaite. Mrs Barton n'est donc pas malade ?

— Certainement pas, protesta Miss Moon avec un geste indigné qui fit cliqueter ses bracelets. C'est son pauvre mari, au contraire, que semble guetter la dépression nerveuse. Je n'y comprends rien — une si charmante jeune femme. De mon temps, il existait une expression démodée pour qualifier les créatures qui se conduisent comme Anita. On les appelait des filles.

— Anita ?

Le nom éveillait un écho dans la mémoire d'Amanda.

— C'est ainsi qu'elle s'appelle, dit Miss Moon avec un soupir. Je n'aurais jamais cru ça d'elle. Elle a dû s'ennuyer avec Glenn, je suppose. Il travaille si dur. Et elle est vraiment ravissante. Elle recherchait peut-être plus que ce que Glenn est capable de lui offrir : le plaisir d'être courtisée, admirée. Non, elle n'est pas malade. Elle a simplement abandonné Glenn pour une espèce de peintre du nom de Lumley Potter. Elle n'a même pas quitté l'île. Ils vivent ouvertement ensemble et elle tente de justifier l'immoralité flagrante de sa conduite en se répandant en propos scandaleux sur son mari et sa secrétaire, Miss Ford.

— Oh ! souffla Amanda, les yeux agrandis d'horreur. C'est donc pour cela que...

Elle se rappelait sa remarque étourdie du matin au sujet d'oncle Oswin et de sa croisade contre le péché. L'avaient-ils crue capable d'une méchanceté aussi gratuite ? Elle rougit à cette seule pensée.

— Qu'y a-t-il, ma chère ?

— Rien, dit vivement Amanda. Je pensais seulement à... à quelque chose que j'ai dit à Miss Ford.

— Vous l'avez rencontrée ?

— Oui. Nous nous sommes arrêtés au bureau en traversant Nicosie.

— Alors, vous me comprendrez quand je dis qu'Anita a perdu tout sens commun. Si elle estime nécessaire de calomnier Glenn pour justifier sa propre conduite, elle devrait inventer une histoire plus plausible. Monica Ford est un être gentil, sensible et la meilleure des secrétaires, et elle adore

78

Glenn. Mais, sans être méchante, elle ne possède pas le moindre attrait. Il existe bon nombre de jeunes femmes ravissantes sur l'île et, si c'est ce que recherchait Glenn, il avait le choix. Mais Monica Ford !

Amanda se rappela soudain Julia Blaine et sa jalousie dévorante mais elle repoussa aussitôt cette pensée et dit d'un ton léger :

— Elle n'est pas à proprement parler séduisante.

— Séduisante ! La malheureuse est quelconque. Si seulement elle était laide. La laideur est parfois un attrait. L'ennui avec Glenn Barton c'est qu'il est trop gentil. Il faut être dur si l'on est marié avec une fille comme Anita — aussi dur ou plus dur qu'elle. Elle l'accuse de l'avoir trompée avec toutes sortes de femmes. Claire Norman, par exemple. Rien ne m'étonne de Claire et je sais fort bien qu'elle a jeté son dévolu sur Glenn — oh ! très discrètement, bien sûr, dans le style de Claire — et elle n'est pas près de lui pardonner de l'avoir ignorée. Mon Dieu ! Me voilà encore en train de cancaner. C'est tellement stimulant ! Savez-vous, ma chère, que beaucoup de gens — des femmes naturellement — vous affirmeront qu'elles ne cancanent jamais, qu'en fait, elles détestent, et abhorrent les commérages (et celles qui l'affirment sont souvent les plus méchantes !). C'est presque toujours faux mais, si c'était vrai, quel dommage pour elles ! Songez seulement à ce que nous aurions perdu si des gens comme Somerset Maugham s'étaient refusés à écouter les commérages ! Qu'aimeriez-vous faire cet après-midi, ma chère ?

— Dormir, dit aussitôt Amanda. Je vais sans doute vous décevoir mais j'ai l'impression que je pourrais dormir des heures. Il s'est passé tant de choses et... je n'ai guère dormi la nuit dernière.

— Une mauvaise traversée ?

— Non, dit lentement Amanda et, pour la troisième fois ce jour-là, elle raconta, en taisant les mêmes détails, la mort de Julia.

— Ma pauvre enfant ! s'écria Miss Moon avec une sympathie horrifiée. Mais c'est épouvantable ! Quel choc pour vous ! Heureusement que nous sommes mardi. Je ne me serais jamais pardonné d'avoir porté de l'orange ou du jaune pour

79

vous accueillir. Vous devez être bouleversée. Du bleu peut-être — le bleu est une couleur tellement apaisante. Certainement pas de l'orange. Il faut que vous dormiez, bien sûr. C'est très sage de votre part.

Le repas terminé, elle accompagna Amanda jusqu'à sa chambre.

— Descendez quand vous serez reposée. Nous ne nous soucions pas de l'heure dans cette maison. Ici, le temps nous obéit, Amanda, et nous ne sommes pas ses esclaves. Amanda! Quel nom ravissant! Et si original. Amanda veut dire : digne d'être aimée.

Amanda demanda soudain :

— Connaissez-vous quelqu'un du nom d'Amarantha?

— Je me demande qui a bien pu vous appeler ainsi, fit Miss Moon, rayonnante. Un homme, bien sûr. Et qui sait tourner le compliment. Certainement pas Glennister Barton, il n'a aucune culture. Amarantha fut le sujet d'un charmant poème écrit par un chevalier nommé Richard Lovelace. Il lui dédia quelques vers : *A Amarantha cette prière pour qu'elle dénoue ses cheveux.* Je ne suis pas sûre de me les rappeler exactement. Ma mémoire n'est plus ce qu'elle était, hélas! Voyons... « Amarantha, si douce et belle, ne tresse plus ces blonds cheveux. Quand ma main ou mes yeux curieux t'effleurent, laisse-les s'envoler... » ou quelque chose d'approchant. Ah! Vous rougissez. Comme c'est charmant! Il faudra tout me dire sur ce jeune homme quand vous serez reposée.

Miss Moon se retira, laissant derrière elle un parfum d'héliotrope qui se mêla à celui des lis, du seringa, du bois et de la poussière. Amanda, prenant à peine le temps de retirer robe et chaussures, se glissa sous la moustiquaire et s'endormit aussitôt.

7

Quand Amanda se réveilla, il était trop tard pour visiter Kyrenia mais le lendemain matin, peu après le petit déjeuner, Toby Gates sonna à la villa « Les Lauriers ».

— Mrs Norman m'a dit que vous étiez ici, annonça-t-il à la jeune fille. Elle nous a invités à dîner chez elle, hier soir : tous ceux qui étaient sur le bateau ; et elle nous a appris que vous logiez dans cette maison. Elle nous a conduits jusqu'à Limassol. L'hôtel nous avait envoyé une voiture mais une jeep l'a emboutie juste après Nicosie et nous nous sommes tous entassés dans celle des Norman.

— Qui « nous » ? demanda Amanda en respirant avec délice les effluves d'un somptueux jasmin qui débordait jusque sur la balustrade de la véranda, devant les portes-fenêtres du salon.

— Claire, Persis, Howard et moi. Claire — Mrs Norman — était sûre que vous ne seriez pas chez les Barton. Mrs Barton, nous a-t-elle dit, était partie avec ce peintre. Vous ne pouviez donc habiter seule dans la maison avec Barton. Curieux que nous les ayons rencontrés sur le bateau, vous ne trouvez pas ?

Ainsi Steven Howard se trouvait à Kyrenia ! Elle demanda vivement :

— Et Mr Norman ? Est-il venu par l'autobus ?

— Oh ! Il est resté pour aider Alastair Blaine. Ils ne sont arrivés que tard, la nuit dernière. Je suppose qu'on a transporté le corps jusqu'à un hôpital de Nicosie pour l'autopsie. Alastair doit s'y rendre cet après-midi pour un complément d'enquête. Les funérailles ont eu lieu hier, dans la soirée.

— Si vite ? dit Amanda, à la fois surprise et attristée. Sans qu'elle pût s'expliquer pourquoi la mort de Julia ne lui avait

81

pas semblé réelle jusque-là. A présent qu'elle gisait, enfouie sous six pieds de terre dans un pays étranger, sa fin tragique s'imposait à elle avec une force qui la bouleversait.

— C'est à cause de la chaleur, expliqua Toby, gêné. Dans ces pays, il faut enterrer les morts le plus vite possible.

— Et Alastair ? Quels sont ses projets ?

— Il habitera chez les Norman, comme prévu. Que peut-il faire d'autre ? Norman et lui sont arrivés vers dix heures, hier soir, et il est monté se coucher aussitôt. Claire a rencontré Barton en ville, hier, qui lui a appris que vous logiez ici. Nous avons téléphoné pour vous inviter à dîner mais Miss Moon nous a répondu que vous dormiez et qu'elle ne voulait pas vous déranger. Dites-moi...

Toby baissa la voix et poursuivit dans un chuchotement :

— Elle est un peu bizarre, non ? Elle m'a déclaré que je ne devrais pas porter une chemise bleue parce que nous étions mercredi. Vous croyez qu'elle a toute sa tête ?

— Elle n'est pas dangereuse, si c'est ce que vous voulez dire, fit Amanda en riant. Elle estime simplement qu'il faut varier la couleur de ses vêtements selon les jours de la semaine. Si vous étiez arrivé vêtu en cerise, vous seriez tombé pile.

— Je vois, dit Toby qui parut rassuré. J'ai cru qu'elle était cinglée. Elle m'a demandé si je venais voir Amarantha — un prénom plutôt biblique, non ? — l'une de ses domestiques, je suppose. « Non, ai-je répondu, je suis venu voir Miss Derington ». Sur quoi elle m'a rétorqué : « C'est bien ce que je pensais. Vous ne me semblez pas du tout le genre d'homme à réciter du Lovelace. » Je commençais à me demander si je n'étais pas entré par erreur dans l'asile des loufoques du coin. Que voulait-elle dire, à votre avis ?

— Je n'en ai pas la moindre idée, mentit effrontément Amanda.

— A propos, dit Toby timidement, je... euh... lui ai demandé si elle voyait un inconvénient à ce que je vous invite à déjeuner et elle m'a répondu qu'elle ne s'y opposait pas le moins du monde. Acceptez-vous ? Je... euh... l'invitation ne vient pas uniquement de moi — quoique j'en serais fort heureux — mais... je veux dire... nous avons décidé hier soir de déjeuner tous ensemble au Dôme. Claire — Mrs Norman — pensait que cela distrairait Alastair et, en outre, c'est le jour de congé de leur cuisinière. J'ai dit que j'aimerais vous emmener et... Vous acceptez, n'est-ce pas ?

— Avec joie.

— Merveilleux, fit Toby, enthousiaste. Allons-y tout de suite !

— Il n'est pas encore dix heures, remarqua Amanda. Et j'ai des tas de projets pour ce matin. J'ai envie de flâner et de découvrir la ville.

— Je vous accompagne. Il nous faut une voiture. Howard en a loué une, sans chauffeur, pour une livre par jour. Vous savez que c'est un type vraiment formidable pour un artiste.

— Qu'entendez-vous par « pour un artiste » ? demanda Amanda, irritée sans qu'elle sût pourquoi.

— Eh bien, il ne ressemble pas, comme tant d'autres, à ce barbu en espadrilles, le séducteur de Mrs Barton. Je veux dire qu'un véritable artiste n'a pas besoin de se déguiser pour prouver sa valeur.

— C'est absurde. Vous êtes-vous regardé quand vous êtes de service ? Un uniforme d'une ridicule couleur kaki avec des étoiles ici, des médailles là et un chapeau à plumes qu'un homme trouverait grotesque sur la tête de sa femme. Si vous n'hésitez pas à vous attifer ainsi pour montrer que vous êtes soldat, pourquoi ne ferait-il pas de même ? A propos de chapeau... laissez-moi prendre une capeline et je suis à vous !

Ils passèrent la matinée à explorer la ville et descendirent vers midi jusqu'au petit port dont les maisons couleur pastel, les anciennes murailles du château de Kyrenia, le minaret d'une mosquée et les murs blancs de l'église grecque orthodoxe reflétés dans les eaux vertes et bleues, d'une lumineuse clarté, évoquent une fresque dessinée par un artiste de génie.

Une voix héla Amanda de l'une des petites tables d'un café installées sur le quai. C'était Persis, aussi radieuse que la matinée elle-même.

— Bonjour, mon chou ! Vous vous êtes décidée à prendre vos quartiers à Kyrenia, à ce qu'il paraît. Bonne idée. D'après le peu que j'en ai vu, Nicosie ne me plaît pas, mais alors pas du tout. Mais Kyrenia ! Quelle ville superbe ! Je vais y écrire un roman qu'on rééditera au moins six fois en six mois ! C'est un endroit fait pour l'amour. Je dois absolument me dénicher un soupirant.

— Votre imagination ne suffirait-elle pas ? demanda Toby avec sollicitude.

— Non, mon mignon. Mon imagination est remarquable mais, quand il s'agit d'amour, je les préfère costauds et mesurant au moins un mètre quatre-vingts.

— Et moi ? s'offrit Toby.

— C'est très aimable à vous, mon cher, mais j'aime que mes soupirants aient l'esprit à leur tâche et si vous regardez Amanda par-dessus mon épaule en me faisant la cour, je trouverai cela fort peu romantique. Heureusement, les candidats ne manquent pas par ici ; la compétition non plus, hélas.

— C'est à moi que vous pensez ? demanda Amanda avec un sourire qui creusa ses fossettes.

— Naturellement, mon chou ; à qui d'autre ? Quoique à vrai dire, je songeais à Mrs Norman. Cette fille s'y connaît en matière de séduction. Je ne suis pas moi-même une débutante et Dieu sait que je surveille mes calories. Mais à côté d'elle, j'ai l'impression de ressembler à l'une des Dolly Sisters, et quoi qu'on en dise, cela nuit au moral. En outre, elle possède un avantage sur nous : elle opère sur son propre terrain et elle me paraît l'avoir déjà fort bien préparé. Vous vous souvenez de ce type barbu vêtu comme un coucher de soleil en Technicolor ?

— Lumley Potter, fit Amanda, l'identifiant aussitôt.

— C'est ça. Celui qui a battu à plates coutures votre petit copain Barton. Eh bien, qui donc, croyez-vous, chuchotait à son oreille à deux heures du matin, la nuit dernière, sur le pont ? La petite Claire, en personne !

— Impossible ! fit vivement Toby. Je veux dire : comment pouvez-vous en être sûre ?

— Comment ? En me servant de mes yeux, nigaud. Il faisait aussi chaud dans ma cabine de trois pieds six pouces qu'à Broadway par temps de canicule. Je suis donc sortie respirer un peu et je suis passée devant le numéro 31 — la cabine des Norman. George ronflait à faire exploser le pont et j'ai plaint la malheureuse épouse condamnée à partager sa vie. J'aurais mieux fait de garder ma pitié ! La pauvre créature se trouvait sur le pont occupée à compléter, nous l'espérons, son éducation artistique. Elle a des ressources, cette fille !

— Mais il est parti avec l'épouse de Barton ! protesta Toby, indigné.

— Voilà pourquoi elle savait..., dit lentement Amanda.

— Pour Julia ? Sans aucun doute. Potter avait dû apprendre la nouvelle par l'officier de bord, le médecin ou un membre du personnel. L'affaire a dû créer un certain remue-ménage et tous ceux qui étaient réveillés n'ont pu manquer d'être au courant. Oui, la petite Claire n'est certes pas une rivale à sous-estimer. Il faudra que je peaufine ma technique.

— A qui songez-vous à vous attaquer en premier ? s'enquit Toby, intéressé.

— Eh bien, il y a le major Blaine ; et bien qu'il soit considéré de mauvais goût de courtiser un veuf de fraîche date, son hôtesse nous a vivement recommandé, hier soir, de ne pas laisser le pauvre garçon s'étioler. Je pourrai donc essayer de le consoler un peu. Et puis, il y a Steve Howard. Voilà ce que j'appelle un homme ! Beau, du charme et ce quelque chose d'indéfinissable... Claire paraît l'avoir remarqué, elle aussi.

— Il n'est *pas* beau ! coupa Amanda. Ses traits n'ont pas un dessin régulier.

— En ce qui me concerne, mon chou, cela ne me gêne pas. le dessin n'est pas ce qui m'intéresse, de toute façon.

— Persis, ma chère, je ne vous ai jamais connue aussi agressivement américaine aux Etats-Unis, remarqua Toby. Parlez-vous toujours ainsi ?

— Pas quand je suis rentrée dans mon pays, fit tranquillement Persis. Je réserve ce langage pour mes voyages à l'étranger. Il amuse les gens du coin.

Toby se mit à rire.

— Vous n'êtes qu'une superbe menteuse et je vous adore !

Persis lui jeta un curieux regard de biais :

— Vraiment mon chou ? C'était peut-être vrai il y a quelque temps. Ou peut-être êtes-vous comme ce type, Potter — ou comme tous les hommes d'ailleurs — un mormon qui s'ignore.

Une note d'amertume inhabituelle était apparue dans la voix claire, coupante de Persis Halliday et Toby se hâta de demander :

— Que buvez-vous là ? On dirait de l'eau de Javel.

— C'en est peut-être. Le serveur au coquin tablier blanc appelle ça de l'*ouzo*. Dieu que c'est mauvais ! Mais je soutiens qu'il faut tout essayer au moins une fois. Prenez donc une chaise et venez me tenir compagnie.

— Vous voulez dire que vous êtes en train de boire ici, toute seule et sans chaperon ? demanda Toby, confondu.

— Pas exactement. Je n'ai pas encore perdu tout respect de moi-même. Mon cavalier est resté en arrière. Il essaie d'obtenir un article de derrière les fagots, si-vous voulez mon avis. Ah ! Il arrive. Ça va, George ?

George Norman apparut, une bouteille de bière à la main.

— Et voilà ! annonça-t-il, triomphant. Je savais qu'ils en avaient en réserve. Bonjour, Miss Derington. Bonjour, Gates. Je fais visiter la ville à Mrs Halliday.

— Votre épouse est-elle ici ? demanda Toby.

— Elle va arriver. Alastair désirait envoyer quelques télégrammes et elle l'a accompagné à la poste. Les voici.

Claire Norman, toujours de noir vêtue et coiffée d'un chapeau à large bord extrêmement seyant, apparut au coin de la jetée, au bras d'Alastair. Le major, l'air triste et fatigué, semblait ne pas avoir dormi depuis quarante-huit heures.

— Amanda ! dit Claire de sa voix douce. Quelle joie de vous voir ! Et Toby ! Vous visitez le port ?

— Non, dit Amanda. Nous venons d'explorer la ville. Je vais aller jusqu'à la jetée à présent, pour admirer le panorama.

— Je vous accompagne, proposa Toby.

— Je ne veux pas de vous, Toby, dit Amanda, cruelle. Je veux seulement admirer en silence. A tout de suite.

Toby se préparait à la suivre mais Claire Norman, posant sa petite main sur son bras, le pria gentiment de lui apporter une chaise. Le temps qu'il obéisse, Amanda avait disparu.

Une longue jetée de pierre terminée par un petit phare protégeait le port minuscule, construit en forme de fer à cheval, de la ville de Kyrenia. Au-delà des eaux transparentes, le regard se portait sur les murailles impressionnantes de l'antique forteresse des Croisés, dorées sous le soleil et, derrière les contreforts séculaires, sur la côte magnifique estompée dans une brume de chaleur.

Plusieurs personnes se trouvaient sur la jetée dont un homme, assis, face au port, les jambes pendant au-dessus de l'eau, qu'entourait un cercle d'enfants attentifs. Il crayonnait à grands coups rapides sur les larges feuilles d'un carnet de croquis et Amanda s'arrêta un instant, attirée par les brusques éclats de rire des enfants.

L'homme parla sans tourner la tête.

— Bonjour, Amarantha.

— Comment savez-vous que je suis là ? demanda Amanda, stupéfaite.

Steve se retourna et lui sourit :

— J'ai des yeux derrière la tête. Ou peut-être suis-je comme le poète dont « le cœur bat dès qu'il entend sa bien-aimée, son pas fût-il plus léger que l'air ».

Amanda rougit et s'apprêta à continuer son chemin. Mais Howard prononça quelques mots en grec et, aussitôt, Amanda se trouva encerclée par une douzaine d'enfants rieurs dont trois la retenaient par les bras et la ceinture de sa robe de mousseline. Son sens de l'humour l'emporta et elle éclata de rire.

— C'est un enlèvement ?

— Exactement. Et maintenant, abandonnez vos grands airs, Amarantha. Venez près de moi et détendez-vous. Je veux vous parler. Vous pouvez vous asseoir ici...

Il arracha une feuille de son carnet de croquis et la posa sur la pierre. Amanda, cédant à la force et la curiosité, s'assit près de lui et aperçut, dans l'eau claire du port à ses pieds, son propre reflet et celui du groupe d'enfants, derrière elle.

— Vous n'avez pas des yeux derrière la tête, dit-elle. En réalité, vous avez vu mon reflet dans l'eau.

— C'est exact, reconnut Steve.

Amanda se tourna vers lui et son regard tomba sur le carnet qu'il tenait à la main. Surprise, elle remarqua que la page était couverte d'esquisses rapides et vivantes : éléphants, tigres, un marin en pantalon à pont, une sorcière sur son balai, un dragon à l'aspect terrifiant, un serpent de mer et un pirate brandissant un sabre.

Howard eut la délicatesse de paraître confus :

— Ce n'est pas ce que j'appellerais le fruit d'une dure matinée de travail, remarqua-t-il, mais mon public est satisfait.

— Ainsi, vous savez dessiner ! fit Amanda, décontenancée.

— Pourquoi ce scepticisme si peu flatteur ? Ai-je donc l'air d'un peintre des Essences Subtiles tel mon frère en pinceaux, ce fringant briseur de ménages, l'ineffable Mr Potter ?

Amanda rougit et se mordit la lèvre.

— Je croyais..., commença-t-elle et elle se tut.

— Vous croyiez que je jouais la comédie ? Mais pour jouer, il faut connaître son métier.

Il entama une page vierge et, d'une main nonchalante, esquissa les contours d'un corps et d'un visage. Et soudain Amanda apparut, telle qu'elle était entrée dans la cabine de l'*Orantares* : vêtue d'une chemise de nuit, ses longs cheveux lui tombant plus bas que la taille, les yeux immenses et effrayés.

Un murmure admiratif monta du groupe d'enfants qui l'avait reconnue. Amanda arracha brutalement le crayon à Steve et demanda :

— De quoi vouliez-vous me parler ?

Steve adressa quelques mots à son jeune public qui répondit par un chœur d'affirmations.

— Que leur avez-vous dit ? Et comment se fait-il que vous parliez si bien leur langue ?

— Mes talents sont innombrables, fit légèrement Howard. Si vous tenez vraiment à le savoir, je leur ai confié que je voulais déclarer ma flamme à cette ravissante jeune fille assise près de moi et que je comptais sur eux pour m'avertir si l'un des Anglais approchait. La petite bande m'est dévouée corps et âme. Ainsi, nous pouvons parler tranquillement sans crainte d'être entendus.

— Oh ! fit Amanda d'une voix faible.

Steve se mit à rire.

— Ne craignez rien. Je ne déclare ma flamme qu'au clair de lune. Pour le moment, j'ai seulement l'intention de discuter du meurtre.

Il reprit le crayon et, attaquant une page vierge, commença à dessiner les maisons du port. Mais il ne souriait plus et, quand il parla, ce fut d'une voix basse et précise :

— Les résultats de l'autopsie démontrent que Mrs Blaine a absorbé du poison. Et j'avais raison au sujet du verre qui se trouvait dans votre cabine. Il ne porte que deux séries d'empreintes : les vôtres et celles de Mrs Blaine. Le flacon n'en a qu'une : les vôtres. Ce qui signifie qu'on l'a soigneusement essuyé avant de le placer sous votre oreiller et sans doute manié avec des gants. Les comprimés qui s'y trouvaient étaient identiques à ceux contenus dans le verre : du nitrate de pilocarpine.

— Mais... comment pouvez-vous être sûr qu'il y ait eu autre chose que de la citronnade dans ce verre ? dit Amanda, la gorge serrée par l'angoisse. Je l'ai rempli ensuite au robinet pour jeter de l'eau au visage de Julia.

— Je sais. Mais le fond de citronnade s'était renversé sur la moquette. Je l'ai épongé avec un mouchoir. Ces quelques gouttes, avec le zeste de citron qui restait, ont suffi : l'analyse a montré l'existence d'une solution de nitrate de pilocarpine assez concentrée pour provoquer la mort d'une douzaine de personnes. Une seule gorgée aurait suffi à tuer Mrs Blaine, quoique plus lentement.

— Mais... le flacon ! Non, c'est impossible. Voyez-vous, si Julia et moi n'avions pas échangé nos cabines, il n'y aurait eu aucune empreinte sur le flacon et l'on aurait remarqué sa présence sous l'oreiller.

— Je n'en suis pas si sûr. Comment l'avez-vous trouvé ?

— Quand je me suis couchée. J'ai senti un objet dur sous ma tête.

— Vous l'avez donc découvert dès que votre tête a touché l'oreiller. Il en aurait sans doute été de même pour Mrs Blaine. Elle l'aurait examiné, comme vous, et aurait conclu qu'il avait été oublié là par l'un des précédents occupants de la cabine. Il vous a intriguée uniquement parce que vous saviez que Mrs Blaine était morte empoisonnée. Et même si cette pauvre Julia ne l'avait pas découvert, il est fort probable que plusieurs personnes l'auraient manié avant que quelqu'un ne songe à vérifier s'il portait ou non des empreintes. A présent, reprenons votre histoire. Depuis le début, cette fois. Dites-moi tout ce que vous savez des passagers : ce qui vous a frappée à leur sujet quand vous habitiez Fayid, pourquoi eux — et vous — êtes à Chypre, ce que vous vous rappelez de leurs faits et gestes : à Fayid, pendant le voyage jusqu'à Port-Saïd et sur le bateau. Je veux un compte rendu complet.

Amanda tourna la tête pour le regarder, mais toute son attention semblait concentrée sur le dessin qui naissait peu à peu sous sa plume adroite et nonchalante.

— Ainsi, vous êtes..., commença Amanda d'une voix incertaine.

Steve Howard jeta un rapide coup d'œil en direction du café, sur le quai, où Persis Halliday, les Norman, le major Blaine et Toby Gates étaient assis autour d'une petite table protégée du soleil. Il ordonna sèchement :

— Vite, Amanda !

Il n'y avait pas grand-chose à dire et tout semblait remonter à cette fameuse soirée, au club de Fayid, lorsque sa tante lui avait présenté Steven Howard. Et pourtant, Amanda éprouvait le sentiment étrange qu'il fallait remonter plus loin, que Steve lui-même se trouvait alors à Fayid pour un motif bien précis, sans aucun rapport avec l'art, et que sa présence au club des officiers, cette nuit-là, n'était pas accidentelle.

Elle lui raconta ce qu'elle savait en songeant combien les détails qu'elle lui fournissait semblaient ridicules et anodins. Il la questionna toutefois sur bon nombre de points précis et parut intéressé par le fait que Toby ait connu Persis aux Etats-Unis, lors d'une visite à sa sœur dont le mari était alors attaché d'ambassade à Washington. Elle raconta encore une fois comment elle en était venue à occuper la cabine destinée à Julia et tout ce qu'elle pouvait se rappeler de sa dernière conversation avec la pauvre créature hystérique.

— A quelle heure est-elle descendue dans sa cabine ? demanda Steve. Se trouvait-elle encore sur le pont quand vous avez quitté le salon ?

— Non. Elle est descendue assez tôt, vers dix heures, je crois. Quelqu'un avait mis un disque et nous avons dansé. Alastair a invité Mrs Norman et c'est à ce moment-là que Julia est partie, il me semble. Elle s'est plainte de souffrir de migraine et elle a regagné sa cabine.

— Et vous ? Quand êtes-vous descendue ?

— A onze heures. Je m'en souviens parce que j'ai remonté ma montre, après l'avoir ôtée pour me laver les mains.

— Et Mrs Blaine est venue vous rejoindre dans votre cabine cinq ou dix minutes plus tard. C'est bien exact ?

— Oui.

Steve se tut quelques instants et reprit :

— Est-ce que tous connaissaient son habitude de boire de la citronnade sans sucre ?

— Oui. Elle en louait volontiers les vertus. Elle en buvait pour se faire maigrir. Les gens adorent parler de leur régime. Elle n'aurait jamais touché à une boisson surcrée mais elle avalait des tonnes de glaces, de gâteaux et de chocolats.

— Etes-vous bien sûre de m'avoir dit tout ce que vous savez ?

— Tout à fait sûre. Oh ! Je me rappelle un détail, mais il n'a certainement aucun rapport avec le drame.

— Aucune importance... allez-y.

— Persis m'a dit qu'elle était sortie beaucoup plus tard, cette nuit-là, parce qu'elle étouffait dans sa cabine et qu'elle avait vu Mrs Norman et Lumley Potter ensemble, sur le pont.

Steve ne fit aucun commentaire mais, cessant de dessiner, il resta immobile à contempler le port avec des yeux qui semblaient insensibles au charme du paysage étalé devant lui.

Après une ou deux minutes de silence, il haussa les épaules et se remit au travail. L'un des enfants lança quelques mots d'une voix aiguë et il se retourna.

— Il semblerait qu'on s'apprête à partir à votre recherche, fit-il observer. Parlons donc de sujets sans importance à haute et intelligible voix. Que faites-vous à Kyrenia, par exemple ?

— Vous savez fort bien pourquoi je suis ici, dit Amanda d'un ton accusateur. Vous dîniez chez Mrs Norman, hier soir, et elle a raconté mon histoire à tout le monde, semble-t-il.

— Oh ! oui... naturellement. Vous ne pouviez demeurer sans chaperon auprès du directeur de l'entreprise familiale à Chypre. L'homme en question, Barton, vous a donc installée

91

chez Miss Moon. Tant pis pour lui et tant mieux pour nous. Le trajet depuis Limassol vous a plu ?

Amanda entreprit un récit du voyage, de l'arrêt à Nicosie et de son arrivée chez Miss Moon. Elle parlait toujours quand une silhouette se profila sur la pierre, près d'eux, et ils entendirent la voix flûtée de Claire :

— Steve ! C'est donc vous qui monopolisez Amanda. Nous nous demandions ce qui la retardait. Avez-vous passé la matinée ici ? Vous deviez nous retrouver à l'hôtel à une heure, vous savez, et il est une heure passée.

Steve referma son carnet de croquis, empocha son crayon et se leva :

— Bonjour, Mrs Norman, bonjour Gates. L'exercice de mon art m'a fait oublier l'heure, c'est vrai. Miss Derington avait la bonté de m'offrir ses conseils.

Il aida la jeune fille à se relever.

— Laissez-moi voir, s'il vous plaît ! supplia Claire Norman. Si vous saviez comme j'envie les gens qui possèdent le don de la création. Montrez-nous vos œuvres.

Steve ouvrit son carnet pour montrer le dessin du port et Toby Gates laissa échapper une exclamation :

— Bon sang ! Mais c'est excellent ! Je suppose que vous ramassez un paquet avec ce genre d'esquisse.

— Hélas ! non, dit Howard avec regret. Mon art ne fera jamais de moi un homme riche. Il est entaché d'un vice fatal : chacun peut facilement identifier ce qu'il est censé représenter. Les seules toiles susceptibles de rapporter de l'argent de nos jours sont celles que les acheteurs peuvent accrocher à l'envers sans que personne — y compris l'artiste — ne remarque la différence.

Une brise soudaine agita les eaux tranquilles du port et souleva la feuille que tenait Howard, révélant celle qui se trouvait dessous. Ce fut bref mais suffisant pour que Claire Norman et Toby Gates reconnaissent la jeune fille à la chevelure flottante si brillamment représentée par l'esquisse.

— Mais c'est Amanda ! dit Tony Gates, stupéfait. Comment diable...

Il se tut, le visage empourpré et furieux, et Claire Norman partit de son rire en cascade :

— Eh bien, Steve ! Quel cachottier vous faites ! J'ignorais qu'Amanda et vous étiez si bons amis.

Steve referma le carnet d'un coup sec et le mit sous son bras. Il sourit aimablement à Claire mais Amanda, sans qu'elle pût s'expliquer pourquoi, eut soudain la certitude qu'il était furieux.

— Il s'agit seulement, je le crains, de ce que l'on a coutume d'appeler une licence artistique, dit-il doucement. Je connais fort peu Miss Derington. C'est heureusement une lacune aisément rattrapable. Et à présent, si nous allions déjeuner ?

Le regard de Claire Norman effleura rapidement le visage souriant d'Howard, celui, impassible d'Amanda, la mine renfrognée du capitaine Gates et, de nouveau, elle se mit à rire. Mais son rire, cette fois, sonnait de façon moins légère et cristalline.

— Steve a raison, dit-elle. Je suis affamée.

Elle glissa un bras sous celui d'Howard, posa sa petite main délicate sur la manche de Toby et ils s'éloignèrent en direction de l'hôtel du Dôme, quatre silhouettes marchant de front sous le soleil resplendissant, leurs ombres raccourcies dansant sur les pierres chaudes.

8

La salle à manger de l'hôtel du Dôme était une longue pièce spacieuse, rafraîchie par la brise légère qui pénétrait par une rangée de fenêtres ouvrant sur la mer et le ciel d'un azur éclatant.

Amanda promena un regard intéressé sur l'assistance. Elle était composée en majorité de touristes auxquels s'ajoutaient quelques résidents de l'île. Les Norman et Alastair Blaine étaient assis à une petite table, juste derrière celle occupée par Persis, Steve Howard, Toby et elle-même. Claire Norman avait brusquement décidé qu'après son récent et dramatique veuvage, la présence d'Alastair au milieu d'un groupe joyeux déjeunant à l'hôtel risquait de provoquer certains commentaires désobligeants.

Amanda se demanda pourquoi, dans ces circonstances, Claire n'avait pas organisé un déjeuner chez elle, en petit comité. Mais la volonté de Claire faisait loi et Alastair, silencieux, assommé, ne semblait pas en état de discuter ses caprices.

Le regard d'Amanda s'arrêta soudain sur une robe bain-de-soleil en coton blanc imprimé de grosses roses écarlates : dépourvue d'épaulettes et dénudant largement le dos, elle semblait ne tenir à sa propriétaire que par l'effet d'un miracle. Amanda s'interrogeait encore sur l'étonnante coupe de cette toilette quand elle prit brusquement conscience de l'identité de celle qui la portait. La dame en question n'était autre que l'épouse infidèle de Glennister Barton. Son compagnon, caché pour l'instant à la vue d'Amanda par un serveur attentif, était sans doute son complice dans le péché : l'ineffable Mr Potter.

Amanda fut à la fois intriguée et surprise. Curieusement, elle n'aurait pas cru Anita capable d'afficher sa liaison dans un lieu aussi fréquenté que la salle à manger de l'hôtel du Dôme. Le serveur s'écarta et Amanda examina le couple avec le plus grand intérêt.

Lumley Potter, décida-t-elle, ne s'amusait guère. L'air boudeur et morose, il paraissait inquiet et ne cessait de jeter des regards angoissés en direction de la table des Norman. Anita Barton, en revanche, semblait parfaitement à l'aise. Elle bavardait et riait — peut-être un peu trop fort.

Brune, âgée de vingt-cinq ans environ, elle possédait une silhouette superbe et un visage dont la beauté devait beaucoup à un maquillage généreux et spectaculaire. Une épouse inattendue, songea Amanda, pour un homme aussi fin et effacé que Glenn Barton.

Comme si elle avait senti le regard d'Amanda, Anita Barton se tourna vers elle. Ses yeux noirs et brillants détaillèrent la jeune fille avec une insolence froide et calculée et sa large bouche écarlate s'entrouvrit en un sourire moqueur. Elle dit quelques mots à son compagnon et haussa ses épaules nues et bronzées. Soudain, son regard devint fixe et dur et sa bouche s'étira en une ligne mince. Elle ne regardait plus Amanda mais quelqu'un qui se tenait juste derrière elle. Involontairement, Amanda se retourna.

Glenn Barton, debout sur le seuil, scrutait la salle d'un œil inquiet. Il ne remarqua pas sa femme mais, apercevant Amanda, il se dirigea aussitôt vers elle en se frayant un chemin parmi les tables.

— Glenn !

La voix de Claire Norman le héla alors qu'il passait à côté de sa table et il s'arrêta près d'elle. Levant vers lui ses grands yeux lumineux, elle lui dit d'un ton de reproche :

— Vous avez encore trop travaillé, Glenn. On dirait que vous n'avez pas dormi depuis des semaines. Vous ne connaissez pas le major Blaine, je crois ? Vous étiez au Liban pour affaires, il me semble, lors de son séjour ici, l'année dernière ?

— C'est exact — il se tourna vers·le major — mais j'ai entendu parler de vous, naturellement, par...

Il se tut brusquement et Claire reprit :

— Restez déjeuner avec nous. Nous venons juste œe commencer.

— C'est impossible, malheureusement. J'ai beaucoup de travail.

— Alors, venez prendre le thé à la maison quand vous aurez fini.

— J'essaierai, dit Barton d'une voix hésitante.

— Nous comptons sur vous, fit Claire en le gratifiant d'un charmant sourire.

Glenn Barton hocha la tête d'un air absent et continua son chemin en direction de la table d'Amanda. Le sourire de Claire s'effaça et ses grands yeux d'enfant se firent soudain curieux et attentifs.

Amanda se tourna vers lui :

— Bonjour, Mr Barton. Vous me cherchiez ? Persis, je vous présente Mr Barton. Il m'a fort aimablement accueillie à Limassol.

— Nous nous sommes déjà rencontrés, fit Persis avec son plus éblouissant sourire. Mais je suis charmée de vous revoir, Mr Barton. Les amis d'Amanda sont nos amis. Prenez donc une chaise et joignez-vous à nous.

Mr Barton cligna des paupières, ébloui, et un sourire éclaira son visage tendu.

— Je... j'en serais ravi. Mais c'est, hélas, impossible.

— Une autre fois alors, fit Persis avec chaleur.

Barton, élément du scandaleux triangle qui alimentait la chronique locale, ne pouvait manquer de passionner la romancière et Persis était bien décidée à le connaître mieux. Son intérêt, toutefois, aurait été moins vif si Barton ne s'était révélé aussi charmant.

— Merci, dit celui-ci, qui, mettant assez abruptement fin au dialogue, se tourna vers Amanda :

— En fait, j'étais venu vous demander si vous seriez chez vous cet après-midi. A la villa « Les Lauriers », je veux dire. Pourriez-vous m'accorder quelques minutes d'entretien, aux environs de trois heures ? Je...

Il hésita un moment et jeta un coup d'œil aux trois compagnons de la jeune fille, visiblement attentifs.

— J'ai reçu une lettre de votre oncle et j'ai quelques messages à vous transmettre de sa part.

— Mais naturellement, dit Amanda. Je vous attendrai à trois heures.

— J'essaierai d'être exact.

— Dites-moi, Mr Barton, fit Persis, il paraît que vous dirigez une entreprise viticole? Vignobles, cuves, jolies filles foulant allégrement les grappes... Quel tableau idyllique!

— C'est exact, dit Amanda. Miss Moon m'a fait goûter son vin hier. Il est délicieux.

Glenn Barton se mit à rire.

— Je suis heureux qu'il vous ait plu. Vous avez eu de la chance d'échapper à l'infusion d'orge. Je croyais que c'était la seule boisson qu'elle tolérait.

— C'est vrai. Mais, Dieu merci, elle en dispense ses invités. L'infusion d'orge m'a toujours fait l'effet d'une eau dans laquelle on aurait fait bouillir un demi-citron et trois mètres de flanelle!

— Revenons à vos vignobles, Mr Barton. Je meurs d'envie de les visiter. Auriez-vous la bonté d'y conduire un jour une pauvre étrangère comme moi.

— J'en serais ravi.

— Alors, demain?

— Vous n'irez visiter ni vignobles ni cuves demain, Persis, intervint fermement Toby Gates. Nous allons tous pique-niquer à Saint-Hilarion. Et Amanda nous accompagne. Vous savez bien que vous avez tout organisé ce matin avec George Norman.

— C'est vrai. Dites-moi, Mr Barton, pourquoi ne viendriez-vous pas avec nous? Nous pourrons ainsi décider d'un jour pour la visite des vignobles. Deux heures et demie, demain. Vous me conduirez à Hilarion dans votre voiture. Est-ce entendu?

— Je ne devrais pas, dit Glenn Barton avec un sourire mélancolique. J'ai beaucoup de travail en ce moment mais... c'est d'accord. Je serai ravi de venir. Mais je ne pourrai vous accompagner en voiture, je le crains. Il m'est impossible de quitter mon bureau aussi tôt. Je serai à Hilarion aux environs de quatre heures. Cela vous va-t-il?

— Parfaitement. A demain, alors.

Glenn Barton lui sourit et, s'apprêtant à partir, s'arrêta soudain, le visage fermé. Amanda suivit la direction de son regard et s'aperçut qu'il fixait sa femme. Il était évident qu'il ne l'avait pas remarquée jusque-là et plus évident encore qu'il ne s'attendait pas à la voir déjeuner au Dôme en compagnie de Lumley Potter.

Anita Barton s'était tournée vers son mari et lui faisait face. Les yeux étincelants, elle le défiait. Une expression dure enlaidissait sa bouche peinte. Le bourdonnement des conversations, le cliquetis des couverts animaient la salle, mais le silence se fit soudain à la table d'Amanda et à celle de Claire, un silence plein de gêne et de curiosité.

Le visage fin et tanné de Glenn Barton avait pris une étrange teinte grise, sa bouche était crispée. Un muscle tremblait au coin de sa mâchoire et ses mains étaient si serrées que les phalanges blanchissaient.

Il resta une bonne minute à la regarder puis, tournant les talons, il quitta la salle d'un pas mal assuré.

La voix de Persis rompit le silence :

— Ça alors ! Vous avez vu sa tête ? Si j'étais payée à chaque fois que j'utilise l'expression « blanchir sous son hâle », je pourrais m'acheter le Koh-i-Nor ! Mais, Dieu merci, je ne l'avais jamais vue de mes yeux. Et l'on prétend que la fiction surpasse la réalité !

— Dites-moi, Mrs Halliday, toutes les Américaines sont-elles aussi impitoyables que vous ? demanda Steve.

— Appelez-moi Persis, mon petit Steve. Et pourquoi *impitoyable* ? Je me suis montrée on ne peut plus charmante avec ce pauvre garçon.

— C'est ce que je voulais dire, fit Steve avec un large sourire. Qu'allez-vous en faire une fois que vous l'aurez pris dans vos filets ? Le rejeter à l'eau ?

— Steve Chéri-i-i ! Je désire seulement le connaître davantage. Vous ne comprenez pas quel fantastique sujet il représente pour la romancière que je suis.

— Je comprends fort bien. Vous êtes une séductrice sans cœur et l'on devrait vous enfermer. Et ne battez pas des cils ainsi en me regardant, je suis extrêmement impressionnable.

— Mais c'est merveilleux ! s'écria Persis avec enthousiasme. Nous avons des tas de points communs, vous et moi. Vous me conduirez à Hilarion.

— C'est promis.

Après le déjeuner, Toby raccompagna Amanda chez Miss Moon. Elle le congédia devant la grille. Elle se sentait troublée et nerveuse et l'impression d'enchantement éprouvée lors de son arrivée à la villa « Les Lauriers » s'était évanouie. Miss Moon referma la porte derrière elle en jetant un coup d'œil en direction de la grille :

— Vous voilà de retour, ma chère. Glenn Barton vous a appelée. Je lui ai dit que vous déjeuneriez sans doute au Dôme.

— Oui, je l'ai vu. Merci, Miss Moon. Il viendra me rendre visite cet après-midi. J'espère que cela ne vous dérange pas. Mon oncle lui a sans doute écrit qu'il s'inquiétait à mon sujet.

— C'est parfait, ma chérie. Je me repose l'après-midi. Vous aurez donc le salon à votre disposition. Je descendrai prendre le thé vers quatre heures. Invitez donc Glenn. Euridice est sortie pour une heure mais il connaît la maison.

Elle disparut et Amanda entendit la porte de sa chambre se refermer. L'horloge du hall sonna doucement trois coups et, avant même que l'écho ne s'éteigne, on entendit un bruit de pas rapides sur les marches de pierre et Glenn Barton apparut, légèrement essoufflé, comme s'il avait couru.

— Je ne vous ai pas fait attendre, j'espère ? demanda-t-il avec inquiétude.

— A peu près deux secondes, fit Amanda en riant.

Elle le précéda dans le salon et s'installa sur une chaise à dossier droit, en bois doré et sculpté, capitonnée d'un velours vert fané. Barton resta debout à la regarder, silencieux, une ride profonde barrant son front.

— Asseyez-vous, proposa Amanda. Que se passe-t-il ? Oncle Oswin vous harcèle-t-il à mon sujet ?

Glenn Barton se laissa tomber sur le divan et écarta ses cheveux à deux mains avec ce même geste enfantin qu'Amanda avait déjà observé la veille.

Il dit d'une voix saccadée :

— Je n'ai reçu aucune lettre de votre oncle. J'ai utilisé ce prétexte parce que je désirais vous parler.

Il leva les yeux et la regarda d'un air accablé.

Glennister Barton avait sans doute une bonne quinzaine d'années de plus qu'Amanda, ses cheveux commençaient à grisonner aux tempes et pourtant la jeune fille se sentit soudain comme une mère devant un petit garçon malheureux.

— Que se passe-t-il ? demanda-t-elle avec sympathie. Vous avez des problèmes ?

— Je dois vous parler — sa voix était hachée et rauque. Il le faut. C'est au sujet d'Anita, ma femme. Voyez-vous, j'ignorais qu'elle serait à Kyrenia. J'espérais que vous ne sauriez rien. Et je... eh bien, je vous ai dit qu'elle était malade. J'ai menti, bien sûr.

— Voyons, c'est sans importance, Glenn, dit Amanda en l'appelant spontanément par son prénom. Vous avez menti pour préserver sa réputation, uniquement. Vous ne pouviez agir autrement. Je comprends très bien, je vous assure — ne vous inquiétez pas, je vous en prie !

Glenn laissa tomber sa tête dans ses mains. Il dit d'une voix basse, incertaine :

— Quel gâchis ! Quel effroyable gâchis ! Je n'aurais jamais cru que nous en arriverions là. Et pourtant... Peu m'importe ce que les gens pensent ou racontent, mais ce genre d'histoire est préjudiciable à la réputation de la maison et vous êtes une Derington. J'ai essayé d'étouffer le scandale mais je comprends maintenant que c'est impossible. Je... j'ai fait ce que j'ai pu.

— J'en suis sûre, l'assura Amanda, émue. Mais il est inutile d'essayer de sauver les apparences si votre femme elle-même ne s'en soucie pas.

— Je n'y comprends rien, fit Glenn avec lassitude. J'ignore pourquoi elle se conduit ainsi. Peut-être s'agit-il d'un réflexe de défense. C'est une véritable enfant. Une enfant gâtée qui essaie de dissimuler ses propres bêtises en accusant les autres du pire.

— Vous voulez parler des bruits qu'elle fait courir sur Miss Ford ?

Glenn releva la tête, le visage hagard.

— Vous savez déjà ?

— Miss Moon m'en a parlé. Mais vous n'avez pas à vous inquiéter, Glenn. Selon elle, personne ne croit à ces rumeurs.

— Comment peut-elle en être sûre ? dit Glenn d'un ton amer. Les gens croient n'importe quoi.

Il laissa retomber sa tête dans ses mains et, après un moment de silence, dit d'une voix presque inaudible, comme s'il avait oublié Amanda et trouvait quelque soulagement à exprimer son trouble à voix haute :

— Anita n'aime pas Monica, elle ne l'a jamais aimée. Monica est efficace, intelligente, mais elle manque de tact. Anita est si gaie, si insouciante pour ce qui touche aux soucis matériels : l'argent, l'entretien d'une maison. Elle aime les toilettes coûteuses, les réunions mondaines, les sorties ; elle aime qu'on l'admire. Elle est jeune ; c'est normal. Je devais l'ennuyer, je suppose — j'ai tellement de travail. Monica faisait des allusions — assez lourdes, j'imagine — et cela irritait Anita. Un jour, elle s'est mise en colère et elles se sont disputées. Une querelle ridicule, puérile...

Il soupira et passa à nouveau ses mains dans ses cheveux.

— Anita m'a déclaré que je devais choisir entre elle et Monica. Elle refusait de comprendre que je ne *pouvais* pas renvoyer Monica — Mr Derington l'avait spécialement choisie pour ce poste et, avant son arrivée, le bureau fonctionnait cahin-caha. Monica a remis de l'ordre ; elle s'est donnée corps et âme à son travail. Il m'était impossible de la remplacer sans nuire aux intérêts de la maison. J'ai dit à Anita qu'elle n'aurait plus jamais à voir Monica ni à lui parler — j'y veillerais — mais que je la gardais. J'y étais contraint car il m'était impossible d'assumer mes propres responsabilités en même temps que son travail. Anita n'a rien voulu entendre. Elle a continué à répéter que si je ne renvoyais pas Monica sur-le-champ, c'est elle qui partirait. Je ne l'ai pas prise au sérieux. Je... je ne l'ai pas crue. Et elle a tenu parole. Et maintenant qu'elle est partie, elle est trop orgueilleuse — et trop jeune — pour admettre la vérité. Alors, elle fait courir le bruit qu'elle a été forcée de me quitter parce que j'avais une liaison avec ma secrétaire. Une *liaison !* Et avec Monica Ford ! Seigneur, l'histoire serait vraiment cocasse si elle n'était aussi tragique.

Amanda le regardait avec une pitié douloureuse, bien au-delà des larmes. De nouveau, elle songea à Julia. Julia, dont l'amour jaloux la poussait à accuser son époux d'aventures imaginaires avec toutes les femmes auxquelles il accordait un peu d'attention. Mrs Barton était-elle une autre Julia ?

Aimait-elle vraiment son mari de cet amour égoïste, possessif que Julia éprouvait pour Alastair ? En la négligeant à cause de son travail, l'avait-il amenée à ces scènes hystériques auxquelles s'abandonnait Julia ? L'amour transformait-il ainsi ses victimes ? Les tenait-il sous un joug aussi impitoyable ?

Elle protesta avec chaleur :

— Non, Glenn. Sans être méchante, je peux vous assurer que, pour quiconque connaît Miss Ford, ces rumeurs sont absurdes. Nul n'y prêtera foi.

Glenn releva la tête et la regarda.

— Vous avez sans doute raison, dit-il en grimaçant un sourire. Mais pour tous ceux qui ne la connaissent pas c'est une vilaine affaire. Dieu sait combien Monica m'est précieuse au bureau mais, pour son propre bien, j'ai essayé de la faire partir. Je ne souffrirais pas que sa réputation soit salie par les ragots de l'île. Ce serait trop injuste. Je me sens responsable envers cette femme — comme envers votre oncle, d'ailleurs. Mais elle refuse de s'en aller. Elle prétend que quitter l'île maintenant serait un aveu de culpabilité et que, de toute façon, elle ne partirait pas à cause d'un scandale dénué de fondement. J'ai tout fait pour la convaincre, mais en vain.

— Elle a raison, approuva Amanda avec force. Si vous avez refusé de la renvoyer parce qu'elle s'était disputée avec votre femme, je ne vois pas pourquoi elle perdrait son emploi à présent, simplement parce que votre épouse raconte à tout le monde qu'elle est votre...

Elle se tut brusquement et rougit.

— Ma maîtresse, acheva Glenn Barton. Vous avez raison, je suppose. Mais c'est uniquement pour elle que je m'inquiète. Les autres savent se défendre et même attaquer.

— Les autres ? demanda Amanda, intriguée.

— Miss Moon ne vous en a pas parlé ? dit Glenn Barton d'un ton amer. Monica n'est pas la seule avec qui j'ai soi-disant eu une liaison. Anita n'a pas marchandé ses accusations. Selon elle j'ai eu des aventures avec une demi-douzaine de femmes, dont Mrs Norman. Il semblerait, en fait qu'aucune créature du beau sexe ne soit en sécurité avec moi. On ne le croirait pas à me voir, n'est-ce pas ?

Il se mit à rire, d'un rire bref et dur sans la moindre trace de gaieté.

— Pourquoi ne l'étranglez-vous pas ? demanda Amanda, indignée.

— Anita ?

— Oui. Ce serait de la légitime défense à mes yeux.

Glenn sourit d'un curieux sourire qui tordait les coins de sa bouche.

— Vous ne comprenez pas. Elle ne pense pas vraiment ce qu'elle dit. C'est juste une petite fille gâtée qui découvre que la fête n'est pas aussi amusante qu'elle le croyait. Elle boit un peu trop aussi, ce qui n'arrange rien. Elle fait beaucoup de tapage parce qu'elle s'ennuie et qu'elle est déçue — par moi, par le mariage, par l'île.

— Je trouve, quant à moi, qu'elle mériterait une bonne fessée, dit nettement Amanda. Dommage que vous n'ayez pas essayé ce remède plus tôt.

— Peut-être, fit tristement Glenn. C'est trop tard à présent. Elle veut divorcer.

— Vous allez accepter, naturellement ?

Glenn Barton se leva brusquement et alla jusqu'aux portes-fenêtres ouvertes sur la petite véranda ombragée par les jasmins et les rosiers grimpants. Les mains dans les poches, il parla sans se retourner :

— C'est impossible.

— Mais pourquoi, Glenn ? Est-ce à cause de votre travail ? Je sais qu'oncle Oswin voit rouge dès qu'on parle divorce, mais ce n'est pas vous le coupable.

— Il ne s'agit pas de mon travail, dit-il le dos toujours tourné. Je m'en soucie comme d'une guigne. C'est Anita. Voyez-vous, je... je l'aime tant.

Il se retourna soudain pour faire face à Amanda et dit d'une voix dure, en martelant ses mots :

— Vous avez du mal à me croire, sans doute. C'est absurde, n'est-ce pas, de continuer à aimer un être capable de se montrer aussi cruel envers vous ; de ne pouvoir cesser de l'aimer ? Je sais que c'est fou, mais c'est ainsi. Je veux qu'elle revienne — quelles que soient ses conditions. Je ne crois pas qu'elle aime Lumley Potter. Ce n'est qu'une fugue stupide et, si je ne divorce pas, elle l'oubliera et me reviendra.

Il regarda Amanda d'un air implorant; ses yeux las, désespérés la suppliaient de le croire, de le rassurer. La jeune fille alla vivement à lui et lui saisit le bras.

— Ne me regardez pas ainsi, Glenn, je vous en supplie. Tout finira par s'arranger, j'en suis sûre. Oh! Glenn, je suis vraiment navrée. Comment pourrais-je vous aider? Peut-être que si je la voyais... si je lui parlais?

Une lueur brilla soudain dans les yeux gris de Glenn et, un instant, son visage changea, prit une autre expression. C'était celle, avide, incrédule, d'un animal traqué à qui s'offre soudain un moyen de s'échapper. Elle s'évanouit aussi vite qu'elle était apparue et Glenn baissa les yeux.

— Non. Je ne saurais vous le demander. D'ailleurs, je n'aurais pas dû vous parler. Je n'en avais pas l'intention, je vous le jure. Je voulais seulement vous mettre au courant parce que... enfin, parce que vous êtes une Derington et parce que je vous avais menti. Je vous prie de m'excuser. J'ai honte de m'être laissé aller ainsi et de vous avoir ennuyée avec mes sordides problèmes domestiques. Voulez-vous me pardonner et... et essayer d'oublier?

Il prit les deux mains d'Amanda dans l'une des siennes et elle remarqua que, malgré la chaleur de cette éclatante journée méditerranéenne, celle-ci était glacée et tremblante.

— Voyons, Glenn, ne soyez pas stupide, dit-elle avec un petit rire. Vous savez fort bien que vous n'avez pas à vous excuser. C'est à moi de le faire. Vous traversez une crise épouvantable qui bouleverse votre vie et voilà que mon oncle Oswin vous oblige — en vous mettant pratiquement le couteau sous la gorge — à m'héberger et à me servir de guide. Vous avez dû avoir envie de me poignarder!

Les doigts glacés de Glenn Barton serrèrent convulsivement les siens et il dit rapidement :

— Ne parlez pas ainsi. Vous ne pouviez pas savoir. Si j'avais eu un tant soit peu de courage, je vous aurais écrit pour vous mettre au courant mais... mais je voulais me persuader qu'elle reviendrait. J'étais incapable de penser à autre chose. Mon cerveau tournait à vide et, sans Monica Ford, j'aurais sans doute perdu mon emploi avec ma femme. Vous m'avez suffisamment aidé en me permettant de vous parler et je ne tiens pas à ce que vous vous engagiez plus avant dans cette histoire. Vous connaissez le dicton à propos de la hache ? Je ne veux pas que vous y touchiez.

— C'est absurde, voyons ! Vous m'avez dit vous-même que la réputation de la maison était en jeu. Je suis une Derington et par conséquent cette affaire me concerne. Si vous désirez que je voie votre femme, je le ferai.

Glenn abandonna sa main et se détourna pour contempler, au-delà de la véranda, le jardin inondé de soleil.

— Je n'en sais rien, dit-il lentement. Vraiment, je n'en sais rien. Voyez-vous, elle refuse de me voir et je crois qu'elle ne lit même pas mes lettres. Elle dit que, jusqu'à ce que j'accepte le divorce, elle n'a rien à me dire. Si seulement je pouvais lui parler ! Mais peut-être que vous réussirez.

— Cela vaut la peine d'essayer, en tout cas. Au pire, elle me montrera la porte mais j'ai été élevée par oncle Oswin et les rebuffades ne m'impressionnent pas.

Glenn Barton lui prit les mains et les serra :

— Vous êtes une chic fille, Amanda, et je vous remercie. Je ne devrais pas vous laisser faire, je le sais, et il est probable que cette démarche ne servira à rien, mais au point où j'en suis, je suis prêt à tenter n'importe quoi.

— Alors, c'est entendu. Quel est le meilleur moment pour la voir ?

— Plutôt dans la soirée. L'après-midi, elle va se baigner ou regarde Lumley travailler. L'ennui, c'est que Lumley sera présent, naturellement.

— Je passerai chez elle ce soir, après le dîner, décida Amanda. Mais vous avez raison, Mr Potter risque de nous gêner. N'y aurait-il pas un moyen de s'en débarrasser, juste pour une heure ?

Glenn Barton réfléchissait, les sourcils froncés.

— Oui, dit-il enfin. Je crois que c'est possible. Je pourrais lui envoyer un message, par exemple.

— Bonne idée ! fit Amanda avec enthousiasme. Nous prétendrons qu'un client de l'hôtel désire voir ses toiles. Un acheteur éventuel. Cela l'appâtera sûrement. Je demanderai à Toby de s'en occuper.

— Il est préférable que je m'en charge, je crois, dit Glenn Barton d'une voix hésitante. Je ne me sens pas le courage d'exposer à un tiers cette sordide histoire.

— Il n'y a rien à expliquer. Je dirai simplement à Toby que j'ai rendez-vous avec votre femme et je lui demanderai d'être assez gentil pour éloigner Lumley Potter pendant une heure car je ne tiens pas à l'avoir dans mes jupes. Je sais qu'il le fera si je le lui demande. Comment trouverai-je la maison?

— Elle est sur le port.

Et Glenn Barton lui fournit les détails nécessaires.

— J'y serai à neuf heures et demie, conclut Amanda. J'attendrai que Mr Potter sorte et j'entrerai ensuite. Toby est beaucoup trop riche pour son bien et le fait d'être obligé d'acquérir un chef-d'œuvre du Maître pour se débarrasser de lui ne le gênera guère.

Le visage de Glenn Barton se détendit et il éclata de rire.

— Comme c'est bon de vous entendre rire à nouveau, dit une voix venue de la porte.

Ils n'avaient pas entendu Miss Moon arriver et se retournèrent, surpris et un peu confus.

— Je constate que cette chère Amanda vous a rendu votre bonne humeur, dit gentiment Miss Moon.

Elle portait une jupe de coton imprimée dans les tons cerise et une blouse d'organdi assortie, généreusement fournie de ruchés de dentelles. Son étonnante chevelure s'ornait d'un coquin nœud de tulle cerise et une longue écharpe de même tissu aux pans flottants entourait plusieurs fois son cou mince. Les améthystes et les opales de la veille avaient cédé la place à une parure de grenats qui jurait un peu avec la couleur choisie ce jour-là, mais elle avait conservé ses chaînes d'argent filigrané et le même parfum d'héliotrope flottait, presque palpable, autour d'elle.

Elle tapota la joue maigre et tannée de Barton de sa main étincelante de bagues.

— Mon cher petit! Cela me fait du bien de vous voir aussi gai. Amanda, j'espère que vous insisterez auprès de Glenn pour qu'il vous fasse visiter les beautés de notre île. Il devrait sortir davantage.

— C'est décidé, dit Amanda. Il nous accompagne au

pique-nique de Saint-Hilarion demain. Mais je ne suis pour rien dans sa décision, j'en ai peur. C'est une séduisante Américaine, romancière, qui l'a embarqué dans l'aventure. Nous y allons tous. Venez avec nous, Miss Moon, je vous en prie !

— Vous êtes une charmante enfant, dit Miss Moon, en hochant la tête d'un air approbateur, et j'aimerais accepter votre invitation. Quoique à vrai dire, je n'ai jamais beaucoup apprécié les pique-niques. Les fourmis, vous savez. Sans parler des guêpes. Mais je suis prise demain. Lady Cooper-Foot donne un bridge suivi d'un thé, de trois heures à six heures et demie. C'est ennuyeux car Andréas et Euridice seront absents une grande partie de la journée. Ils m'ont promis, toutefois, d'être de retour à sept heures et demie au plus tard. Ils désirent assister à une fête ou un festival quelconque à Aiyos Epiktitos. Il y a toujours des fêtes quelque part qu'ils ne sauraient manquer. C'est épuisant. Mais pourquoi ne profiteraient-ils pas de la vie, après tout ? Au fond, cela tombe bien que nous soyons toutes deux absentes demain après-midi. Voici Euridice qui apporte le thé. Glenn, mon cher, vous restez avec nous, n'est-ce pas ?

— C'est impossible, hélas. Je dois retourner au bureau. J'ai quelques rapports à étudier avec Monica avant le départ du courrier, demain. Avez-vous des lettres à poster, Amanda ?

— Je n'ai pas eu le temps d'écrire, confessa la jeune fille en riant.

Mr Barton s'inclina sur la main de Miss Moon — un rituel qui semblait plaire énormément à la vieille demoiselle — et Amanda l'accompagna jusqu'à la porte.

— Je partirai à la recherche de Toby après le thé et je lui expliquerai ce que j'attends de lui, chuchota-t-elle, complice.

— Dieu vous bénisse ! fit Glenn Barton d'une voix étouffée par l'émotion.

Il dévala rapidement l'escalier et, un instant plus tard, la grille d'entrée claqua derrière lui. Amanda entendit sa voiture démarrer et s'éloigner le long de la route montant vers Nicosie.

9

Il était près de neuf heures et demie quand Amanda descendit tranquillement l'une des étroites ruelles conduisant au port et s'arrêta dans l'ombre du quai.

Une lune laiteuse éclairait la nuit tiède et de puissants effluves d'ail, de terre et de poisson traînaient dans l'air, mêlés au parfum des fleurs. Les flâneurs étaient nombreux dans les rues et sur le quai, et nul ne prêta attention à Amanda. Sa courte robe de popeline marron foncé se fondait dans l'ombre et elle avait noué un fichu de coton assorti sur ses cheveux, à la mode paysanne, qui aidait à dissimuler son visage.

Bien qu'elle ne s'attendît guère à rencontrer des personnes de connaissance à cette heure et dans ce quartier, elle n'avait aucune envie d'expliquer sa mission à ses amis et préférait ne pas prendre de risques.

Elle avait aperçu Alastair en traversant la rue principale. Il marchait à pas lents, les mains enfoncées dans ses poches. Il était sans chapeau et, un instant, la lumière des lampadaires avait éclairé ses cheveux blonds. Amanda pensa qu'il ne l'avait pas vue, car ses yeux étaient vides et sans expression et il l'avait croisée sans s'arrêter.

Grâce aux indications de Glenn Barton, elle n'eut aucune difficulté à trouver la maison du port louée par Lumley Potter. Elle patienta dans l'ombre d'une ruelle, humant l'air parfumé de la nuit tiède baignée par la lune. Bientôt, elle entendit des pas résonner discrètement dans l'escalier. La porte d'entrée grinça et, un instant plus tard, Lumley Potter passa rapidement devant elle, un grand carton à dessins sous le bras, sa barbe rousse argentée par la lumière de la lune.

En son for intérieur Amanda rendit grâces à Toby. Elle attendit que Potter ait tourné le coin du quai puis, quittant son allée obscure, marcha rapidement jusqu'à la porte qu'il avait laissée ouverte.

Une seule lampe à huile éclairait chichement l'étroit hall d'entrée aux murs écaillés et un escalier de bois branlant qui se perdait dans les ténèbres. Redressant ses minces épaules, la jeune fille commença son ascension. Elle gravit plusieurs étages uniquement éclairés par les rayons de la lune pénétrant par des fenêtres crasseuses et qui donnaient sur des appartements apparemment inoccupés car nul rai de lumière ne filtrait sous les portes. Selon les indications de Glenn, le nid d'amour des Potter se trouvait au dernier étage.

Un rai de lumière passait sous la porte mal jointe et une unique bougie, dans une lanterne de bateau accrochée au mur, offrait une faible et vacillante clarté. De l'autre côté de la porte, un phonographe ou une radio jouait une musique de danse. Amanda prit une profonde inspiration et frappa. Sans attendre de réponse, elle tourna la poignée et pénétra dans l'appartement.

La grande pièce rectangulaire était brillamment éclairée et elle cligna des yeux, éblouie, au sortir de l'escalier et du palier obscurs. Les murs étaient badigeonnés en rose saumon et d'épais rideaux blancs tissés à la main garnissaient les fenêtres ouvertes. Une natte couleur rouille recouvrait le plancher. D'immenses toiles, œuvres de Mr Potter sans doute, étaient suspendues ou empilées contre les murs. Mr Potter était visiblement un amoureux de la gouache car il l'appliquait par kilos à l'aide du couteau ou même de la truelle. Il était aussi un fervent amateur du vert glauque et du bleu de Prusse.

Une voix lança : « *Pios ine ?* » et Amanda, se retournant vivement, aperçut Anita Barton.

Mrs Barton offrait une image insolite dans ce décor. Allongée à plat ventre sur un vaste divan, elle empilait des disques sur un phonographe posé près d'elle, à même le sol. Elle se renversa nonchalamment sur le dos et se leva brusquement à la vue d'Amanda.

Une robe de mousseline noire à l'élégance raffinée, chef-d'œuvre d'un couturier parisien, moulait étroitement ses formes et des perles ornaient ses oreilles et sa gorge. Avec ses cheveux noirs coupés court, brossés en vagues lisses et brillantes, elle ressemblait à un mannequin professionnel attendant le photographe.

Elle resta immobile, sans cesser de fixer Amanda, tandis que le disque s'achevait.

— Ça alors ! s'exclama-t-elle d'une voix forte. Qu'est-ce que vous fichez ici ? Qui vous a fait entrer ?

— Personne, dit Amanda d'un ton d'excuse. J'espère que vous ne m'en voulez pas. La porte d'entrée était ouverte, et je désirais vous voir.

— C'est Glenn qui vous envoie, je suppose, fit Mrs Barton d'une voix soudain stridente. Dans ce cas, vous pouvez repartir tout de suite.

— Personne ne m'envoie, dit froidement Amanda. Je suis venue de mon propre chef. Puis-je m'asseoir ?

— Si vous y tenez.

Elle-même se laissa tomber assez brusquement sur le divan et Amanda, consternée, s'aperçut qu'elle avait bu.

— Alors ? La grande scène des larmes ? La réputation de l'Illustre Compagnie ? Et quel est votre rôle dans cette histoire, j'aimerais bien le savoir ?

— Etes-vous amoureuse de Mr Potter ? demanda brutalement Amanda.

Elle n'avait pas eu l'intention de poser la question et les mots eurent à peine franchi ses lèvres qu'elle regretta de les avoir prononcés car Anita Barton, rejetant la tête en arrière, éclata d'un rire en cascade.

— De Lumley ?

Elle reprit son sérieux et regarda Amanda, les sourcils froncés.

— Ecoutez, vous avez l'air d'une gentille fille. J'ignore ce que vous cherchez mais je parierais que Glenn a manigancé tout ça. Prenez un verre, allons, acceptez.

Elle remplit un verre qu'elle tendit à Amanda.

— *Ouzo*. Le poison local. Buvez, voyons. Ça ne vous tuera pas. Le goût de l'alcool s'acquiert, paraît-il. Alors, c'est le moment de commencer.

Amanda avala une gorgée à contrecœur et réprima un frisson de dégoût.

— De quoi parlions-nous ? s'enquit son hôtesse en remplissant une nouvelle fois son propre verre. Ah ! oui : Lumley. Ce cher Lumley. Personne ne peut aimer Lumley sinon sa mère. Savez-vous comment elle l'a baptisé ? Alfred ! Alf Potts. Il a trouvé que le prénom n'était pas assez di-distingué, alors il l'a transformé en « Lumley Potter ». Vous dirai-je pourquoi il a accepté que je parte avec lui ? Deux rai-raisons. Pour embêter Claire et pour épa-épater le bourgeois. Vive la liberté et au diable les convenances ! L'artiste, le créateur est au-dessus des lois qui gou-gouvernent le troupeau imbécile. Vive la Révolution !

Elle ponctua ses paroles d'un grand geste circulaire avec son verre, répandit une bonne partie du contenu sur le sol et avala le reste.

— Non, reprit-elle d'un air sombre. Je n'aime pas Lumley. Lumley aime Claire. Claire de la lune ! Ils aiment tous Claire — c'est du moins ce qu'elle s'imagine. Elle se réserve une jolie surprise un de ces jours.

Elle laissa tomber son verre vide qui alla rouler sur le tapis, resta un bon moment à le contempler d'un œil absent et dit enfin dans un murmure :

— Mais il fallait que je parte. Il fallait que je quitte Glenn. Si seulement vous saviez l'existence que j'ai menée ! Je veux *vivre !* Fuir cette île sinistre, m'évader. Je veux divorcer mais je n'ai aucun motif. A quoi bon raconter des histoires aux gens ? Elles font du mal à Glenn, il souffre, mais à quoi serviront-elles devant un tribunal ? Et pourtant, il faut qu'il m'accorde le divorce. Il le fera. Je l'y contraindrai. Je provoquerai un tel scandale qu'il sera forcé de divorcer pour son propre bien — elle semblait avoir oublié Amanda. Je dois quitter cette île, sur-le-champ.

— Si vous détestez tellement vivre ici, pourquoi ne pas le convaincre de trouver un emploi ailleurs ? suggéra Amanda. Dans un endroit où *vous* aimeriez vivre. Je suis sûre qu'il pourrait obtenir un changement de poste. Si vous lui reveniez, il essaierait, j'en suis certaine. Il m'a dit que son seul désir est que vous lui reveniez — quelles que soient vos conditions.

Anita Barton releva la tête et fixa Amanda :

— Vous ne comprenez pas, dit-elle d'une voix vibrante et dure. Je ne veux pas m'enterrer ici. Je veux *vivre !* Je veux m'amuser. Je veux rire et danser ; et je le ferai, je le ferai ! Si je retournais avec Glenn, je mourrais. C'-c'est ça, je mourrais ! Ce gentil Glenn : tranquille, travailleur, ennuyeux, mortellement ennuyeux...

D'un geste brusque, elle saisit le verre tombé à terre et le jeta violemment en direction du mur où il s'écrasa contre l'un des excentriques chefs-d'œuvre de Potter avant de retomber en une pluie de fragments sur la natte.

— Et maintenant, dit Mrs Barton en se levant avec effort, je crois que vous feriez bien de vous en aller. Merci de votre visite. Au revoir.

Amanda se leva à son tour. Il semblait inutile de prolonger l'entretien, Mrs Barton n'étant pas en état, cette nuit-là, de prêter l'oreille à des arguments sensés. Leur conversation avait toutefois fourni à la jeune fille d'intéressantes informations, même si elle n'avait guère aidé Glenn Barton. Elle prit congé et quitta le studio.

La bougie s'était sans doute consumée car le palier était plongé dans l'ombre et Amanda hésita, se demandant si elle retournerait sur ses pas pour demander à Anita Barton de lui prêter une lampe de poche ou une boîte d'allumettes. Mais celle-ci avait mis le phonographe en marche et Amanda ne se sentait pas le courage d'affronter une seconde entrevue. Elle s'attarda quelques minutes sur le palier, attendant que ses yeux s'accoutument à l'obscurité, consciente de son inexplicable répugnance à s'engager dans l'étroit et sombre escalier.

Enfin, elle se mit en route et, trouvant la rampe à tâtons, commença à descendre avec précaution.

La lune éclairait faiblement le palier mais, plus bas, Amanda, qui scrutait la cage sombre de l'escalier à la recherche de la lampe à huile accrochée dans l'entrée, ne distinguait qu'un puits sinistre. Celle-ci s'était-elle éteinte à son tour ou quelqu'un l'avait-il soufflée ? Restait-il encore trois étages avant le rez-de-chaussée, ou davantage ? Elle ne s'en souvenait plus.

Elle hésita en haut du palier suivant. Venues de l'appartement de Mrs Barton, des bribes d'une chanson française lui parvenaient, cadencées, familières : *La Mer*. « Voyez... ces oiseaux blancs... et ces maisons mouillées... »

La musique aurait dû la réconforter et pourtant il n'en était rien. Amanda s'aperçut qu'elle frissonnait, que son cœur battait à se rompre dans sa poitrine comme après une longue course. Elle regarda vivement par-dessus son épaule mais, au-delà du faible carré de lumière découpé par la lune, le palier se fondait dans les ténèbres. Si quelqu'un se trouvait là, elle aurait été incapable de le voir. Mais naturellement, il n'y avait personne. Quelle supposition absurde ! Elle était ridicule, effrayée comme une enfant à l'idée de descendre un escalier dans le noir !

Elle n'avait rien à craindre : il lui suffisait de garder sa main sur la rampe, de continuer à descendre et, en moins d'une minute, elle se retrouverait dehors, sur le quai brillamment éclairé par la lune. Elle redressa les épaules, serra la rampe branlante et, trouvant à tâtons la première marche, reprit sa descente.

Elle commença à compter les degrés : quatre, cinq, six, sept et, soudain, elle s'immobilisa, glacée d'effroi. Il y avait quelqu'un derrière elle ! Elle en était certaine. Elle écouta, tous les nerfs tendus, aux aguets, mais seule lui parvenait la musique étouffée du gramophone deux étages plus haut. Personne ne se trouvait derrière elle. C'était seulement un écho, ou son imagination. Elle devait continuer. Huit... neuf... dix...

« ... la mer... a bercé mon cœur... pour la vie-e... » La chanson mourut sur une note prolongée et, dans le silence, elle entendit craquer légèrement les marches au-dessus d'elle.

Amanda lutta contre la vague de panique qui l'envahissait. Combien de marches encore la séparaient du palier suivant ? Y avait-il même un palier ? La fenêtre qui aurait dû l'éclairer était invisible. Les pas s'étaient arrêtés en même temps qu'elle et un silence mortel enveloppait la maison. Pourtant, elle entendait quelqu'un respirer. Ou était-ce seulement le bruit précipité de son propre souffle ?

Quelqu'un approchait le long du quai : un homme chantait le duo d'amour de *Madame Butterfly* d'une voix forte et vibrante qui suggérait, sinon l'ivresse, du moins un enthousiasme réchauffé par l'alcool. Amanda reprit courage. Il y avait du monde dehors. Rien ne pouvait lui arriver. Il lui suffisait d'atteindre le quai...

Elle recommença à descendre, plus vite à présent, trébuchant dans l'obscurité. Et aussitôt, les pas reprirent derrière elle, assourdis, furtifs. Plus rapides cette fois, plus proches. Et ce n'était pas son propre souffle qu'elle percevait mais celui, court et précipité, de quelqu'un qui la suivait. Le souffle d'un animal haletant, avide, qui allait bondir, la saisir...

Elle perdit l'équilibre, heurta le coin de la rampe et, se retournant, se tassa dans l'angle du mur en retenant son souffle. Une main effleura la cloison de plâtre, à quelques centimètres de sa tête. Soudain, la porte de l'entrée claqua et une vive lumière apparut dans l'escalier.

Amanda perçut une exclamation étouffée derrière elle, puis un bruit de pas qui remontaient rapidement dans l'ombre. Elle se retourna vivement : le palier était désert. La personne qui avait pénétré dans la maison montait à présent l'escalier en fredonnant à voix basse. C'était, curieusement, le même air entendu quelques instants plus tôt venant de l'appartement d'Anita Barton : « ... et d'une chanson d'amour... la mer... a bercé mon cœur... »

Le rayon aveuglant la frappa en plein visage et la voix se tut.

— Mais c'est Amarantha ! Qui vous a décoiffée, cette fois ?

Elle murmura d'une voix hachée, haletante :

— Il... y a quelqu'un dans l'escalier !... Derrière moi. Je...

Steve lui saisit les poignets et les serra en une étreinte plus éloquente que des mots. Haussant la voix, il demanda :

— Vous venez sans doute de visiter le studio de Potter ? Dans ce cas, vous allez me présenter l'Artiste. J'ai rencontré un type, au café, qui prétend que Potter est plus neuf, plus important que Picasso — bref, qu'il le dépasse de cent coudées ! Je lui ai rétorqué que Potter n'était sans doute qu'un de ces barbouilleurs commerciaux mais, en tant que confrère — Howard parlait d'une voix légèrement traînante, comme s'il avait bu —, il m'appartient de m'assurer de son talent avant de me hasarder à formuler une critique. Pas mal tourné, n'est-ce pas ? Montons donc le voir. Il ne faut jamais remettre au lendemain... comme disait Napoléon. Ou était-ce Joséphine ?

— Il est absent, dit Amanda qui retrouvait son souffle.

— Absent ? Alors, ne perdons plus notre temps avec ce garçon. Il est probable qu'il ne sait même pas tenir un pinceau. Sortons et allons plutôt repeindre la ville en rouge !

— Mais...

— Taisez-vous ! lui enjoignit brutalement Steve à voix basse.

Il lui prit le bras, le maintint serré contre le sien et l'entraîna dans l'escalier en chantant « *Dolce notte ! Quante stella !* » à tue-tête.

La porte d'entrée se referma derrière eux. Howard, sans lâcher le bras d'Amanda, s'éloigna rapidement le long du quai en continuant à chanter.

Il ne prit pas la direction de la ville mais, entraînant la jeune fille, marcha vers la jetée. Les flâneurs aperçus plus tôt avaient disparu et celle-ci était déserte. Steve s'arrêta à mi-chemin et attira Amanda face à lui. Il scruta du regard le quai, devant lui, la mer et, de l'autre côté, les eaux tranquilles et sombres du petit port. Mais nul bateau n'était ancré à proximité et la jetée s'allongeait, vide et argentée, sous les brillants rayons de la lune.

Steve poussa un bref soupir de soulagement et, d'une voix qui n'était plus pâteuse ni criarde, mais basse et précise :

— Ici, au moins, personne ne risque de nous entendre ; les endroits discrets ne sont pas faciles à trouver dans cette sacrée ville ! Toutefois, au cas où un curieux s'aviserait de nous observer à la jumelle, j'entends lui donner l'impression que j'ai autre chose en tête que la conversation. Ne bougez pas !

Il enlaça soudain Amanda et pressa sa joue contre ses cheveux.

— Et maintenant, fit-il d'une voix dure et coupante, entièrement dénuée d'émotion, que diable faisiez-vous dans cette maison, voulez-vous me le dire ? Toby Gates m'a appris que vous étiez allée rendre visite à Mrs Barton et je suis venu le plus vite que j'ai pu. Pourquoi étiez-vous là-bas ?

Son épaule tiède et solide exhalait un parfum rassurant d'eau de toilette, de linge propre et de cigarettes turques et Amanda lutta contre le désir enfantin d'y poser la tête et d'éclater en sanglots. Howard devina peut-être son émotion car il ordonna sèchement :

— Ressaisissez-vous, Amanda.

Elle obéit avec effort et dit :

— C'est Glenn...

— Glenn Barton ? Vous voulez dire qu'il était là-bas ?

— Non. Il est venu me parler d'elle... d'Anita. Il m'avait menti à son sujet en prétendant qu'elle était malade et quand il a su qu'elle se trouvait à Kyrenia, il a compris que je finirais par savoir...

Elle lui raconta l'histoire telle que Glenn la lui avait relatée l'après-midi même, comment elle lui avait offert d'aller voir Anita et s'était arrangée avec Toby Gates pour écarter Lumley Potter de la maison.

— Que s'est-il passé quand vous êtes arrivée là-bas ? demanda brutalement Steve.

Il écouta sans interrompre le récit de son entretien décevant et infructueux avec Anita Barton et, quand elle eut terminé :

— Et vous prétendez qu'il y avait quelqu'un dans l'escalier ?

— J'en suis certaine, murmura Amanda en frissonnant.

Steve resserra légèrement son étreinte.

— Allez-y, dit-il, racontez-moi tout.

Elle relata les brèves et terrifiantes minutes passées dans l'escalier obscur et il demanda sèchement :

— Vous êtes sûre qu'il ne s'agit pas de votre imagination ?

— Tout à fait sûre, dit Amanda qui frissonna à nouveau.

— Avez-vous une idée de l'identité de la personne qui vous suivait ?

— Aucune.

— Mrs Barton, peut-être ?

— Non, fit nettement Amanda.

— Pourquoi en êtes-vous si sûre ?

— Elle avait mis le phonographe en marche. Si elle avait ouvert la porte, le bruit de la musique aurait été plus fort.

— Hum ! Peut-être. Mais sans doute existe-t-il une autre issue.

Il resta un moment à réfléchir, caressant de sa joue les cheveux de la jeune fille. Puis il demanda brusquement :

116

— Qui savait que vous vous rendiez là-bas ?

— Personne. Glenn seulement — Mr Barton. Et Toby, naturellement. Personne d'autre.

— Et Toby me l'a répété — dans un endroit suffisamment fréquenté pour qu'une demi-douzaine de personnes soient également au courant. Voilà qui ne nous avance guère.

Amanda demanda d'une voix tremblante :

— Que se passe-t-il donc dans cette maison ?

Un bref instant, elle sentit le corps de Steve se raidir de façon presque imperceptible mais il se contenta de répondre :

— Rien de spécial, à ma connaissance.

— Alors pourquoi êtes-vous accouru dès que Toby vous a dit où je me trouvais ?

Il répondit avec une réserve digne d'éloges :

— Parce que j'estime dangereux, dans votre cas, de vous promener seule après la tombée de la nuit. Je vous ai déjà conseillé de vous montrer prudente. Je parlais sérieusement. Eh bien, je vous le répète et je ne plaisante pas. Au cas où vous l'ignoreriez, cet après-midi, le juge a délivré son verdict concernant la mort de Mrs Blaine : en l'absence de preuves convaincantes, il s'agirait d'un « suicide en état de démence temporaire ».

— Mais... cela signifie que l'affaire est classée ! Si la police estime qu'il s'agit d'un suicide, personne ne songera à un...

— Vous ne comprenez donc pas ? interrompit rudement Steve. Mrs Blaine a été assassinée et, aux yeux de l'assassin, vous êtes la seule personne susceptible de connaître la vérité. Si vous aviez parlé — si vous décidiez de parler maintenant — le verdict ne tiendrait plus. Réfléchissez, Amanda !

— Vous croyez donc que... que la personne qui se trouvait dans cette maison a tenté de m'empêcher de parler en...

Sa voix s'éteignit dans sa gorge.

— Je n'en sais rien. Le fait que vous ayez entendu quelqu'un descendre l'escalier derrière vous ne signifie pas forcément que cette personne voulait vous attaquer. Ou même qu'elle vous connaissait. Il se peut fort bien qu'elle ait attendu un visiteur, homme ou femme, qui devait se rendre chez Mrs Barton ce soir et qu'elle vous ait confondue avec lui dans l'obscurité.

— Un visiteur que... qu'elle aurait eu l'intention de tuer ?
Un second meurtre ? Non, c'est impossible !

— Pourquoi pas ? Disons une tentative d'assassinat, si vous
préférez.

— Je ne peux pas y croire ! Mais pourquoi ? Pourquoi ?

— Je n'en sais rien. Il s'agit seulement d'une hypothèse.
Mais qui pourrait expliquer l'incident de l'escalier. Il existe
d'autres possibilités, bien sûr.

La voix d'Howard avait pris une inflexion étrange.

— Je sais, dit Amanda d'un ton amer. Celle-ci par exemple : c'est moi qui aurais tué Julia Blaine et j'aurais inventé
cette tentative de meurtre dans l'escalier uniquement pour
détourner les soupçons.

— C'est exact, fit Steve d'un air pensif. C'est une hypothèse que j'ai envisagée.

Il perçut le sursaut de rage d'Amanda et reprit, après
réflexion.

— Le poison, voyez-vous, est une arme féminine. Les
femmes, en général, n'utilisent pas le pistolet, rarement le
couteau. Elles n'aiment ni le bruit ni le sang. Elles préfèrent
supprimer leur victime en l'empoisonnant ou en la poussant
d'une falaise — une mort à distance pour ainsi dire. Les
hommes, eux, ne craignent pas le bruit ou la vue du sang sur
leurs mains.

— Vous... vous...

Les mots manquaient à Amanda pour exprimer son indignation :

— Vous osez me croire capable de... de...

Elle tenta de se dégager mais Steve resserra son étreinte.

— Inutile de monter sur vos grands chevaux, Amarantha.
Il faut étudier toutes les possibilités. Celle-ci en est une.
Comme je vous l'ai dit, il en existe d'autres.

Amanda repoussa légèrement Steve et le regarda. Mais la
lune l'éclairait par-derrière et son visage n'était qu'une tache
sombre contre le ciel pâle et la mer argentée. Elle dit dans un
murmure haletant, furieux :

— Moi aussi j'ai envisagé une hypothèse. C'est vous qui
m'avez conseillé de ne pas parler du flacon ! C'est vous qui
l'avez fait disparaître — ainsi que le verre ! Comment puis-je

savoir si vous n'avez pas agi ainsi parce que vos propres empreintes figuraient sur ces deux objets? Vous ne vous trouviez pas à Fayid ni sur le bateau uniquement pour peindre, j'en suis sûre. Vous étiez là-bas pour un motif précis. Un motif ayant trait à Julia — ou Toby, ou Persis, ou quelque autre passager du bateau. Il se prépare un événement terrible et vous y êtes mêlé !

Elle se tut, essoufflée et tremblante. Steve dit comme après réflexion :

— Vous êtes charmante quand vous vous mettez en colère, Amarantha. Vous ressemblez à un chaton rageur.

Amanda lutta une nouvelle fois pour se libérer. En vain. Les bras de Steve s'étaient soudain resserrés autour d'elle en une étreinte presque douloureuse et il n'y avait plus aucune trace de légèreté dans sa voix lorsqu'il ordonna durement :

— Restez en dehors de cette histoire, Amanda, vous m'entendez? Le meurtre est une chose diabolique. N'allez pas vous immiscer dans les affaires de quiconque se trouvait sur ce bateau. C'est trop dangereux.

— Pourquoi? demanda Amanda d'une voix mal assurée.

— Parce qu'il est essentiel d'éviter qu'on vous soupçonne d'enquêter sur quelque chose ou quelqu'un. C'est un secret de Polichinelle que vous vous trouviez en compagnie de Julia Blaine au moment de sa mort et quelqu'un *sait* qu'un flacon contenant le poison qui l'a tuée était caché sous l'oreiller, dans la cabine. Cette personne va certainement s'interroger sur vos réactions quand vous avez découvert le flacon : pourquoi vous n'en avez jamais parlé et ce que vous en avez fait. Souvenez-vous qu'un meurtrier a toujours mauvaise conscience et qu'un assassin sait fort bien que, même s'il tue une douzaine de personnes, lui-même ne peut être pendu qu'une seule fois.

Amanda protesta d'une voix étouffée :

— Mais je ne sais rien, je ne veux rien savoir !

— Vous connaissez l'existence du flacon, dit gravement Steve. Vous avez également interrogé la femme de chambre au sujet du verre. Je vous ai entendue lui parler et je ne suis probablement pas le seul. On peut en déduire que l'assassin est suffisamment intéressé — ou effrayé — pour vous surveiller de près et s'affoler de votre comportement de cette nuit.

— Mais j'ai seulement rendu visite à Mrs Barton. Cela n'a rien de suspect.

— Vraiment ? Et vous demandez à Toby Gates d'écarter Mr Potter de la maison ! Vous vous glissez dehors, la nuit tombée, vous vous faufilez dans l'ombre — le visage voilé, je parie — jusqu'à une ruelle proche où vous attendez le départ de Mr Potter avant de vous introduire dans la maison, telle une conspiratrice dans un mauvais mélo afin de dissimuler la bombe à retardement dans la serviette du Premier ministre. C'est ce que vous avez fait, n'est-ce pas ?

— C'est-à-dire..., commença Amanda sur la défensive.

Howard l'interrompit :

— C'est bien ce que je pensais, dit-il, résigné. Ecoutez-moi attentivement, Amanda, car je ne me répéterai pas. Vous vous trouvez malheureusement en position de prouver que ce qui passe pour un suicide est en réalité un meurtre. Si, en outre, vous vous rendez clandestinement chez une femme que vous ne connaissez pas mais qui voyageait avec vous à bord de l'*Orantares,* le coupable, obsédé par son idée, risque fort de juger étranges ces manœuvres de conspiratrice pour une simple visite mondaine. Il peut aussi penser que vous menez une enquête discrète auprès des passagers et, si c'est le cas, se demander ce que vous cherchez. Si vous vous comportez de façon tout à fait naturelle, au contraire, l'assassin de Mrs Blaine en déduira peut-être que vous avez jeté le flacon par le hublot sans lui accorder la moindre importance... *peut-être !* Est-ce que vous me suivez ?

— Oui, dit Amanda avec un frisson.

— Très bien. Alors, restez à l'écart de cette affaire.

— Mais... mais Julia..., dit Amanda d'une voix hésitante. Faut-il accepter que son assassin s'en tire parce que je... je n'ai pas eu le courage de parler ?

— Il ne s'en tirera pas, fit Steve sombrement. Je vous le promets. Et vous n'avez pas manqué de courage. Vous auriez parlé si je ne vous en avais pas empêchée.

— Pourquoi l'avoir fait ?

— Il était trop tard pour sauver Mrs Blaine. D'autre part,

je possédais moi-même un ou deux indices et je tenais à les exploiter sans qu'une intervention maladroite de votre part vienne tout compromettre.

— Quel genre d'indices ?

— Citrons verts, heures, température, dit légèrement Steve. Je commence à avoir des crampes dans les bras. Mieux vaut mettre un terme à ce tendre entretien. Regardez-moi, Amanda !

Surprise, elle leva les yeux. Steve se pencha alors et l'embrassa.

Un baiser exceptionnel, aurait dit Persis, et preuve, s'il en était besoin, de l'expérience de Mr Howard en la matière. Amanda qui, grâce à un chaperonnage strict encore renforcé par l'autorité de l'oncle Oswin, n'en possédait aucune, eut l'étrange impression que le sol se dérobait sous elle et que la lune et les étoiles se mettaient à tournoyer lentement au-dessus de sa tête.

— Un simple souvenir de cette soirée, dit Howard en la lâchant.

— Vraiment ? articula Amanda, le souffle coupé. Et voilà ce que je pense de...

Steve lui saisit la main une fraction de seconde avant qu'elle ne s'abatte sur sa joue.

— Vous vous seriez fait mal, dit-il d'un ton de reproche. La prochaine fois, servez-vous de votre poing et visez la mâchoire. Voulez-vous tenter un nouvel essai ?

— Oui ! souffla Amanda, furieuse. Avec un tisonnier !

— Ainsi qu'une bonne épouse, commenta Howard.

Il la regarda et se mit à rire.

— Je vous prie de m'excuser mais... c'était plus fort que moi. Ne m'en veuillez pas, Amanda.

Il déposa un baiser léger sur sa main et la plaça sous son bras.

— Venez ; il faut rentrer ou Miss Moon risque de se demander si vous êtes vraiment aussi convenable que vous en avez l'air.

Ils repartirent le long de la jetée et, par les ruelles de la petite ville éclairée par la lune, Steve la raccompagna jusqu'à la grille de la villa « Les Lauriers ».

10

Le lendemain matin, Amanda évita le port. A la lumière du chaud soleil qui, entrant par les fenêtres ouvertes, emplissait les pièces charmantes et poussiéreuses de ses rayons, les événements de la nuit précédente lui semblaient incroyables, irréels et même un peu ridicules. Elle était tentée de se demander si, après tout, elle n'avait pas imaginé ces bruits furtifs dans l'escalier. Peut-être n'étaient-ils qu'un écho de ses propos ou une illusion de ses nerfs éprouvés par l'obscurité qui enveloppait cette maison déserte et inconnue.

Seul élément tangible de son aventure nocturne : le baiser de Steve Howard.

Dans le jardin inondé de soleil, elle évoquait ce baiser avec la même curieuse sensation de vertige qu'elle avait éprouvée alors. Elle se sentait encline à négliger les avertissements de Steve et le soupçonnait de s'être seulement amusé à voir combien de temps il pourrait la garder étroitement enlacée au clair de lune. Ne lui avait-il pas déclaré avec son impertinence habituelle, le matin précédent, qu'il ne courtisait les femmes qu'au clair de lune ?

Ce baiser, qui sait, pouvait n'être que le résultat d'un pari avec lui-même. « Il est sans doute coutumier du fait », songea Amanda avec une brusque amertume, « et je suppose qu'il a dû déjà embrasser Persis ! ».

Cette pensée l'irrita plus que de raison. Elle ne s'aperçut pas qu'en méditant ainsi sur la révoltante conduite de Steve Howard, elle avait presque oublié un fait plus important et infiniment plus dangereux : elle se trouvait indirectement mêlée à ce qui était certainement un meurtre et ne songeait même pas à avoir peur. Un fait que Steve Howard, lui, s'était certainement rappelé quand il avait mis fin, par ce baiser, à leur macabre conversation sur la jetée du port.

Parmi les ombres dansantes des citronniers, le roucoulement des pigeons voletant sous les arches délabrées du vieux mur de pierre, dans l'air tranquille embaumé de parfums de rose, de seringa et de terre chaude, Amanda, oubliant Julia Blaine, ne songeait plus qu'à Steve Howard...

Miss Moon, dans une flamboyante toilette vert émeraude, apparut sur la véranda couverte de plantes grimpantes et l'appela pour la prévenir que le capitaine Gates était au téléphone et lui demandait si elle voulait aller se baigner avec lui.

— Dites-lui que je suis sortie! implora Amanda.

— Volontiers, ma chère. Mais où?

— Sortie, simplement, dit Amanda, prise d'une soudaine envie de solitude.

Elle se sentait incapable de subir la conversation de Toby Gates — ou de quiconque, d'ailleurs, à l'exception d'une seule personne...

Elle traversa le jardin en courant, gagna la rue et, prenant le premier chemin qui s'offrait, laissa bientôt la ville derrière elle.

Les maisons s'espacèrent. La route sinuait entre des oliveraies, des cyprès sombres et pointus et des champs brûlés par le soleil où des chèvres broutaient une maigre pâture parmi les herbes folles et les asphodèles. Une charrette tirée par des bœufs s'avançait en grinçant et un gamin aux yeux noirs et aux cheveux sombres juché sur un âne, pieds nus, lui sourit en brandissant une branche de laurier. Le sol blanc de poussière était brûlant sous ses pieds et elle commença à regretter de ne pas avoir pris de chapeau.

Une voiture la dépassa dans un nuage de poussière. Elle freina brutalement un peu plus loin puis recula jusqu'à la hauteur de la jeune fille.

— Amanda! s'exclama Alastair Blaine, penché à la portière. Que faites-vous ici?

— Je me promène. Bonjour, Persis. Où allez-vous donc, tous les deux?

— Nous accomplissons notre devoir de touristes, dit Persis. Selon le guide, il ne faut pas manquer de visiter l'abbaye de Bellapais. Nous nous y rendons.

— Venez, Amanda, dit Alastair Blaine en ouvrant la portière arrière. Montez donc. Vous allez attraper une congestion ou un coup de soleil, ou les deux à la fois, en arpentant la campagne par cette chaleur. Il vous faudra bien visiter l'île un jour ou l'autre. Autant commencer tout de suite.

Amanda regarda la route blanche sous la chaleur et capitula :

— Vous me ramènerez à une heure, n'est-ce pas ?

— Naturellement. Je ne saurais contempler les ruines plus d'une demi-heure. Montez.

Il ferma la portière derrière elle et démarra. Persis n'avait pas appuyé l'invitation d'Alastair Blaine et Amanda, gênée, eut l'impression qu'elle n'était guère satisfaite de la voir se joindre à l'excursion.

La route s'allongeait entre la mer et l'étroite barrière rocheuse kyrenienne qui sépare la côte de la plaine centrale de l'île. Sous le soleil éclatant, les montagnes prenaient une teinte bleue ; le bleu clair, transparent des verres de Lalique. Leurs sommets dentelés et pâles avaient l'étrange beauté de ces lointaines collines qui se profilent derrière la *Joconde* et la *Madone des Rochers* de Léonard de Vinci.

Une brise légère soufflait de la mer, argentant les oliviers. Amanda se réfugia dans une rêverie tranquille et ne fit aucun effort pour parler. La voix claire et coupante de Persis Halliday s'était adoucie, comme sensible, elle aussi, à la paix de cette tiède matinée, et elle poursuivait avec Alastair Blaine une conversation à mi-voix qu'Amanda, plongée dans ses propres pensées, n'écoutait pas.

La voiture ralentit tandis que la route grimpait en lacets vers un petit village perché au sommet d'une colline. Un village composé de maisons aux murs blanchis à la chaux et aux toits roses, entouré d'oliviers argentés et piqué de cyprès sombres et pointus.

— N'est-ce pas charmant ? s'exclama Persis. Où est donc la carte ? Voilà : Aiyos Epiktitos. Arrêtons-nous, Alastair, je vous en prie. Je veux prendre une photo.

Le major Blaine regarda sa montre d'un air résigné :

— Je vous donne cinq minutes. Et pas de promenade dans

le village si vous voulez voir l'abbaye et être de retour à une heure.

Les rues étaient pleines de flâneurs en vêtements de fête, agitant des drapeaux de papier et des rameaux de laurier. Amanda aperçut soudain un visage familier. C'était Euridice, soutien fidèle et pilier de la villa « Les Lauriers ». Amanda se souvint d'avoir entendu Miss Moon parler d'une fête à laquelle Euridice et son neveu Andréas, l'homme de peine, devaient assister ce jour-là.

Euridice, toutefois, ne semblait pas d'humeur joyeuse. Elle conversait avec un petit groupe de femmes vêtues de noir dont l'une pleurait à chaudes larmes et son visage souriant d'ordinaire exprimait un profond chagrin. Levant les yeux, elle aperçut Amanda et se dirigea en hâte vers la voiture.

Cette rencontre était providentielle, déclara-t-elle. Elle s'exprimait avec véhémence dans un anglais approximatif, entrecoupé de longues phrases dans sa langue natale. Amanda réussit à comprendre que ni elle ni Andréas ne seraient en mesure de rentrer à la villa ce jour-là. Elle priait la jeune fille d'en informer Miss Moon et de lui transmettre ses excuses.

— Demain matin, je serai là pour le petit déjeuner, conclut Euridice. Aujourd'hui, impossible.

L'un de ses parents était mort, expliqua-t-elle, le mari d'une cousine qui tenait une *taverna* sur la route de Nicosie. L'homme s'était, semblait-il, trouvé mêlé à une rixe dans un bar, à Nicosie, et avait fini dans le caniveau, un couteau planté dans le dos.

« Ces marins ! » s'exclama Euridice en levant les bras au ciel. Sur le bateau, ils travaillaient comme des anges mais, à terre, ils se lançaient à la poursuite des plaisirs avec la sauvagerie des bêtes féroces. Pauvre Almena ! Quelle tristesse de perdre son époux de cette façon ! Elle avait vécu dans le village avant son mariage. Ses parents, accompagnés d'Euridice et d'Andréas, prendraient bientôt l'autobus jusqu'à Nicosie pour assister aux funérailles. Ils ne seraient pas de retour avant la nuit.

Amanda offrit ses condoléances et promit d'informer Miss Moon. Euridice, en larmes, la remercia et s'en alla.

— Qui était votre amie ? demanda Persis en revenant vers la voiture.

Amanda le lui expliqua tandis qu'Alastair remettait la voiture en marche et ils reprirent leur route.

L'abbaye de Bellapais se dressait à mi-chemin des collines. Ses murs de pierres blanches, ses voûtes et son haut campanile émergeaient d'une mer d'oliviers argentés, telle une opale, si gracieux qu'on eût dit davantage un mirage qu'un ouvrage des hommes, si fragiles qu'il semblait qu'un souffle pût les emporter.

Au-delà, au-dessous et au pied des pâles murailles d'or et des arches vides, c'était l'azur, à perte de vue : à l'horizon, le bleu profond de la mer, celui du ciel et, plus estompé, des montagnes de Kyrenia.

Le major Blaine gara la voiture dans un coin ombragé et Amanda dit brusquement :

— Je ne crois pas que je vais vous accompagner. Je préfère rester ici. Il se trouvera sûrement un guide à l'intérieur et des notices explicatives et je ne voudrais pas transformer ce rêve en un chapelet de dates. Je vais m'asseoir sous l'un de ces oliviers et admirer le paysage.

Persis se mit à rire :

— Savez-vous, mon chou, que vous êtes beaucoup trop romantique ou alors, vous êtes amoureuse. Nous ne vous convaincrons pas, je pense. Enfin, on n'est jeune qu'une fois. Quant à moi, je n'ai pas l'intention de manquer les réjouissances. Je suis venue à Chypre pour faire du tourisme et j'en ferai, dussé-je périr à la tâche. Où est ce satané guide ? Alastair, mon chou, si vous croyez que vous allez piquer un somme sous un olivier, vous vous trompez. Vous m'avez emmenée en excursion, vous vous rappelez ? La visite commence ici. Allons-y !

Ils disparurent dans l'ombre d'une voûte. Amanda grimpa sur le talus qui bordait la route, s'adossa à l'ombre d'un chêne vert au tronc rugueux et se perdit dans la contemplation du paysage.

« Comme j'aimerais vivre ici ! » songea-t-elle. Elle se souvint des paroles de Miss Moon : « A la villa " Les Lauriers ", avait-elle dit, le Temps nous obéit et nous ne sommes pas ses esclaves. » Peut-être en était-il ainsi sur toute l'île de Chypre. Certes, cette journée où miroitait l'azur semblait irréelle, hors du temps. Mais c'était une impression trompeuse. La marche du temps était ici aussi impitoyable que dans les contrées froides et rudes, et seule une illusion agréable vous permettait de croire qu'il coulait plus lentement dans cette île bénie. Un jour, le présent rattraperait Chypre. Un jour, les politiciens, leurs factions avides, effrayées, querelleuses, envahiraient l'île enchantée comme tant d'autres coins du monde, magnifiques et isolés, apportant le Progrès, le Béton, l'Urbanisation !

L'ombre du chêne vert suivait la lente progression du soleil. A travers le tissu léger de sa robe, Amanda commençait à ressentir la dureté de l'écorce ; une fourmi descendait le long de son dos, d'autres se promenaient sur ses chevilles...

Elle se leva à contrecœur et revint vers la voiture. Persis et Alastair étaient invisibles. Renonçant à sa décision de ne pas visiter l'abbaye, elle paya un maigre droit d'entrée au gardien somnolent et pénétra dans le jardin entourant le monument.

Seule subsistait la carcasse du gracieux édifice. Mais le vieux cloître de pierre était frais et tranquille et les voûtes à demi démolies ouvraient sur un horizon bleu pâle et des oliveraies gris-vert à flanc de colline. Bellapais, l'abbaye de la paix.

Elle portait bien son nom.

Amanda traversa une petite cour de gazon vert émeraude encadrée par des voûtes trouées d'ombre. Un rosier et un unique cyprès de haute taille poussaient dans un coin. Le tapis de gazon offrait une couche plus confortable que le coteau pierreux et elle s'allongea, le nez dans l'herbe tiède, à l'ombre parfumée du rosier dont les branches s'inclinaient au-dessus d'elle. Elle arracha un brin d'herbe qu'elle mâcha distraitement et bientôt, prise d'une agréable somnolence, ferma les yeux...

Un bruit de voix venant du cloître la réveilla. C'était celle d'Alastair Blaine, non plus douce et traînante, mais dure et hachée :

— Non, ma chère ! Pas maintenant. Vous ne comprenez pas...

Persis Halliday lui répondait et sa voix, à elle aussi,

semblait celle d'une étrangère : blessée, incertaine, vulnérable.

— Je crois que si. Chypre n'est pas Londres, nous ne sommes plus l'année dernière et le temps a passé. C'est cela, n'est-ce pas ? Vous avez changé et moi pas. J'ai pensé autrefois que vous seriez presque prêt à tout sacrifier pour moi : Julia, votre carrière, tout et n'importe qui. Presque, mais pas tout à fait.

— Persis, vous saviez que c'était impossible !

— Parce que vous n'aviez pas un sou en dehors de votre solde et que tout l'argent venait de Julia ? Mais c'est différent à présent, Alastair. Elle est morte et l'héritage vous appartient.

— Vous ne comprenez pas, dit Alastair avec lassitude.

— Que dois-je comprendre ? Je suis venue jusqu'en Egypte parce que je voulais vous voir. Et elle aussi. Je voulais voir à quoi elle ressemblait. Et j'ai compris, dès la minute où je vous ai vus ensemble, que vous ne l'aimiez pas. Mais vous ne m'aimez plus. Qui est-elle, Alastair ?

— Elle ? J'ignore de qui vous parlez.

— Moi aussi. Mais je sais qu'il y a une autre femme. Est-ce Claire ? Vous vous êtes arrêté ici, après ces quinze jours passés à Londres, pour habiter chez les Norman. Oh ! oui, je sais que Julia s'y trouvait également et que, lorsque vous êtes parti à Londres pour assister à cette conférence, j'ai eu le champ libre parce qu'elle ne pouvait pas vous accompagner. Mais la présence d'une épouse n'arrêterait pas une femme comme Claire !

— Oh ! Mon Dieu ! dit Alastair Blaine. Vous aussi !

— Ne vous bercez pas d'illusions, chéri. Ce n'est pas vous qu'elle veut. Elle aime que les hommes la courtisent, mais c'est George qui est son véritable appui. George qui lui passe ses fantaisies et ses caprices, lui procure une vie agréable, protégée, respectable, qui est à ses ordres. Tout ce qu'un autre homme n'accepterait jamais de faire pour elle. Est-ce Claire ?

— J'ignore de quoi vous parlez, dit Alastair d'une voix lasse. Je ne m'intéresse pas à Claire Norman, en outre George est mon cousin germain. En fait, à présent que Julia est morte, il est mon plus proche parent. Pourrais-je même songer à... Oh! Et puis, à quoi bon?

— Voilà que je vous ai mis en colère. Mais si ce n'est pas Claire, qui est-ce? Amanda? Etes-vous tombé amoureux de ces immenses yeux gris et de cette somptueuse chevelure, comme Toby Gates? Vous et Toby? Quand je pense qu'il y a un an il me mangeait dans la main. Bah! Comment lui en vouloir? Amanda est une charmante petite qui mérite bien une demi-heure de cour au clair de lune.

— Ne soyez pas ridicule! dit Alastair d'une voix à la fois furieuse et exaspérée.

— Alors qui?

— Personne, croyez-moi. Ne comprenez-vous pas qu'après la mort de Julia...

Persis l'interrompit :

— Vous vous moquiez de Julia, je le sais! dit-elle cruellement. Je vous ai vu la regarder. Le plus beau cadeau qu'elle vous ait fait a été de se tuer. C'est vrai, n'est-ce pas?

— Oui, dit Alastair d'une voix lasse. C'est vrai. Mais... sa mort ne règle pas tout, Persis. Julia était ma femme et... oh! et puis, je ne veux pas parler de cela. Je ne veux même pas y penser. Ne comprenez-vous pas que les seules choses auxquelles j'aspire sont la paix et la tranquillité? Pendant des années, je n'ai connu que des scènes. Des scènes, des larmes, de l'hystérie, des accusations incessantes, stupides, absurdes. Seigneur! Je n'en peux plus.

— Alastair, mon chéri...

— Cessez de m'appeler mon chéri...

La voix d'Alastair tremblait de rage et d'épuisement :

— Vous voulez la vérité? Très bien, la voici : je vous ai fait la cour à Londres, l'année dernière. Vous désirez savoir pourquoi? Parce que vous le vouliez. Vous l'exigiez comme une enfant gâtée qui tape du pied quand on ne fait pas ses quatre volontés. Vous étiez séduisante, drôle, et vous preniez la chose comme une plaisanterie. Et je savais — mon Dieu, à quel point! —, je savais fort bien qu'à mon retour, Julia m'accuserait d'avoir eu une aventure avec une femme, n'importe laquelle, même si j'avais passé cette satanée quinzaine de liberté dans une cellule de moine!

— Mais, Alastair...

— Taisez-vous. C'est moi qui parle, à présent. Je n'ai jamais eu d'aventures féminines. Comprenez-vous cela ? Julia fut la première femme dont je suis tombé amoureux et que j'ai épousée. Pendant toutes les années qu'a duré notre mariage, je ne l'ai jamais trompée, pas une seule fois. Et savez-vous pourquoi ? Parce que l'infidélité n'est pas dans ma nature. Je ne saurais me montrer grossier ou déplaisant envers une femme qui s'efforce de me plaire, mais je n'ai aucune envie de lui faire la cour. Et, croyez-moi, elle n'en a pas envie non plus ! Mais Julia ne l'a jamais cru. Elle préférait voir en moi un dangereux séducteur plutôt que l'homme parfaitement ordinaire que je suis, ennuyeux et sans le moindre sex-appeal. Et voilà que vous vous y mettez aussi. C'en est trop. J'ai supporté pendant des années les soupçons absurdes, incessants, puérils de Julia. La rupture devait se produire un jour ou l'autre, je suppose et...

— Et j'étais là, acheva calmement Persis.

— Oui. Oh ! il ne s'agit pas de rupture au sens où vous l'entendez. Simplement, je savais que dès que je la reverrais, il me faudrait subir les mêmes sordides accusations. J'ai soudain senti que je ne pourrais plus supporter cette situation.

— Alors vous vous êtes dit : « Au diable ! Si elle doit m'accuser de faire le joli cœur, parfait, allons-y ! »

— Oui !

— Et c'est tout, n'est-ce pas ? Juste... juste un flirt de dix jours avec une femme séduisante, drôle et qui prenait la chose à la légère.

— Je suis désolé. Je n'ai pas imaginé un seul instant que vous...

Persis le coupa avant qu'il ait pu terminer sa phrase :

— Non, mon cher ! Inutile d'en dire davantage. Il ne s'agit donc pas d'une autre femme !

Elle se mit à rire d'un petit rire amer. Alastair ne répondit pas et le silence se fit. Bientôt, leurs pas s'éloignèrent, résonnant sous les voûtes du cloître millénaire.

Une ombre bougea sur l'herbe, près d'Amanda, et une voix tranquille cita les paroles de Puck : « Seigneur, quels fous sont ces mortels ! »

130

Amanda sursauta.

— Vous! s'exclama-t-elle. Que faites-vous ici?

— La même chose que vous, dit aimablement Steve Howard. J'écoute aux portes.

Amanda rougit de colère.

— Je n'écoutais pas aux portes!

— Peut-être pas intentionnellement mais le résultat est le même. Très instructif, n'est-ce pas?

— Pourquoi nous espionnez-vous tous? demanda vivement la jeune fille.

— Vous me semblez fort irritée, ma douce. Pourquoi ne viendrais-je pas ici si j'en ai envie? C'est un lieu fréquenté. En fait, c'est une visite qu'un touriste qui se respecte ne saurait manquer. J'exerçais mon art, à vrai dire.

— Je n'en crois pas un mot! En outre, je ne suis pas irritée et ne suis pas votre douce!

— Je retire l'adjectif. Mais, hélas, votre ton, ce matin, dénote une aigreur certaine et votre irritation s'accroît de minute en minute.

Amanda ouvrit la bouche pour parler puis se ravisa. Elle venait de se rappeler un admirable conseil souvent prodigué par Miss Bins, la vieille et placide intendante de son oncle Oswin. Elle respira profondément et compta jusqu'à vingt.

— Pourquoi êtes-vous ici? demanda-t-elle d'un ton plus calme.

— Pour avoir l'œil sur vous.

— Sur moi? fit Amanda, stupéfaite. Et pourquoi?

— Je vous trouve si séduisante que je ne saurais me priver longtemps de vous voir.

Une lueur moqueuse brillait dans le regard de Steve Howard et, de nouveau, Amanda sentit ses joues s'enflammer. Elle compta jusqu'à quinze et dit froidement:

— Ne dites pas de sottises.

— Vous ne me croyez pas?

— Non, je ne vous crois pas! lança-t-elle d'un ton cassant.

— Très bien. Je caresse l'hypothèse que, tôt ou tard, quelqu'un va vous assassiner et je tiens à connaître l'identité du meurtrier. Cette explication vous convient-elle davantage?

— Vous arrive-t-il jamais de dire la vérité ? demanda Amanda d'un ton glacé.

— Uniquement si j'y suis contraint, admit Steve avec une désarmante franchise. La vérité, Amarantha, vos études classiques vous l'ont sans doute appris, est une dame nue qui vit au fond d'un puits. Tout homme d'honneur qui l'a malencontreusement remontée dans son seau se doit donc de détourner les yeux ou de la couvrir rapidement de son manteau.

Amanda le fixa d'un œil soupçonneux. Ses cheveux bruns étaient ébouriffés et il avait une tache de peinture bleue sur le menton. Il portait une chemise de sport bleue, des pantalons de flanelle grise usée, eux aussi tachés de peinture.

Elle demanda brusquement :

— Qu'êtes-vous en train de peindre ?

Il désigna d'un geste désinvolte les murs environnants :

— Ceci. Depuis la route.

— J'aimerais voir votre toile.

— Vous êtes une nature soupçonneuse, n'est-ce pas ? Très bien. Venez.

Ils ressortirent de l'abbaye et empruntèrent la route. Howard précéda Amanda sur un sentier de chèvres situé à une cinquantaine de mètres du chêne vert où s'était adossée la jeune fille.

— Où se trouve votre voiture ? demanda Amanda.

— Un peu plus haut, sur un chemin de traverse.

Un attirail de peintre était installé à l'ombre, sous les arbres. Steve prit une toile accotée à un tronc d'arbre et la montra à Amanda.

C'était une esquisse à la gouache de l'abbaye de Bellapais dominant une mer d'oliviers argentés par le vent. Vu l'épaisseur de la peinture elle avait été entièrement réalisée au couteau mais ne ressemblait aucunement aux toiles de Mr Lumley Potter. Malgré la vigueur de la technique, l'ébauche parvenait à rendre parfaitement l'aspect éthéré, irréel de l'abbaye en ruine qui avait tellement frappé Amanda lorsqu'elle l'avait aperçue pour la première fois. Et les mots prononcés le matin précédent sur la jetée du port lui revinrent presque inconsciemment aux lèvres :

— Mais vous êtes vraiment peintre !

Elle leva les yeux de l'esquisse et regarda Steve Howard, désemparée, incertaine.

— Pauvre Amarantha, dit doucement Steve. Vous ne savez plus très bien où vous en êtes, n'est-ce pas ? Eh bien, si cela peut vous consoler, je ne le sais pas très bien moi-même. Pourquoi êtes-vous venue à Chypre ?

La question était brutale, inattendue et Amanda le regarda, surprise.

— Je voulais connaître l'île.

— Mais pourquoi ? Aviez-vous une raison particulière ?

— Oui, dit lentement Amanda, souriant à ses souvenirs. C'est à cause d'un poème que j'ai lu à l'école. Vous est-il jamais arrivé de lire un texte qui vous donne envie de voir un pays ? Qui... qui vous hante, pour ainsi dire ?

Il n'y avait plus trace de moquerie dans le regard de Steve.

— « Flecker », dit-il en souriant à son tour.

Et il cita le passage qui avait captivé l'imagination d'Amanda enfant :

« J'ai vu, au-delà du village que les hommes nomment encore Tyr, voguer, tels des cygnes endormis, d'antiques bateaux alourdis par les ans, en route pour Famagouste et le soleil caché qui cerne la noire île de Chypre d'un lac de feu. »

— C'est cela, dit Amanda.

Elle se détourna pour contempler, au-delà des champs gris-vert des oliviers, la mer d'azur, et dit d'une voix douce et lointaine comme si elle se parlait à elle-même :

— « Famagouste et le soleil caché... » Les noms sont si beaux : Famagouste, Kyrenia, Hilarion, Paphos !

Sa voix modulait chaque mot, s'attardant sur les syllabes.

— Savez-vous comment se nomme le château qui domine ce pic, là-bas ? Miss Moon me l'a dit. C'est Buffamento, qui signifie : le vent souffle. « Le vent souffle... »

Sa voix s'éteignit dans un murmure.

Steve ne corrigea pas sa traduction et, juste à cet instant, le klaxon d'une voiture résonna un peu plus bas, sur la route.

— C'est Blaine, fit Steve. Vous feriez mieux de les rejoindre. Je vous verrai au pique-nique, cet après-midi.

Amanda se retourna pour contempler une dernière fois la toile. Elle demanda, un peu hésitante :

— Pourrais-je l'acquérir? J'aimerais la posséder. Vous vendez vos peintures, n'est-ce pas?

— Oui, dit Steve, quoique pas de cette façon en général. Je ne suis pas un marchand ambulant. Toutefois, j'aimerais vous offrir celle-ci. Un cadeau d'anniversaire en quelque sorte. Ce n'est qu'une ébauche.

Amanda lui sourit, les yeux brillants, et tendit la main vers la toile.

— Elle est merveilleuse!

— Elle n'est pas encore sèche, dit Steve en la lui reprenant. Je vais la garder pour l'instant. Je vous la donnerai plus tard.

Amanda acquiesça distraitement et redescendit à pas lents le chemin bordé d'oliviers. Pendant tout le trajet du retour jusqu'à Kyrenia, Persis rit et bavarda comme si elle avait oublié la scène brève et passionnée du cloître, mais Amanda demeura silencieuse et pensive.

Elle se souvenait des paroles de Steven Howard dans la cabine de l'*Orantares* : « Je suis un peintre médiocre et j'adore me mêler des affaires des autres. » Interprétant la phrase à sa manière, elle en avait conclu qu'il était une sorte de détective privé chargé peut-être par Julia de surveiller son époux afin d'étayer ses soupçons maladifs par des preuves tangibles destinées à confondre Alastair et à renforcer son emprise sur lui.

Mais ce rôle, semblait-il, ne convenait pas à Steve. Et, en outre, ses dons d'artiste étaient incontestables. Les croquis qu'elle avait vus, le matin précédent, dénotaient certes un joli talent mais l'esquisse à la gouache de l'abbaye de Bellapais le situait dans la catégorie des peintres authentiques et Amanda commençait à se demander si son imagination ne l'avait pas égarée.

Steve Howard n'était-il pas venu à Fayid et à Chypre avec un seul objectif : peindre? Sa conduite, par la suite, ne s'expliquait-elle pas, comme lui-même l'avait suggéré, par l'intérêt amusé que prendrait un amateur de psychologie au comportement de ses semblables?

Et puis, il y avait Persis. Persis et Alastair Blaine qui, semblait-il, avaient eu une brève liaison l'été précédent lorsque Alastair s'était rendu à Londres avec l'état-major militaire pour assister à une conférence. Amanda se souvint d'avoir entendu Julia parler de cette conférence : elle avait été ajournée et, au lieu de demeurer quelques jours à Londres, Alastair était resté absent deux semaines. A la suite, sans doute, de quelque lettre ridicule de Julia, il avait finalement atteint ce point de rupture auquel il avait fait allusion. Et Persis était tombée amoureuse de lui.

Amanda ressentit soudain une profonde pitié pour Persis Halliday, si vulnérable, au fond, sous sa brillante carapace de cynisme et de sophistication. Ce sentiment fut suivi d'un élan d'admiration. Persis, bien qu'atteinte dans son amour, ses espérances et son orgueil, n'avait rien trahi de sa déception.

« Que trouvait-elle de si séduisant chez Alastair Blaine ? se demanda Amanda. Et pourquoi Julia l'avait-elle aimé ? » Grand, blond, bronzé, les yeux bleus, il n'était pas particulièrement beau, pourtant. Avec son visage quelconque, agréable, très anglo-saxon, il était en fait, comme il l'avait dit lui-même « un homme ennuyeux et tout à fait ordinaire sans une once de sex-appeal ». Les femmes aimaient Alastair Blaine, mais plutôt à la façon d'un frère. Elles se servaient de lui, lui confiaient leurs problèmes avec une familiarité qui dénotait l'absence de tout sentiment amoureux. Seule la jalousie de Julia, Amanda le comprit, avait créé cette image d'irrésistible séducteur.

Julia était sans doute la seule femme qui fût tombée amoureuse d'Alastair Blaine — Julia et Persis. Mais Persis... que trouvait-elle de si séduisant chez Alastair ?

« C'est parce que Persis est américaine et romancière », se dit soudain Amanda.

Persis ne voyait pas Alastair comme les autres femmes le voyaient. Il ressemblait à l'image qu'elle se faisait de l'Anglais taciturne et solide, et son indifférence envers les femmes et leur charme l'avait sans doute confortée dans cette idée. Elle l'avait doté d'une personnalité et de qualités imaginaires et elle était tombée amoureuse de sa propre création. Elle aimait un être qui ne ressemblait pas plus à Alastair Blaine qu'un mannequin de tailleur à son modèle vivant.

« Je me demande qui il est vraiment ? » se dit Amanda. Mais qui était vraiment Persis ? Et Toby ? Et le jovial, stupide, accommodant, dévoué George Norman ? Et qui était vraiment Steve Howard ?

Le sourcil froncé, elle contemplait sans les voir la mer et les champs d'oliviers ; désemparée, inquiète pour la première fois de sa jeune existence, elle venait de comprendre qu'en dépit de l'assertion de John Donne, tout homme, toute femme « *est une île* ».

11

Amanda transmit le message d'Euridice à Miss Moon.

— Allons bon ! fit celle-ci distraitement. J'espère seulement qu'elle rentrera assez tôt pour nous préparer le petit déjeuner. A quelle heure partez-vous en pique-nique, ma chère ?

— A deux heures et demie, dit Amanda. On vient me chercher.

— Je partirai un quart d'heure après vous, dit Miss Moon avec un soupir de regret. Je suis navrée de ne pouvoir vous accompagner. Saint-Hilarion m'a toujours donné une telle impression de fraîcheur spirituelle. On s'y sent en accord avec le Temps. C'est tellement plus apaisant que les bridges de Lady Cooper-Foot ! Je ne m'amuserai pas du tout, je le crains. En outre, j'ai un début de mal de tête. J'espère qu'il ne va pas se transformer en migraine ! Mais on ne doit pas négliger ses devoirs envers la société.

— Euridice sera absente. Comment entrerai-je dans la maison si je suis de retour avant vous ?

— Je ne ferme jamais à clé, ma chère. J'ai toujours soutenu qu'une personne malhonnête qui désire pénétrer dans une maison le fera en dépit de toutes les serrures et des verrous du monde. Les serrures ne servent qu'à gêner les innocents. Vous trouverez la porte ouverte.

Toby Gates se présenta, ponctuel, à deux heures et demie sonnantes. Amanda alla chercher une capeline, des lunettes de soleil et appela Miss Moon pour lui dire au revoir. Personne ne lui répondit et elle en conclut que la vieille demoiselle était déjà partie.

— Comment nous rendrons-nous là-bas, Toby ?

— J'ai loué une voiture pour l'après-midi. Une petite bagnole assez correcte. Les Norman se sont offerts pour nous emmener mais comme ils ont déjà Alastair à bord et tout l'attirail pour le thé, j'ai pensé que nous risquions d'être serrés.

Il ouvrit la portière d'une petite conduite intérieure grise et Amanda demanda :

— Et Persis ?

— Howard la conduit.

La voiture démarra et s'élança sur la longue route qui monte de Kyrenia jusqu'au sommet des collines pour redescendre ensuite vers Nicosie et la plaine.

— Je me demande ce que je fais ici, dit Toby. Si j'étais dans mon bon sens, je ne devrais même pas vous adresser la parole.

Amanda le regarda, franchement surprise.

— Mais pourquoi, Toby ? Qu'ai-je encore fait ?

— C'est la meilleure ! s'exclama le jeune homme, indigné. Savez-vous, petite coquine, que grâce à vous je me trouve délesté d'une cinquantaine de livres et propriétaire de deux des plus magnifiques horreurs qui aient jamais défiguré un mur ?

— Oh ! Toby ! fit Amanda, frappée de remords. J'avais complètement oublié. Vous n'avez tout de même pas acheté des toiles à Potter ?

— Le moyen de faire autrement, ma chère ? Je lui ai envoyé un message et puis, j'ai complètement oublié ce garçon et je suis parti me promener en ville. C'est en rencontrant Howard que je me suis souvenu de lui. A mon retour à l'hôtel, il m'attendait, planté dans l'entrée, avec un carton à dessins de la taille de l'île ! Je ne pouvais pas le laisser repartir ainsi. Il est resté des heures ! Heureusement, mon silence n'a pas paru l'émouvoir. Je l'ai laissé parler et il estime que je suis un amateur éclairé. Enfin, je vous offre ces deux toiles. Je vais vous les faire envoyer et vous pourrez les accrocher chez vous si le cœur vous en dit. De plus, vous dînerez avec moi ce soir. Vous me devez bien cela !

— Toby chéri ! Je suis vraiment désolée. Je dînerai avec vous ce soir, bien sûr. Les domestiques sont absents pour la journée et Miss Moon sera sans doute trop heureuse de ne pas avoir à préparer de repas pour moi.

— Formidable ! Et comment s'est passée votre entrevue avec l'épouse indifèle ? Vous a-t-elle livré les dessous de l'affaire ?

— Non, dit Amanda. Nous... nous avons bavardé, simplement. Etes-vous sûr de connaître le chemin, Toby ?

— Non, mais l'homme qui m'a loué la voiture m'a dit que je ne pouvais pas me tromper.

La route grimpait en lacets entre des oliveraies, des pins, des cyprès, des caroubiers et des coteaux herbeux brûlés par le soleil. Un peu avant d'atteindre le sommet, Toby tourna à droite et s'engagea sur une route secondaire qui portait le panneau indicateur : Hilarion. C'est alors qu'une voiture roulant sur la route allant de Nicosie à Kyrenia les dépassa. C'était un petit cabriolet de sport vert à deux places, conduit par une femme, et Amanda crut reconnaître la secrétaire de Glenn Barton : Monica Ford.

Après avoir longé le flanc de la montagne, la route dépassa un affleurement de collines puis une large cuvette — « un ancien affaissement de terrain », commenta Toby en ajoutant qu'il tenait l'information de Persis Halliday qui s'était documentée sur la région d'Hilarion et en avait abondamment disserté pendant le déjeuner.

En à pic au-dessus de la cuvette, sur un entassement de rochers dominant la mer de plus de six cents mètres, se découpaient, silhouettées contre le ciel d'azur, les ruines du château des Croisés de Saint-Hilarion — présent de noces, dit la légende, de Richard Cœur de Lion à sa jeune épouse Bérangère de Navarre. C'est depuis ce château qu'il était parti pour les croisades et, sans doute accoudée à ces fenêtres en ogive, la reine Bérangère avait souvent scruté les flots pour y apercevoir les voiles de ses vaisseaux.

Une voiture était garée à l'ombre des arbres, au pied de la côte conduisant aux fortifications. Mais elle n'appartenait ni aux Norman ni à Steve Howard.

— Des touristes, fit Toby d'un ton méprisant.

— Touriste vous-même ! rétorqua Amanda en s'extrayant péniblement de l'étroit véhicule. N'attendons pas les autres. Partons en exploration.

Ils gravirent le versant pierreux sous le brûlant soleil et

gagnèrent l'ombre fraîche du donjon. Un escalier de pierre aux marches usées conduisait au corps principal du château de conte de fées qui se dressait au-dessus d'eux, accroché aux rocs nus dont les flancs constituaient nombre de ses murs. Au pied de l'escalier, un homme arborant une chemise imprimée de couleurs vives était assis sur un petit pliant de toile devant un large chevalet. C'était Lumley Potter. Il tourna la tête à leur approche et son visage maussade s'illumina de plaisir.

— Bonjour, Gates. Vous êtes exactement l'homme que je désirais voir. Que pensez-vous de cette toile ? Une simple ébauche, bien sûr, mais je crois avoir rendu un peu du rythme et, qui sait, un *soupçon* de l'aura. Pour le moment l'essence profonde m'échappe — oui, franchement, elle m'échappe — mais je sens que je parviendrai finalement à la saisir.

— Euh... oui..., j'en suis certain, fit Toby contemplant, horrifié et incrédule, ce qui semblait représenter un pudding en cours de cuisson dans lequel un cuisinier maladroit aurait malencontreusement laissé tomber une bonne dose d'encre d'écolier.

— Eh bien ? demanda Mr Potter.

— Oh ! Euh... fantastique ! dit précipitamment Toby. Je ne crois pas que vous connaissiez Miss Derington. Amanda, je vous présente Mr Potter.

Mr Potter se déclara enchanté de connaître Miss Derington et se lança dans un commentaire approfondi de son œuvre, heureusement interrompu par l'arrivée des Norman, du major Blaine, de Mrs Halliday et de Steve Howard.

Ils laissèrent Claire et le major Blaine discuter avec Lumley — Claire connaissait parfaitement, semblait-il, le « rythme » et l' « aura » artistiques — et poursuivirent l'exploration du château, Persis, un guide à la main, éclairant leur ignorance. Quelques minutes plus tard, ils tombèrent sur Anita Barton.

Mrs Barton était étendue sur une couverture de voyage installée à l'ombre, avec un livre et une boîte de chocolats. Une brise légère agitait les pages du livre et une colonie de fourmis explorait les chocolats. Mrs Barton dormait. Elle portait une robe fort seyante en coton jaune dont l'ourlet et le décolleté généreux s'ornaient d'innombrables petites fleurs de tissu blanc, découpées et cousues en leur centre. L'effet était charmant mais donnait l'impression que Mrs Barton était une femme extrêmement chère à habiller.

Amanda songea en la regardant qu'elle paraissait beaucoup plus jeune que la nuit précédente — jeune et sans défense. Et les paroles de Glenn Barton au sujet de sa femme lui revinrent en mémoire : « C'est une telle enfant ! » Elle comprenait à présent ce qu'il avait voulu dire : malgré le fard bleu des paupières, l'épaisse couche de mascara et de rouge à lèvres, le vernis écarlate appliqué sur les ongles et les orteils, ce corps abandonné avait quelque chose d'étrangement enfantin dans sa robe charmante et ridicule.

Ils tournèrent les talons sans bruit, la laissant dormir.

— Quelle situation ! s'exclama Persis quand ils se furent suffisamment éloignés. Allons-nous prévenir le mari que sa coupable épouse se trouve parmi nous ? Il ne saurait tarder maintenant. Il est presque quatre heures. Ou bien décidons-nous de fermer les yeux et de laisser faire le hasard ?

— Je suis pour la dernière solution, conseilla Howard d'un ton nonchalant.

— J'avais oublié que Glenn venait nous rejoindre, dit Amanda, inquiète. A quelle heure a-t-il dit qu'il arriverait ?

— A quatre heures, s'il pouvait.

Amanda se pencha au-dessus du parapet et scruta le ruban blanc de la route, au-dessous d'elle. Aucune trace de voiture. Ce qui n'avait rien de surprenant car Mr Barton avait été retardé...

Glenn, qui se proposait de se rendre directement de Nicosie à Hilarion, avait dû s'arrêter à Kyrenia pour apporter certains documents à un client résidant au Dôme. Pour ajouter à ce retard, il avait crevé un pneu juste avant d'arriver en ville. Abandonnant sa voiture dans un garage, sur la route, il avait marché jusqu'à l'hôtel où il avait déposé les documents, et était reparti à pied.

Il approchait du garage lorsqu'il aperçut le petit cabriolet miteux de Monica Ford en train de franchir le croisement, devant lui, et de s'engager sur une route latérale conduisant à la villa « Les Lauriers ».

« Que faisait donc Monica à Kyrenia ? » se demanda-t-il,

un peu surpris. Il l'avait vue quelques instants au bureau de Nicosie, le matin, mais son travail l'avait conduit jusqu'aux vignobles et il n'était pas retourné au bureau. Monica n'avait fait aucune allusion à une éventuelle excursion à Kyrenia et jamais auparavant elle n'avait quitté le bureau en son absence. Un événement s'était-il produit qui exigeait la présence urgente de Glenn et Monica était-elle partie à sa recherche ?

Glenn regarda sa montre et constata qu'il était déjà quatre heures moins le quart. Il hésita sur le trottoir, troublé et indécis, puis, traversant la route, se dirigea vers la villa « Les Lauriers ».

La voiture ne se trouvait pas devant la maison mais, apercevant un bout de carrosserie verte, il comprit que Monica l'avait garée de l'autre côté, à l'entrée d'un petit chemin bordé de mûriers. Monica elle-même venait de traverser la route et il la vit pousser la grille de la villa et disparaître dans le jardin.

Peut-être avait-elle reçu un message d'Oswin Derington pour sa nièce ? Mais Amanda était partie à Hilarion, Miss Moon chez Lady Cooper-Foot et Euridice et Andréas assistaient à la fête d'Aiyos Epiktitos. Monica trouverait la maison vide.

Glenn passa par la grille que Miss Ford avait négligé de refermer derrière elle et s'engagea sur le petit sentier dallé. La porte d'entrée tourna sans bruit sur ses gonds bien huilés et il se retrouva dans la fraîcheur délicieuse du hall obscur. Il perçut un mouvement en provenance du salon et, traversant le hall, pénétra dans la grande pièce.

Monica Ford se tenait debout, près de la porte-fenêtre, et il s'arrêta net à la vue de son visage.

— Monica ! Ma chère... que se passe-t-il ?

Miss Ford ne répondit pas. Son visage, d'une pâleur de craie, était bouffi par les larmes, si creusé, hagard et vieilli par la douleur et l'émotion qu'il en était presque méconnaissable.

— Monica !

Il alla vivement jusqu'à elle mais elle recula. Elle humecta ses lèvres tremblantes et sèches et, d'une voix basse et dure demanda :

— Que faites-vous ici ? Je... je vous croyais à Limassol.

— Monica, qu'y a-t-il? Est-il arrivé quelque chose?

Elle le fixa un long moment de ses yeux élargis, bordés de rouge puis, se détournant, se dirigea d'une démarche vacillante jusqu'au divan où elle se laissa tomber. Le dos tourné, la tête dans les mains, elle éclata en sanglots.

« Mon Dieu, songea Glenn avec désespoir. Encore une scène! Anita, et maintenant Monica. » Car Monica s'était mise à parler. Un flot de paroles hystériques s'échappait de ses lèvres, mêlé de sanglots. Un discours haché, désespéré, incohérent où il distinguait quelques mots qui revenaient comme une litanie — le nom de son frère mort, celui d'Anita, le sien surtout : Glenn-Glenn-Glenn.

— ... je n'ai pas compris que je... que je vous aimais, Glenn. Je vous aime...

Glenn ferma les yeux, essayant d'oublier le son de cette voix haletante, saisi d'un sentiment de dégoût, de colère froide. Mais Monica continuait à parler d'une voix éraillée, rauque de larmes, affreuse :

— ... je ne m'en étais pas rendu compte jusqu'à aujourd'hui. Je ne savais pas... je me refusais à affronter la réalité. J'ai toujours su que j'éprouvais un sentiment — un sentiment que je ne devais pas... Mais je ne voulais pas l'admettre. Aujourd'hui, vous étiez absent et Pavlos est venu me consulter au bureau au sujet d'une caisse endommagée. Il m'a dit que vous étiez allé à Hilarion avec... avec Claire Norman... et... c'est alors que j'ai compris que je vous aimais.

Glenn ouvrit les yeux et contempla les épaules voûtées et tremblantes avec fureur et désespoir. L'odeur légère du jasmin entrait par les fenêtres ouvertes, se mêlant au parfum bon marché à la violette utilisé par Miss Ford. Une petite brise gonflait les rideaux et agitait les pointes du foulard de crêpe de Chine vert émeraude abandonné par Miss Moon sur le dos du sofa. « Jeudi », songea automatiquement Glenn en notant la couleur.

Il essaya de parler mais ne put trouver les mots adéquats. D'ailleurs, qu'aurait-il pu dire à présent? Il était trop tard. Il aurait dû la forcer à quitter l'île. Elle poursuivait son discours d'une voix sanglotante, brisée, et le cœur de Glenn se serra quand il l'entendit prononcer le nom de sa femme :

— Anita... Anita s'est sans doute aperçue de quelque chose. C'est pourquoi elle vous a quitté. J'aurais dû comprendre moi aussi. Mais je ne voulais pas ! Je me refusais à admettre la vérité. C'est de ma faute... J'ai joué la comédie. Mais Anita...

« Anita », songea Glenn avec un sentiment de douleur presque physique. Etait-ce vrai ? Avait-elle compris ? Il l'avait toujours soupçonnée de ne pas croire elle-même à sa prétendue liaison avec Monica Ford, de s'être servie de ce prétexte pour excuser sa propre trahison. Et voilà que Monica prétendait qu'Anita était partie parce qu'elle avait deviné ses sentiments. Anita...

La voix chargée de larmes résonnait désagréablement dans la pièce silencieuse :

— Je ne sais pas quoi faire. Si seulement Bobby n'était pas mort, j'aurais pu supporter ma faute. Mais il fallait que je parle à quelqu'un... il le fallait ! Glenn ! Oh ! Glenn...

La voix s'étrangla et se tut enfin, tel un disque sur un phonographe épuisé, et le silence revint dans le charmant salon aux meubles poussiéreux.

Le soleil avait décliné. Il entrait à présent par les portes-fenêtres, tachant d'or le tapis fané, illuminant la silhouette disgracieuse de Monica Ford et baignant la pièce d'une tiédeur ambrée.

Glenn contempla avec dégoût le corps avachi, agité de soubresauts. Bientôt, comprenant qu'il était impuissant à l'aider, il tourna brusquement les talons et quitta rapidement le salon.

L'horloge sonnait quatre heures et quart quand il traversa l'entrée. Sa main allait tourner la poignée de la porte lorsqu'il crut entendre un bruit léger venant de l'étage où se trouvaient les chambres.

Il se retourna vivement et leva les yeux. Mais l'escalier était désert et nulle ombre ne bougeait sur le palier obscur. Miss Moon était sortie, comme Andréas et Euridice. Personne ne pouvait donc se trouver au premier étage. Le bruit qu'il avait surpris avait peut-être été causé par le vol d'un pigeon ou la chatte d'Euridice. Il hésita, intrigué, les nerfs à vif, tandis qu'un frisson lui parcourait l'échine. Mais le bruit ne se répéta pas. Il n'avait aucun désir de demeurer plus longtemps sous le même toit que Monica Ford. Il tourna les talons et quitta la maison en refermant doucement la porte derrière lui. Il était presque cinq heures moins le quart quand il arriva à Hilarion...

Il trouva le groupe assis autour des restes d'un thé copieux, installé sur un coin d'herbe près d'une colonne écroulée. Inquiet, préoccupé, il ne remarqua pas — ou du moins ne reconnut pas — l'antique véhicule délabré de Lumley Potter parmi les voitures garées à côté de la route.

— Vous voilà enfin, remarqua Persis en lui faisant une place près d'elle. Nous ne vous espérions plus.

Glenn se laissa tomber sur l'herbe avec lassitude et accepta une tasse de thé tiède qu'il but avidement.

— Désolé d'être en retard, s'excusa-t-il. J'ai dû m'arrêter à Kyrenia et j'ai crevé à l'entrée de la ville. Ensuite, j'ai rencontré Monica, ce qui m'a retardé.

Il s'assombrit au souvenir de leur entrevue et, un instant, sa bouche se tordit en une grimace de dégoût.

— Monica ? interrogea Claire. Que faisait-elle donc à Kyrenia ?

— Rien de particulier. Elle pensait rendre visite à Miss Derington mais, naturellement, elle n'a trouvé personne.

— Me rendre visite ? fit Amanda, surprise. Vous lui avez expliqué, j'espère, que j'étais partie en pique-nique et que la maison serait vide jusqu'après sept heures ? Miss Moon et les domestiques étaient sortis et personne n'était là pour lui offrir au moins une tasse de thé ! Vous auriez dû l'emmener avec vous.

Le visage de Glenn Barton se rembrunit encore. Il dit avec gêne :

— Elle n'était pas d'humeur à partir en pique-nique. Elle est encore bouleversée par la mort de son frère et aussi par...

Il se tut et reprit, après un court silence :

— Vous la retrouverez peut-être plus tard à la maison. Il se pourrait qu'elle vous attende si elle n'a rien d'autre à faire.

Et il changea de sujet.

Ils rassemblèrent tasses et assiettes et les rangèrent dans les paniers. Amanda profita de l'occasion pour prendre Barton à part et lui avouer l'échec de sa mission de la nuit précédente.

— Je suis navrée, Glenn, conclut-elle. J'essaierai de la rencontrer à nouveau quand... quand elle se sentira mieux. Vous savez du moins que vous aviez raison et qu'elle n'est pas du tout amoureuse de Lumley Potter.

— Oui, dit lentement Glenn. C'est une bonne nouvelle, je suppose ; quoique je m'en sois toujours douté. Anita est trop... trop délicate pour un type aussi crasseux et négligé que Lumley Potter.

Il sourit à Amanda et ajouta un peu gauchement :

— Quoi qu'il en soit, vous vous êtes montrée la bonté même et je vous suis très reconnaissant. Sincèrement.

Il prit sa main, l'étreignit fortement dans la sienne pendant un court instant et Amanda, émue, serra ses doigts en réponse. Elle lui sourit avec chaleur et s'aperçut au même instant que Steve Howard les observait d'un air étrange. Son regard dur, étincelant, interrogateur, trahissait la colère et, sans raison, le cœur d'Amanda se mit à battre à coups précipités tandis que le rouge lui montait aux joues.

Claire appela : « Glenn, venez donc nous aider à porter les paniers » et Barton lâcha la main d'Amanda. George Norman et lui transportèrent paniers et couvertures jusqu'à la voiture et Persis leur emboîta le pas.

Dans le soleil déclinant, les fortifications à demi écroulées projetaient de longues ombres pourpres sur l'herbe, les massifs de thym sauvage et les parois rocheuses descendant presque à la verticale jusqu'aux champs d'oliviers et aux eaux tranquilles et azurées qu'on distinguait tout en bas.

La mer était plate et unie comme un miroir mais, six cents mètres plus haut, la brise avait forci avec le crépuscule et balayait aigrement les voûtes et les fortifications désertes.

Claire et Toby s'étaient éloignés en bavardant et Amanda, appuyée contre le rempart de pierre, aperçut dans un renfoncement, au pied de la muraille, Alastair Blaine en grande conversation avec Anita Barton. Elle se demanda vaguement si Alastair se retrouverait, à son tour, propriétaire d'un chef-d'œuvre de la période « bleu de Prusse » signé Potter et fit le vœu que Glenn ne croise pas sa femme en regagnant sa voiture. Il semblait fatigué, malade et tout à fait incapable de maîtriser une situation qui le mettrait nez à nez avec l'épouse coupable et son amant.

Elle tourna son regard vers la vaste plaine caillouteuse, au-dessous d'elle, et essaya de l'imaginer huit cents ans plus tôt, lorsque, bannières et étendards, déployés des chevaliers en armure avaient jouté devant Richard d'Angleterre et la reine Bérangère, le jour de leurs noces à Chypre...

— A quoi pensez-vous, Amarantha? demanda Steve Howard en venant s'accouder près d'elle.

Le murmure du vent avait étouffé le bruit de ses pas et elle se retourna en sursautant.

— Un *penny* pour vos pensées! proposa Steve. Ou dois-je offrir davantage?

— Si vous tenez à le savoir, dit-elle, je songeais que Toby, vous, Glenn et les autres messieurs devriez arborer une armure. Persis, Claire et moi porterions un hennin, des « chemises de fine batiste neigeuse » et... et des pelisses bordées d'hermine — ou s'agirait-il plutôt de surcots?

— Quiconque serait assez fou pour porter une armure sous ce climat se retrouverait rôti comme un poulet en dix minutes, observa Howard, prosaïque. Le hennin ne convient pas davantage. Vous devriez être penchée à la fenêtre, les cheveux défaits — telle Rapunzel. Depuis combien de temps connaissez-vous cet homme, Barton?

La question prit Amanda par surprise.

— Glenn? Je l'ai rencontré à Limassol, vous le savez parfaitement. Pourquoi cette question?

— Glenn, murmura Steve avant de lui faire remarquer, avec une certaine rudesse, qu'ils semblaient fort intimes pour des gens qui se connaissaient depuis si peu de temps.

— Pas le moins du monde, rétorqua doucement Amanda, quoiqu'il mérite sans doute, autant que moi, une demi-heure de badinage au clair de lune!

Elle nota avec satisfaction qu'elle avait réussi à le mettre en colère et ajouta, volontairement provocante :

— Il faudra que je m'en assure.

— Essayez donc! fit Steve avec un sourire inquiétant.

Un cliquetis métallique résonna sur la pierre, derrière eux, et un objet roula aux pieds d'Amanda : un tube de peinture éventré libellé « vert fougère ». Lumley Potter les avait rejoints.

— Bon sang ! jura-t-il, furieux.

Il déposa son chevalet pliant et une toile vierge sur le sol et se baissa pour ramasser une demi-douzaine de tubes échappés de la boîte mal fermée qu'il transportait sous son bras.

— J'ai pensé faire un bref croquis depuis les remparts, dit-il. Bonjour, Howard. Vous travaillez à quelque chose par ici ?

Amanda se retourna vers Steve, surprise. Elle ignorait que celui-ci connaissait Lumley Potter.

— Non, hélas. J'ai découvert que le paysage n'avait rien à me dire, fit Steve avec un sérieux parfait. Il parle à l'œil peut-être ; pas à l'âme.

— Voilà qui est fort intéressant, dit Lumley, le regard allumé. Pour ma part...

Il se lança avec enthousiasme dans une théorie compliquée et Amanda, estimant que Steve avait mérité son châtiment, les laissa à leur discussion.

Elle avait déjà grimpé jusqu'au sommet du château mais elle décida de refaire l'ascension seule. Elle s'assiérait près de la fenêtre de la Reine, là où Bérangère avait dû si souvent s'accouder, et admirerait le coucher de soleil.

Elle gravit le long escalier aux marches éboulées dominé par la haute façade dressée au-dessus d'un talus abrupt et herbeux, passa sous une voûte de pierres mangées par le lichen et traversa une succession de petites salles au plafond à demi écroulé, jadis les chambres des gardes, les greniers, les galeries et les *garde-robes** du château.

La chambre de la reine ouvrait sur le ciel, une grande partie des murs était démolie et, de l'intérieur, on dominait le sommet des arbres et la large cuvette où l'énorme pic rocheux, support du château de Saint-Hilarion, se dresse à plus de six cents mètres du sol.

Seul, un pan de mur subsistait où s'ouvrait la fenêtre de la Reine, gracieuse arche double dominant un paysage de rêve.

Le ciel et la mer, d'un bleu intense et profond quelques heures plus tôt, pâlissaient dans la lumière crépusculaire et,

* En français dans le texte (*N.d.T.*).

148

loin à l'horizon, se profilaient en ombres légères, teintées de lilas, les montagnes de Turquie.

Quittant l'appui de la fenêtre, Amanda se dirigea lentement vers l'endroit où le sol dallé, usé par le temps, cédait place à l'abîme.

Le vent du soir l'enveloppa de sa plainte aiguë, faisant voler sa robe légère, jouant dans sa chevelure. Les lourdes boucles, défaites, tombèrent sur ses épaules et cascadèrent jusqu'à sa taille. Amanda les retint d'une main, dérangeant une épingle qui glissa et rebondit sur la pierre.

Le bruit du vent étouffa celui des pas, derrière elle. Une main s'abattit sur son épaule, la poussa rudement en avant et elle plongea dans le vide tandis que la bourrasque emportait son hurlement de terreur.

Ce furent ses cheveux, ses longues tresses épaisses et dorées qui sauvèrent Amanda ainsi qu'un pin antique et noueux émergeant d'une fissure dans le rocher, à quelques mètres plus bas.

Les branches lui griffèrent le visage, cédèrent sous son poids mais s'emmêlèrent, se prirent et s'accrochèrent dans sa chevelure, la retenant comme jadis Absalon. Elles freinèrent sa chute et lui donnèrent juste le temps de s'agripper à une branche solide.

Elle resta ainsi suspendue, aveugle et muette de terreur, serrant désespérément la branche sèche, ses longs cheveux tendus en corde au-dessus de sa tête, les pieds dans le vide.

Elle entendit un cri au-dessus d'elle mais elle ne pouvait lever la tête et n'osait hasarder le moindre mouvement. Les muscles de ses bras la faisaient atrocement souffrir, ses doigts étaient gourds et le sifflement du vent à travers le feuillage noyait tous les autres bruits.

Amanda entendit un craquement mais la branche ne céda pas. Elle savait qu'elle devrait tenter d'atteindre le tronc du pin, derrière elle, mais c'était impossible. Si elle relâchait sa prise, elle tomberait.

L'arbre trembla comme sous le choc d'un objet lourd et une voix qu'elle ne reconnut pas lui cria de tenir bon. Elle semblait venir de tout près. Mais nul ne pouvait descendre la paroi à pic au-dessous du rempart sans risquer la mort. Une autre voix cria son nom et elle entendit une femme qui hurlait. L'arbre trembla à nouveau et la branche à laquelle elle s'accrochait se mit à craquer dangereusement. Puis des doigts durs se refermèrent sur son poignet et une voix haletante ordonna :

— Essayez de poser un pied sur la branche. Le pied droit. Juste derrière vous.

Elle obéit sans réfléchir et ne put jamais, par la suite, se rappeler comment elle était passée du tronc de l'arbre à une étroite saillie rocheuse, invisible du sommet. Une fois là, un bras la soutenant solidement par la taille, elle n'eut pas trop de mal à grimper jusqu'au rempart en ruine.

Quelqu'un se pencha au-dessus d'elle et la saisit par les mains. Une minute plus tard, elle se retrouvait sur la terre ferme et, pour la première fois de sa vie, perdait connaissance.

12

Emergeant lentement des ténèbres, Amanda ouvrit les yeux à la lueur tiède et dorée du soleil couchant.

On lui versait dans la gorge un liquide brûlant au goût désagréable ; elle s'étouffa, toussa, en avala une bonne partie et s'étrangla derechef.

Steve Howard, les lèvres blêmes, la fixait avec une sombre colère. Elle le regarda, stupéfaite, bouleversée, encore incapable de savoir où elle se trouvait, ce qu'elle faisait et pourquoi Steve semblait aussi furieux.

Elle ferma les yeux une seconde puis les rouvrit. Ils étaient tous là, penchés en cercle au-dessus d'elle, le visage pâle et tendu : Claire et George Norman, Persis, Toby, Alastair et Glenn.

— Que s'est-il passé ? demanda-t-elle. Est-ce que je...

Brusquement, elle se souvint et la voix lui manqua.

— Vous êtes tombée, dit sévèrement Steve. Et je me demande pourquoi diable vous vous amusiez à vous promener le long d'un rempart qu'un enfant de deux ans jugerait dangereux. Si vous n'êtes pas morte à l'heure qu'il est, ce n'est vraiment pas votre faute !

On peut penser que Mr Howard était un fin psychologue car une manifestation de sympathie en cet instant précis aurait certainement provoqué chez Amanda un flot de larmes et un rappel de ses terreurs. La froide et brutale observation du jeune homme eut l'effet exactement contraire.

Amanda se redressa, hors d'haleine, prête à lui rétorquer avec rage qu'elle n'était pas tombée mais qu'on l'avait poussée...

Mais elle ne dit rien.

Elle demeura immobile, frappée par une évidence soudaine : à l'exception du gardien cypriote, de Lumley Potter, d'Anita Barton et d'elle-même, seules se trouvaient à Hilarion cet après-midi-là les sept personnes qui l'entouraient.

L'une des neuf personnes présentes sur les lieux — dont sept étaient penchées sur elle, proches à la toucher — avait donc essayé de la tuer. Elle, Amanda Derington ! Qu'avait dit Steve quelques secondes plus tôt ? « Ce n'est vraiment pas votre faute si vous n'êtes pas morte à l'heure qu'il est. » Ce n'était pas non plus la faute de celui ou de celle qui avait tenté de la supprimer.

Amanda s'appuya contre la muraille tiédie par le soleil, ses grands yeux terrifiés examinant l'un après l'autre les visages qui l'entouraient : Claire, Alastair, Toby, Glenn, Persis, George, Steve.

Non. Pas Steve ! Il était le seul dont elle pût être sûre. Le seul. Elle tourna vers lui ses yeux effrayés et, avançant la main, saisit sa manche.

Steve se pencha, la remit brutalement sur ses pieds, et elle dit d'une voix haletante :

— Voudriez-vous vous éloigner tous. Je vous en prie ! Je me sens très bien, je vous assure. Je suis désolée de vous avoir causé une telle frayeur. Je... je crois que j'aimerais demeurer seule quelques instants pour me remettre. Laissez-moi, je vous en prie.

Mais ses doigts, qui serraient étroitement le bras de Steve, suppliaient : pas vous ! pas vous !

— C'est absurde, dit Persis. Ecoutez, mon chou...

— Persis, ma chère, intervint Steve, affable, filez ! Je veillerai à ce qu'elle n'escalade pas d'autres remparts.

Il jeta un coup d'œil à sa montre et, s'adressant à Toby Gates :

— Voudriez-vous raccompagner Mrs Halliday, Gates ? Je me charge de reconduire Miss Derington quand elle aura retrouvé ses esprits.

— Naturellement, fit Toby, son regard hésitant allant de Persis à Amanda.

— Bonne idée, dit George Norman dont le visage cramoisi retrouvait peu à peu sa teinte normale. Quel choc affreux pour cette jeune fille ! La chute aurait pu être mortelle. On devrait placer des garde-fous à des endroits aussi dangereux. C'est un scandale !

Tous s'éloignèrent, laissant Amanda seule avec le vent et Steve Howard.

Elle lâcha son bras, lui tourna le dos et murmura d'une voix étouffée :

— Voudriez-vous passer un instant de l'autre côté du mur ?

— Pourquoi ? Vous allez vous mettre à pleurer ?

— Non, réussit à articuler Amanda. Je vais vomir.

Ce qu'elle fit.

Howard supporta le spectacle avec un remarquable sang-froid. Il tendit un mouchoir propre à la jeune fille, remarqua qu'il était dommage de gâcher ainsi un excellent cognac et exprima le vœu, pour les futurs visiteurs, qu'il pleuve pendant la nuit.

— Vous vous sentez mieux ? demanda-t-il un peu plus tard.

— Oui, merci. Pourrions-nous trouver un endroit moins élevé et entouré de quatre murs ?

— Rien de plus facile.

Il mit la main de la jeune fille sous son bras et l'entraîna, en prenant soin de se placer entre elle et l'abîme. Quelques mètres plus loin, il s'arrêta brusquement et se pencha pour ramasser un objet logé entre deux dalles de pierre. C'était un petit tube de peinture, tout tordu, auquel manquait le capuchon. Steve le tourna et le retourna pensivement dans sa main avant de le glisser dans sa poche sans commentaire.

Ils traversèrent en sens inverse l'enfilade des pièces à ciel ouvert et se retrouvèrent au sommet de l'escalier aux marches raides.

Amanda s'arrêta et ferma les yeux. Elle n'avait jamais été sujette au vertige mais elle comprit que, désormais, elle ne pourrait plus jamais regarder le vide sans avoir peur. Elle savait que ses craintes étaient absurdes, ridicules : l'escalier était large, sûr, le versant herbeux qui le bordait sur un côté parsemé de massifs, d'arbres, de blocs de pierre éboulés. Mais la hantise de tomber la paralysait et l'empêchait d'avancer.

Steve Howard la souleva dans ses bras sans plus de cérémonie et la transporta ainsi le long de l'escalier aux marches inégales jusqu'à un endroit tranquille et abrité, au pied du château. Solides, réconfortants, les murs d'enceinte se dressaient au-dessus d'eux et l'herbe sèche se poudrait d'or aux derniers rayons du soleil.

— Est-ce que l'endroit vous convient ? demanda Steve.

— Oui, dit Amanda, reconnaissante. Je suis navrée de cette faiblesse.

— Cela vous passera.

Il gratta une allumette sur la pierre et alluma une cigarette.

Amanda s'assit, jambes croisées, sur l'herbe chaude et dit d'une voix qu'elle essayait de garder ferme :

— Je ne vous ai pas encore remercié de... de m'avoir sauvé la vie. Cette branche n'aurait pas résisté longtemps.

— Vous n'avez pas à me remercier, dit brièvement Steve. C'est Barton qui vous a tirée de là.

— Glenn ?

— Oui... Glenn.

Steve grimaça légèrement en prononçant le nom.

— C'est lui que vous devez remercier. Il a cru entendre un cri, s'est précipité et vous a vue. J'étais moi-même près du sommet quand il m'a appelé. J'étais à peine arrivé sur les lieux qu'il avait déjà sauté dans le vide, trouvé un point d'appui quelconque et réussi à atteindre le tronc de l'arbre. Il a un sacré courage. Je n'aurais pas osé tenter ce genre d'exploit.

— Et moi qui l'ai laissé partir sans le remercier ! s'écria Amanda, désolée. J'ai cru que c'était vous...

— Hélas ! non, fit Steve d'un ton sarcastique. Je me trouvais simplement parmi les spectateurs présents. Comment cela s'est-il produit ?

— J'ai été poussée, fit Amanda dans un murmure.

— Comment ? Voulez-vous répéter ?

— On... quelqu'un m'a poussée.

Steve resta immobile à la regarder, les lèvres serrées, les yeux étincelants. Il demanda très doucement :

— Qui ?

— Je... je l'ignore, articula Amanda, reprise par sa frayeur. Avec le hurlement du vent je... je n'ai rien entendu. Quelqu'un m'a poussée brusquement et... et je suis tombée...

Sa voix s'éteignit dans un murmure et elle fut secouée d'un tremblement incontrôlable.

— Vous êtes certaine qu'il ne s'agissait pas d'une rafale de vent ?

— Ne soyez pas ridicule ! dit Amanda luttant contre les larmes. C'était une *main*.

— Celle d'un homme ou d'une femme ?

— Je vous répète que je n'en sais rien. Je n'ai vu ni entendu personne.

— Voyons, Amanda, réfléchissez ! Essayez de vous souvenir. Etait-ce une main grande ou petite ? Etait-elle rude, fine, tiède ? Cette robe que vous portez est légère. Vous avez bien dû sentir quelque chose.

— Je vous dis que non ! Voyez-vous, mes cheveux s'étaient défaits et ils couvraient mes épaules.

— Diable ! dit doucement Steve.

Il laissa tomber sa cigarette dans l'herbe et l'écrasa du pied. Puis, il s'assit à côté d'Amanda, les mains autour des genoux, l'œil fixé droit devant lui, sur les murailles massives de l'enceinte. Amanda qui l'observait remarqua que des rides profondes creusaient son front et les coins de sa bouche qu'elles n'avaient jamais vues auparavant. Son regard était vide et absent.

Après un moment, il dit d'un ton bref, sans tourner la tête :

— Pourquoi n'avez-vous pas parlé là-haut, pourquoi n'avoir pas dit qu'on vous avait poussée ?

— J'allais parler quand...

Sa voix s'éteignit dans sa gorge et elle avala nerveusement sa salive.

— Continuez.

— Quand j'ai compris brusquement qu'il pouvait s'agir d'une des personnes présentes. De gens que je connais...

Sa voix trembla et elle demanda, affolée :

— Pourquoi ?... Je n'ai rien dit à personne. Pourquoi voudrait-on me tuer alors que tout est fini ?

— Tout n'est pas fini, fit sèchement Steve. Loin de là.

Il posa son menton sur ses genoux et retomba dans le silence, aussi absorbé qu'un moine bouddhiste méditant sur l'infini.

Les ombres s'allongeaient. Bientôt, les murailles tièdes et dorées d'Hilarion prendraient une teinte grise, froide, menaçante. Au-dessus des fortifications, le ciel virait au vert pâle et, au pied du château, la plaine s'emplissait d'une ombre violette.

Avec un soupir, Steve se leva enfin. Il s'étira et aida Amanda à se mettre debout.

— Venez. Il est temps de partir ou nous risquons de nous retrouver enfermés pour la nuit.

Il avança la main et souleva l'une des longues mèches brillantes qui tombaient en désordre jusqu'à la taille de la jeune fille.

— Magnifiques, remarqua-t-il, songeur. Je me demande pourquoi les femmes s'entêtent à couper leurs cheveux. Vous pouvez remercier le Ciel de ne pas avoir céder à cette lubie, Amanda. Une coupe à la Jeanne d'Arc et c'en était fait de vous ! Tressez-les ou attachez-les. Ils me font rêver et le moment est mal choisi pour la rêverie — des rêveries de cet ordre, en tout cas.

Le visage blême d'Amanda s'empourpra. Elle se dégagea brusquement et, les doigts tremblants, tressa rapidement ses cheveux en deux grosses nattes d'écolière.

— Ainsi vous avez l'air d'avoir six ans, à peu près, commenta Steve. Serez-vous capable de faire le reste du chemin sur vos propres pieds ?

— Naturellement, dit Amanda avec dignité. L'escalier m'a fait peur, simplement.

Il tourna les talons sans répondre et la précéda en sifflotant distraitement, les mains enfoncées dans ses poches.

Une seule voiture demeurait garée sur le bas-côté de la route, au pied du château. Les autres avaient dû partir plus d'une demi-heure auparavant.

— Six heures vingt, observa Steve en jetant un coup d'œil à l'horloge du tableau de bord.

Il desserra le frein.

— Vous y serez juste à temps.

— Où cela ?

— J'ai cru comprendre que vous dîniez avec le jeune Gates : cocktail à sept heures. Il en a parlé pendant que nous prenions le thé.

— Oh ! fit Amanda, déconcertée. J'avais oublié. Peut-être pourrait-il dîner avec Persis plutôt qu'avec moi ?

156

— Vous allez renoncer à votre rendez-vous ?

— Oui. Je... je me sens incapable de l'affronter, lui ou les autres, ce soir. Je n'ai qu'une envie : retrouver ma chambre, regarder sous le lit et derrière les meubles, fermer portes et fenêtres et m'enfouir sous les draps. Et c'est exactement ce que je vais faire !

— Excellent programme, approuva Steve. Vous vous sentirez beaucoup mieux demain matin. Voulez-vous que je présente vos excuses à Toby Gates ?

— S'il vous plaît. Dites-lui que je... Non. Ne lui dites rien. Je lui écrirai un mot, si vous voulez bien patienter pendant quelques minutes. Vous pourrez ainsi le lui remettre. Acceptez-vous ?

— Avec plaisir, Amarantha.

La ville de Kyrenia et la côte baignaient encore dans les dernières lueurs du soleil couchant quand la voiture s'engagea sur la route secondaire bordant la villa « Les Lauriers ». Mais l'ombre gagnait rapidement le jardin et la façade de la maison, seule la cime des hauts cyprès était encore touchée d'or.

L'eau qui coulait doucement de la bouche du dauphin de bronze faisait un bruit frais et agréable dans le silence. A présent que le soleil avait déserté le jardin, les roses, le jasmin et la terre exhalaient leurs parfums avec force. Sous les voûtes du vieux mur, derrière la maison, les pigeons roucoulaient et voletaient, s'installant pour la nuit, et le murmure de la ville, assourdi, montait de derrière les arbres et le mur du jardin. Mais la maison elle-même semblait étrangement silencieuse.

Amanda poussa la lourde porte d'entrée et s'arrêta dans le hall obscur et frais, frappée par ce silence.

Miss Moon n'était certainement pas rentrée. La vieille demoiselle était fort bavarde sauf quand elle se reposait, et le bruit de sa voix, le tintement de ses bracelets faisaient presque partie intégrante des « Lauriers ».

— Qu'y a-t-il, Amanda ? demanda Steve en scrutant son visage.

— Rien. Mais tout... tout est si calme. Je pensais que Miss Moon serait peut-être rentrée.

— Vous avez peur ?

— Oui ! dit Amanda avec un frisson. Steve...

Elle se tourna vivement vers lui sans se rendre compte qu'elle usait pour la première fois de ce diminutif familier que Persis et Claire employaient si légèrement.

— Accepteriez-vous... voudriez-vous rester ici jusqu'à son retour ? Je sais que c'est ridicule de ma part mais la maison semble si vide...

— Mais certainement, dit Steve comme si la requête de la jeune fille était la chose la plus naturelle du monde — son ton calme était étrangement rassurant. Désirez-vous que j'aille jeter un coup d'œil sous votre lit ? suggéra-t-il, une lueur d'ironie dans le regard.

— Vous me jugez bien sotte, n'est-ce pas ? demanda-t-elle brusquement.

Steve lui sourit :

— Non, ma chère. En fait, pour une jeune fille qui vient d'échapper d'un cheveu à une fin particulièrement déplaisante, j'estime que vous vous comportez comme un vrai petit soldat et je suis fier de vous, Amarantha. Savez-vous que neuf cent quatre-vingt-dix-neuf femmes sur mille auraient piqué une crise d'hystérie avec sanglots, hurlements et crise cardiaque avant de se précipiter vers le téléphone le plus proche pour retenir une place sur le prochain bateau en partance pour la baie de Baffin ou le nord de Bornéo ?

Amanda eut un petit rire tremblé.

— C'est exactement ce que j'avais envie de faire, confessa-t-elle. En fait, je n'attendais qu'un encouragement.

— Je sais, dit Steve, avec un large sourire. C'est pourquoi vous n'en avez reçu aucun de ma part. Je me suis abstenu.

— Vous vous êtes montré particulièrement odieux, dit-elle d'un ton accusateur.

— La situation, observa Steve, caustique, était déjà suffisamment déplaisante sans y ajouter encore l'hystérie et les larmes. Y aurait-il un cabinet de toilette dans cette maison ?

— Oui, naturellement. La première porte à votre gauche, au bout du couloir.

— Merci.

Il s'éloigna et Amanda, se rappelant sa décision d'écrire un mot à Toby Gates, traversa le hall et pénétra dans le salon.

Les derniers rayons du soleil venaient à peine de quitter la pièce et pourtant, à part celles des portes-fenêtres donnant sur la véranda, les persiennes de bois vertes étaient restées fermées et il faisait très chaud dans le salon obscur et confiné. Amanda les ouvrit pour laisser pénétrer les dernières lueurs du jour, s'installa devant le petit secrétaire incrusté de bronze de Miss Moon et prit une plume et du papier.

Elle se mit à écrire, consciente de l'étrange résonance que prenait, dans la pièce tranquille, le grattement de sa plume sur le papier. Elle avait à peine écrit deux lignes qu'elle s'arrêta pourtant et, comme elle l'avait fait quelques instants plus tôt dans le hall, épia le silence.

Nul souffle de vent ne venait troubler la paix du soir, nul bruit ne résonnait dans la maison obscure. Pourtant, elle n'était pas seule dans la pièce. Ce n'était pas une impression mais une certitude. Quelqu'un se trouvait là, dans ce salon, quelqu'un qui se cachait...

Amanda demeura immobile, sentant son sang se glacer lentement dans ses veines. Elle n'osait faire un mouvement et respirait avec précaution. Elle savait qu'elle aurait dû se retourner, qu'elle serait sans doute plus en sécurité le dos contre le mur, mais elle était incapable de bouger. Il fallait crier, appeler Steve Howard...

Steve ! C'était lui, bien sûr, qui était revenu dans le hall sans qu'elle l'entendît. Elle se retourna brusquement avec un soupir de soulagement. Mais la pièce était vide. Les meubles magnifiques et poussiéreux semblaient l'observer, immobiles, avec cette curieuse attention de certains objets familiers.

La porte du salon s'ouvrait, béante, sur le hall obscur et silencieux et Steve Howard demeurait invisible.

« Mon imagination me joue des tours, songea Amanda — mon imagination et le silence de cette maison déserte. » Il n'y avait personne d'autre que Steve et elle dans la villa « Les Lauriers », personne, à part elle, dans le salon. Elle se força à se retourner vers le bureau, à reprendre sa plume. Mais elle ne put se forcer à écrire et resta assise, immobile, à écouter...

Les roses, les jasmins, les violettes emplissaient la pièce de leur parfum doux, entêtant. Etrange qu'elle n'eût pas remarqué jusque-là la présence de violettes dans le jardin! Elle reposa sa plume très doucement. Une force étrange la poussait à ne faire aucun bruit qui pût rompre ce silence attentif. Quelqu'un se trouvait dans la pièce, elle en était certaine.

Elle se leva vivement et se retourna, les mains agrippant le dossier sculpté de la chaise, luttant contre la vague de panique qui l'envahissait. Les yeux agrandis par la peur, elle scrutait la pièce obscure mais, à l'exception du sofa à haut dossier qui la séparait des portes-fenêtres, les meubles étaient trop délicats et leur disposition inadéquate pour servir de cachette. Les vitrines en marqueterie de Boulle placées dans les coins du salon offraient un entassement de trésors, taches de couleurs pures luisant doucement dans la pénombre. Les dernières lueurs du jour s'accrochaient aux jades et aux ivoires ciselés, aux tabatières d'émail, aux flacons de quartz rose, de chrysoprase, de lapis-lazuli et aux minuscules diamants du monogramme d'une impératrice assassinée incrustés sur un fabuleux œuf en cristal de Fabergé.

Impossible de se cacher derrière les plis raides et immobiles des rideaux de brocart fané. Le miroir au lourd cadre sculpté accroché au-dessus du secrétaire reflétait un autre miroir, identique, sur le mur opposé où Amanda voyait son image répétée à l'infini : une longue file de frêles jeunes filles effrayées debout dans l'enfilade obscure du tain argenté.

Il reflétait aussi une autre image, invisible à l'œil d'Amanda de l'endroit où elle se trouvait mais non à celui du disque luisant : une main...

Un corps gisait sur le sol, face aux portes-fenêtres, dissimulé par le sofa.

Amanda se figea, immobile, ses yeux élargis par la peur fixés sur le reflet de cette main aux doigts recroquevillés comme des serres sur le tapis fané ; attendant qu'elle bouge, qu'elle se fonde à nouveau dans l'ombre. En vain.

Plus forte que sa frayeur, une idée s'imposa à elle, la tira de sa léthargie : c'était Miss Moon! Elle franchit d'un bond l'étroit espace qui séparait le secrétaire du sofa, le contourna, regarda...

Ce n'était pas Miss Moon. Le corps étendu, le visage contre

le sol, était celui d'une femme vêtue d'une robe de coton bleu imprimé de petites roses, une écharpe de crêpe de Chine vert émeraude nouée autour du cou.

Amanda s'agenouilla, prit la main abandonnée. Elle était souple et tiède. Un immense soulagement envahit la jeune fille. Qu'elle s'était montrée sotte ! Il s'agissait sans doute d'une visiteuse qui attendait Miss Moon et s'était évanouie. Elle tira à elle le corps étendu, le retourna.

Rien ne permettait d'identifier ce visage gonflé, affreusement décoloré, aux yeux fixes et exorbités, à la langue pendante. Rien si ce n'est un collier et des boucles d'oreilles en plastique aux couleurs criardes et un parfum bon marché à la violette.

Amanda laissa retomber le corps lourd et sans vie et, se redressant d'un bond, recula, les mains pressées sur sa gorge.

Des pas traversèrent tranquillement le hall et Steve apparut sur le seuil du salon...

Il traversa la pièce en trois enjambées et saisit la jeune fille par les épaules si brutalement qu'il lui fit mal.

— Qu'y a-t-il ?

Incapable d'articuler un mot, elle tourna la tête et les yeux de Steve suivirent la direction de son regard.

Ses doigts étreignirent si fort ses épaules qu'Amanda serra les lèvres pour ne pas crier. Il l'écarta rudement et s'agenouilla près du corps étendu.

Il prit seulement la main, notant, comme l'avait fait Amanda, qu'elle était souple et tiède, puis se contenta d'examiner le corps sans le toucher. Un examen rapide et approfondi.

Il leva la tête et demanda durement :

— L'avez-vous touchée ?

Amanda humecta ses lèvres sèches.

— Je... je l'ai retournée. Je croyais qu'elle était évanouie.

— Vous la connaissez ?

C'était moins une question qu'une affirmation.

— Oui. C'est... c'était la secrétaire de Glenn Barton. Monica Ford. Il... il a dit qu'elle était venue me voir.

— Je m'en souviens. Cela devait être entre quatre heures

161

et quatre heures et demie. Il y a trois heures, dit Steve pensivement.

Amanda frissonna :

— Alors... alors elle m'a vraiment attendue. Son corps est encore tiède. Elle ne peut pas être morte depuis trois heures !

— A mon avis, depuis moins d'une demi-heure.

Il regarda le visage convulsé et dit lentement :

— Barton et vous avez remarqué pendant le pique-nique que la maison serait vide. Quelqu'un qui n'a pas vraiment cru que Miss Ford vous attendrait a peut-être saisi l'occasion pour se glisser ici à la recherche d'un objet — le flacon ou le verre — et a été surpris par elle en sortant.

— Mais je ne les ai pas ! Je ne les ai pas ! s'écria Amanda d'une voix hachée, stridente. Je...

Steve se releva d'un bond et, saisissant ses mains, les serra à lui faire mal.

— Assez, Amanda. Cessez ce genre d'absurdités. Allons, petit soldat, du courage !

Amanda s'étrangla, avala péniblement sa salive. Elle se mordit violemment les lèvres et retrouva peu à peu son souffle.

— Voilà qui est mieux, fit Steve d'un ton approbateur. Y a-t-il un téléphone ici ?

— Au... au bout du couloir de l'entrée.

— Vous avez peur d'y aller toute seule ?

— Non !

Elle arracha ses mains à l'étreinte du jeune homme et redressa fièrement le menton.

— Bravo ! Vous allez composer ce numéro — il le lui donna et lui demanda de le répéter. Dites à la personne qui vous répondra que Steven Howard aimerait voir Mr Jurgan Calder à la villa « Les Lauriers », à Kyrenia, et que la réunion finira tard. Vous avez compris.

— Oui.

— Répétez... très bien. Ne dites rien d'autre. Seulement ces deux phrases et raccrochez. Quand vous aurez terminé, vous irez au Dôme. Vous laisserez un message à Toby Gates pour le prévenir que vous ne pourrez pas dîner avec lui ce soir. Sinon, nous risquons de le voir bientôt arriver ici pour vous chercher. Allez, filez !

Il ne regarda pas Amanda partir et se tourna aussitôt vers le corps hideux recroquevillé sur le sol. Il était agenouillé près de lui quand elle revint, mais il avait allumé deux des lampes du salon et ne leva même pas les yeux pour lui demander si elle avait convenablement exécuté ses ordres. Il était plus de sept heures à présent et Miss Moon n'était toujours pas rentrée. Elle-même et Steve n'étaient là que depuis vingt minutes, songea vaguement Amanda. Comment avaient-ils pu vivre cette expérience affreuse en si peu de temps?

Le soleil était couché, le ciel verdissait dans le crépuscule, clouté des premières étoiles. La maison était à nouveau silencieuse. Et dans ce silence, Amanda perçut un bruit étouffé mais distinct de pas dans la chambre, au-dessus de sa tête.

Steve l'avait entendu également car il tressaillit et releva la tête. Il écouta, aux aguets, les yeux brillants. Le bruit se répéta. Aussitôt, le jeune homme bondit sur ses pieds et s'élança jusqu'à la porte. Il se mouvait, silencieux, précis, avec une agilité qui frappa Amanda.

Il se retourna brusquement et regarda la jeune fille. Son regard se porta ensuite vers les fenêtres ouvertes et le jardin qui s'étendait devant la véranda et elle s'aperçut qu'il tenait un objet dans la main gauche. Un petit pistolet identique à celui qu'elle avait déjà vu dans la cabine de l'*Orantares.*

— Vous feriez mieux de venir avec moi, ordonnna-t-il sèchement sans même se retourner pour s'assurer qu'elle le suivait.

Ils montèrent rapidement l'escalier. Steve ne faisait aucun bruit mais les sandales d'Amanda claquaient sur les marches polies. Elle trébucha et s'agrippa à la rampe.

Le bruit était venu de la chambre de Miss Moon qui se trouvait juste au-dessus du salon. Steve jeta un coup d'œil à Amanda par-dessus son épaule et, la repoussant d'une main contre le mur du palier, tourna la poignée et ouvrit la porte d'un coup de pied.

Un cri aigu de femme retentit, accompagné d'un tintement familier de bracelets et Amanda s'écria avec un sanglot de soulagement : « C'est Miss Moon! » Ecartant Steven Howard, elle se précipita dans la pièce.

Miss Moon se tenait debout près du lit défait, drapée dans

un antique kimono dont le tissu, un coton imprimé de chrysanthèmes et de cigognes, trahissait une origine plus anglaise que nippone. Elle portait ce qui ressemblait à première vue à un chapeau mais qui était, en fait, une poche à glace d'un modèle antédiluvien nouée sur sa tête à la façon d'un bonnet au moyen d'un bas de soie noire. Des mules de chevreau éraflées ainsi qu'un assortiment de bracelets complétaient l'ensemble.

— Qui est cet homme ? demanda Miss Moon d'un air outré… faites-le sortir sur-le-champ, Amanda ! Je n'accepte pas d'étrangers dans ma chambre !

Amanda jeta ses bras autour du cou de la vieille demoiselle et éclata en sanglots. Miss Moon l'enferma dans une étreinte protectrice fleurant la naphtaline, le menthol et l'héliotrope et regarda Steven Howard d'un œil courroucé. Celui-ci la fixa à son tour d'un air songeur. Le pistolet avait disparu et le jeune homme, fort à l'aise, arborait un air tout à fait candide.

— Là, là, ma chère ! dit Miss Moon en tapotant les épaules d'Amanda secouées par les larmes. Ce jeune homme vous aurait-il importunée ? Dans ce cas, je sais comment lui parler. Monsieur, vous devriez avoir honte de vous !

— Je vous prie de m'excuser, dit Mr Howard. J'ignorais que vous vous trouviez chez vous.

— C'est pourtant évident ! rétorqua Miss Moon avec hauteur.

— Depuis combien de temps êtes-vous de retour, Miss Moon ?

— Je ne vois pas en quoi cela vous concerne, jeune homme, mais si cela vous intéresse, je peux vous dire que je ne suis pas sortie.

— Quoi !

Amanda abandonna l'épaule osseuse de Miss Moon et leva vers elle un visage baigné de larmes.

— Mais le bridge…

— J'ai été contrainte de présenter mes excuses, dit Miss Moon. Je suis, hélas, sujette à de graves et soudaines crises de migraine et je me suis trouvée dans l'impossibilité de sortir.

— Mais… mais alors, vous n'avez pas quitté la maison ?

— C'est exact.

164

— Voilà qui est fort intéressant, dit Steve.

Miss Moon se hérissa :

— Intéressant, vraiment ? Et pourquoi donc ?

— Parce que cela signifie, dit doucement Steve, que quelqu'un va éprouver un sacré choc et je vous conseille vivement, Miss Moon, de ne dire à personne que vous n'êtes pas sortie cet après-midi.

— Jeune homme, déclara Miss Moon en se redressant de toute sa taille, je ne vous comprends pas. Il est évident que Lady Cooper-Foot et toutes les personnes présentes à la réunion savent parfaitement que je suis restée chez moi.

— Alors, tant pis ! dit Steve.

Les yeux de Miss Moon allèrent d'Amanda à Steve et son regard, encore embrumé par l'effet de la douleur et des drogues, se fit soudain précis et attentif.

— Dites-moi ce qui est arrivé, ordonna-t-elle d'une voix tranchante. Pourquoi vaudrait-il mieux cacher le fait que je n'ai pas quitté la maison ?

— Parce que, dit doucement Steve, il y a moins d'une heure une femme a été assassinée dans la pièce qui se trouve juste au-dessous de celle-ci par quelqu'un qui avait toutes les raisons de croire que personne ne se trouvait dans la maison.

13

Amanda s'éveilla tard le lendemain matin. Elle resta plusieurs minutes à contempler paresseusement les plis neigeux de la moustiquaire, se demandant pourquoi il faisait si chaud dans la chambre. Elle se sentait encore somnolente, détendue et étrangement engourdie. « Il ne doit guère être plus de six heures, se dit-elle, la pièce est encore sombre. »

Mais l'air était toujours frais et délicieux aux premières heures du matin, et pas étouffant comme à présent. Elle tourna la tête et constata que l'obscurité qui régnait venait du fait que les persiennes, toujours ouvertes la nuit et fermées uniquement dans la journée pour protéger la pièce de la chaleur, étaient closes et verrouillées. Elle les fixa, le sourcil froncé, comprenant aux brillants rais de lumière qui filtraient entre les lattes qu'il était beaucoup plus tard qu'elle ne l'imaginait et troublée par le vague souvenir que c'était elle qui avait insisté pour qu'on ferme ses persiennes.

Elle s'assit brusquement sur son lit, toute trace de somnolence évanouie. Elle se rappelait pourquoi elle avait jugé tellement nécessaire de s'enfermer pour la nuit.

Ecartant la moustiquaire, elle alla ouvrir les persiennes et s'aperçut alors qu'il devait être au moins midi. Au même moment, elle comprit qu'on avait dû lui administrer un puissant somnifère car sa tête était étrangement lourde.

Steve Howard, bien sûr ! Il lui avait fait boire une tasse de café. Un café très noir et très sucré qui lui avait laissé un goût amer dans la bouche. Cela s'était probablement passé tard dans la nuit, après que la police et le médecin furent partis, qu'une ambulance eut emporté le cadavre de Monica Ford vers l'hôpital de Nicosie et que l'interminable interrogatoire eut enfin cessé.

Il y avait eu tant et tant de questions !

L'homme à qui elle avait téléphoné, l'homme au nom étrange, était arrivé alors que Steve et elle étaient encore en train d'expliquer l'horrible événement à Miss Moon. Steve était descendu pour l'accueillir et Amanda, restée avec Miss Moon, n'avait pas assisté à l'entretien. Elle était sortie sur le palier juste comme l'homme s'en allait et avait surpris ses dernières paroles : « Très bien. Nous allons procéder ainsi : vous vous chargez de l'affaire. De mon côté, je rassemble les éléments et... » Il avait entendu les talons d'Amanda claquer dans l'escalier et n'avait pas achevé sa phrase.

« Voici Miss Derington », avait dit Steve. Il avait arrêté là les présentations et Amanda avait serré la main d'un petit homme tranquille, d'aspect effacé et parfaitement ordinaire. « Le genre d'individu, se dit-elle, que l'on peut rencontrer une douzaine de fois sans le remarquer. » Rien, en effet, n'était remarquable chez lui à l'exception peut-être de son regard, aussi froid, calme et pourtant étrangement scrutateur que celui de Steve Howard.

L'instant suivant, il était parti. Ce fut alors seulement que Steve téléphona à la police et au médecin. A leur arrivée, il les avait accompagnés dans le salon et avait fermé la porte. Après ce qui avait semblé des heures à Amanda, ils étaient venus la chercher ainsi que Miss Moon pour les interroger. Deux des policiers étaient anglais; ils appartenaient au C.I.D. * de Nicosie. Le troisième était cypriote et parlait parfaitement l'anglais.

Miss Moon avait peu de chose à raconter. Assaillie par l'une de ces brusques et violentes migraines qui la faisaient souvent souffrir, elle avait téléphoné à Lady Cooper-Foot en la priant de l'excuser et, après avoir tiré les persiennes de sa chambre, s'était mise au lit avec une poche de glace et des calmants. Oui, elle avait entendu un bruit de voix dans le salon pendant l'après-midi. A quelle heure exactement, elle était incapable de le dire. A trois heures et demie, peut-être quatre heures. Elle souffrait énormément et n'avait guère accordé d'attention à la conversation, sinon pour souhaiter

* C.I.D. : Criminal Investigation Division, équivalent de la Brigade Criminelle. (*N.d.T.*)

167

que la personne qui parlait d'une voix hystérique baissât un peu le ton. Oui, c'était la voix d'une femme et qui paraissait bouleversée. Non, elle n'était pas descendue. Elle avait pensé qu'il s'agissait d'Euridice rentrée plus tôt que prévu. Peu de temps après, les calmants avaient agi : elle s'était endormie jusqu'à sept heures et demie et s'éveillait à peine quand Amanda et son compagnon avaient fait irruption dans sa chambre.

« Pourtant, fit observer l'un des policiers, elle avait certainement entendu d'autres bruits, aussi légers fussent-ils. Une femme avait été assassinée... »

« L'étranglement procure une mort silencieuse », cita Steve Howard d'un ton méditatif.

Apparemment, Miss Moon connaissait bien *La Duchesse de Malfi* car, avec un regard nettement approbateur en direction du jeune homme, elle avait acquiescé.

— Exactement ! Et non seulement je n'ai pas entendu d'autres bruits mais je n'ai aucune idée — si la voix de la femme était bien celle de Monica Ford — de la personne à laquelle elle s'adressait.

— C'était Glenn, dit Amanda.

Mr Barton, expliqua-t-elle, avait mentionné avoir rencontré sa secrétaire, ajoutant que Miss Ford désirait la voir — elle, Amanda —, et qu'elle semblait bouleversée.

Les policiers l'avaient ensuite questionnée sur sa première rencontre avec Miss Ford, le jour de son arrivée à Chypre, et lui avaient fait répéter en détail toute leur conversation. Enfin, ils lui avaient demandé de leur rapporter exactement les paroles prononcées par Glenn au sujet de sa secrétaire au cours du pique-nique de l'après-midi. Après quoi, Howard ayant confirmé la déclaration de la jeune fille, ils avaient envoyé chercher Mr Barton.

Glenn était arrivé peu après neuf heures et demie, ayant parcouru le chemin depuis Nicosie à une vitesse nettement supérieure à la limite autorisée. Le visage blême et creusé, il semblait plutôt apathique. Steve lui avait versé une généreuse rasade du cognac de Miss Moon qu'il avait bu avidement.

Il s'était rendu à la villa « Les Lauriers », déclara-t-il, et s'était entretenu avec Miss Ford dans le salon. Il admit que sa secrétaire était bouleversée et en fournit les raisons : elle venait de perdre son unique frère, son seul proche parent.

— Et puis, il y avait autre chose...

Il s'était tu brusquement, le visage sombre.

— Quoi d'autre ?

Le visage fatigué de Glenn s'était creusé davantage et il avait expliqué d'une voix hachée certains détails confiés à Amanda dans cette même pièce, l'après-midi précédent : les allusions d'Anita aux prétendues relations qu'il entretenait avec Miss Ford.

— Tout cela n'est que pure imagination, naturellement, dit-il avec lassitude. Ma femme n'y croit pas. Elle a fait courir ce bruit uniquement pour... enfin, pour semer la zizanie, je suppose. Elles se sont querellées et Miss Ford s'est sans doute montrée grossière vis-à-vis de mon épouse.

— Anita, intervint sèchement Miss Moon, n'ignorait pas que si les gens étaient tout prêts à croire que Monica était tombée amoureuse de son patron, personne, en revanche, ne croirait que lui était tombé amoureux d'elle. Une telle allégation, du point de vue de Monica, ne pouvait donc être que doublement blessante.

— Etait-elle amoureuse de vous ? demanda l'un des policiers.

Le visage hagard de Glenn s'empourpra et il serra les lèvres. Il regarda sans ciller l'homme qui avait posé la question.

— Non, dit-il.

C'était un non net et sans appel.

Mais les policiers n'en avaient pas terminé avec lui. Ils revinrent à la querelle entre sa secrétaire et son épouse et l'interrogèrent à nouveau interminablement sur sa conversation avec Miss Ford à la villa « Les Lauriers » dans l'après-midi. Etait-il certain de l'heure à laquelle elle avait eu lieu ? Pourquoi en était-il aussi sûr ? Avait-il vu le foulard vert ? Pourquoi, ayant entendu du bruit au premier étage, avait-il déclaré à Hilarion que la maison était vide ?

— J'ignorais que Miss Moon s'y trouvait, répondit Glenn accablé. J'ai pensé qu'il s'agissait d'un pigeon ou de la chatte.

Il s'adressa à Miss Moon :

169

— Je suis navré, Mooney. Si j'avais su que vous étiez souffrante, je serais monté vous voir.

— Je ne vous aurais pas laissé entrer, rétorqua, revêche, la vieille demoiselle, et elle partit en direction de la cuisine préparer des sandwiches et du café.

Ils revinrent au pique-nique à Hilarion : combien de personnes étaient présentes lorsque Mr Barton avait parlé de sa secrétaire et mentionné qu'il n'y avait personne à la villa « Les Lauriers » ? A quelle heure avait-il quitté Hilarion et où s'était-il rendu ?

— A Nicosie, répondit Glenn d'un ton las. D'ailleurs, je suis en mesure de le prouver. Les Norman m'ont vu partir. Nous sommes tous partis en même temps — excepté Howard et Miss Derington. Il n'y avait que quatre voitures là-bas. Gates et Mrs Halliday me précédaient et ont tourné à gauche en direction de Kyrenia. J'ai moi-même bifurqué un peu plus loin, sur la droite ; les Norman et le major Blaine qui me suivaient ont dû me voir. Ils descendaient vers Kyrenia eux aussi, naturellement. Je me suis rendu directement au bureau de Nicosie et je puis également le prouver parce que j'ai pris dans ma voiture deux soldats qui faisaient de l'auto-stop sur la route. Vous pourrez vérifier le fait auprès d'eux. Je les ai laissés dans le centre de la ville, juste après six heures. Vous désirez savoir autre chose ?

Il y avait beaucoup d'autres choses qu'ils désiraient savoir. Ils partirent enfin et c'est juste à ce moment que l'un des policiers découvrit la petite fleur de tissu.

Il y avait un gros coffre sculpté dans le hall, noirci par le temps et orné de médaillons d'argent martelé. La petite fleur de tissu était accrochée à un angle du métal, à une hauteur où une robe de femme aurait pu l'effleurer.

Le policier se pencha, la dégagea et la fit tourner pensivement entre ses doigts. Un fil pendait en son centre comme si elle avait été arrachée.

— Mais c'est..., commença Amanda, incrédule, puis elle vit le visage de Glenn Barton et se tut.

Glenn la fixait d'un regard suppliant, désespéré. Amanda détourna vivement les yeux et s'aperçut que Steve les observait.

170

— Ceci vous appartient? demanda le policier.

— Oui, répondit Amanda sans hésiter.

Elle vit Glenn fermer les yeux une seconde et il agrippa le coin du coffre comme pour se soutenir. Elle tendit la main vers la fleur.

Le policier la regarda un long moment d'un air songeur avant de mettre le morceau de tissu dans sa poche.

— Si vous n'y voyez pas d'inconvénient, je vais la conserver pour l'instant. On vous la rendra plus tard, naturellement.

Puis, ils s'en allèrent. Glenn le premier, suivi des trois policiers quelques minutes plus tard. Le médecin était déjà parti dans l'ambulance qui avait emporté le corps de Monica Ford une heure plus tôt.

Miss Moon reprit la direction de la cuisine pour préparer du café frais et Amanda s'apprêta à la suivre. Mais Steve Howard se tenait entre elle et la porte et ne semblait pas décidé à lui céder le passage comme il l'avait fait pour Miss Moon.

— Amanda, dit-il doucement, vous êtes une bien mauvaise menteuse et une sacrée imbécile par-dessus le marché. Qu'est-ce qui vous a pris d'agir de façon aussi stupide?

Amanda ne tenta même pas de feindre l'incompréhension.

— Que pouvais-je faire d'autre? dit-elle d'un air malheureux. Vous n'avez pas vu son visage, il...

— Oh! si, interrompit brutalement Steve, je l'ai vu. Mais ce n'est pas une raison pour prétendre que ce bout de tissu vous appartenait.

— Je ne pouvais agir autrement. Si j'avais dit qu'il n'était pas à moi, ils auraient posé la question à Miss Moon, et comme elle aurait répondu par la négative, ils se seraient mis en quête de sa véritable propriétaire.

— C'est ce qu'ils vont faire, soyez-en sûre, dit Steve d'un air sombre. Et lorsqu'ils l'auront découverte, vous vous retrouverez dans une situation extrêmement déplaisante.

— Pourquoi? demanda-t-elle, sur la défensive.

— On vous accusera de complicité, expliqua-t-il d'un ton sec.

— Je n'y peux rien, dit Amanda. Je... j'ai une dette envers lui.

— Parce qu'il vous a sauvé la vie? demanda Steve, une

171

note de colère dans la voix. Peut-être. Mais il n'avait pas le droit de vous laisser vous compromettre ainsi.

— Vous ne comprenez pas. Il est amoureux d'Anita.

— Et vous, seriez-vous par hasard amoureuse de lui? demanda Steve d'un ton désagréable. Est-ce là la vraie raison de ce geste chevaleresque?

Amanda le gifla.

Elle n'avait ni voulu ni prémédité son geste. C'était une réaction inattendue, instinctive, due à la frayeur, au choc, à la tension nerveuse accumulée au cours des dernières heures et des jours précédents. Cette fois, il n'anticipa pas le coup et ne prit même pas la peine de l'esquiver.

Surprise et consternée, Amanda contemplait la marque rouge laissée par ses doigts sur la joue dure et bronzée de Steven Howard. Ses grands yeux gris, largement ouverts, ressemblaient à ceux d'une enfant.

— Je... je suis désolée, dit-elle d'une voix tremblante. Je ne voulais pas...

— Ne vous excusez pas, fit Steve d'un ton sarcastique. Après tout, c'est moi qui vous avais proposé un second essai. Et la pratique rend maître, dit-on.

— Vous êtes furieux, n'est-ce pas? demanda Amanda d'une toute petite voix.

— Si je le suis, c'est probablement contre moi, dit Steve sèchement.

Miss Moon revint à cet instant chargée d'un pot de café fraîchement préparé qu'ils burent assis autour de la table de la salle à manger. Aucun d'eux, en effet, ne tenait à revenir dans le salon et Amanda s'était refusée tout net à aller au lit.

Elle ne voulait pas non plus du café et demanda une boisson fraîche. Steve, ignorant sa requête, lui versa du café noir auquel il ajouta du sucre et, probablement, une drogue qu'il s'était procurée par l'intermédiaire de Miss Moon ou du médecin. Il lui tendit la tasse sans commentaire. Amanda regarda ses yeux, froids et impassibles, sa bouche sévère, et se sentit trop lasse pour protester. Elle but le liquide brûlant qui lui laissa un goût amer dans la bouche.

Steve s'engagea dans une longue discussion avec Miss Moon. Celle-ci, apparemment, avait entièrement révisé son jugement concernant le jeune homme et l'appelait son « cher petit ». Il n'adressa plus la parole à Amanda. Bientôt, sa voix et son visage se fondirent peu à peu dans un brouillard où seuls se détachaient nettement les cigognes pseudo-japonaises décorant le peignoir de Miss Moon et le cliquetis de ses bracelets.

Amanda sentit ses paupières s'alourdir et bientôt se fermer malgré elle. Elle s'enfonça profondément dans son fauteuil et perçut, faible mais distincte, une voix qui semblait venir de l'extrémité d'un long tunnel : « Je crois, mon cher petit, qu'elle est presque endormie à présent. » Et une autre voix, tout aussi lointaine, répondit : « Ce n'est pas trop tôt. »

Amanda se força à ouvrir les yeux, vit le visage de Steven Howard penché sur le sien, se souvint qu'il était furieux. Mais à quel propos ? Cela avait quelque chose à voir avec Glenn Barton. Steve n'avait pas compris. Elle devait lui expliquer... Elle s'aperçut qu'elle avait du mal à parler et parvint à articuler d'une voix ensommeillée : « Glenn... » Au-dessus d'elle, le visage de Steve prit une expression dure, figée, impénétrable.

De nouveau, ses yeux se fermèrent. Steve la souleva dans ses bras et ils gravirent ainsi un long escalier obscur. Elle enfouit son visage contre l'épaule du jeune homme et s'agrippa à lui, terrifiée, car elle avait de nouveau devant les yeux les marches de pierre à demi écroulées du château d'Hilarion et elle avait peur de tomber.

La porte s'ouvrit en grinçant légèrement sur ses gonds et Amanda, se retournant brusquement, aperçut Miss Moon qui passait une tête prudente par l'entrebâillement.

Miss Moon, toute vêtue de jaune citron, eut un sourire radieux à la vue de la jeune fille et dit d'un ton approbateur.

— Vous voilà réveillée, enfin ! Je suis venue plusieurs fois vous voir mais je ne voulais pas vous déranger. Comment vous sentez-vous, ma chère enfant ?

— Un peu assommée, dit Amanda en s'efforçant de sourire. Est-il très tard ?

— Une heure moins dix, ma chère. On va servir le

173

déjeuner dans un instant. Vous avez faim, je parie. J'espère que vous n'avez pas souffert des effets de mes comprimés. Je les ai toujours jugés d'une efficacité remarquable quoique, je dois l'avouer, je n'en aie jamais pris plus d'un. Mais Mr Howard a estimé préférable, vu les circonstances, de doubler la dose. Quel garçon charmant ! Si prévenant, et si cultivé ! Si peu de gens ont lu *Il Conte de Carmagnola* dans le texte et peuvent en discuter intelligemment ! Mon cher papa aurait eu grand plaisir à bavarder avec lui. Je vais demander à Euridice de vous faire couler un bain.

— Miss Moon, demanda Amanda d'une voix incertaine, je n'ai pas rêvé tout ce qui est arrivé hier, n'est-ce pas ?

— Hélas, non, ma chère. Nous avons eu les policiers ici toute la matinée. Je ne leur ai pas permis de vous déranger : qu'auriez-vous pu leur apprendre de nouveau depuis hier soir ? Plusieurs personnes ont téléphoné pour demander de vos nouvelles. Ce jeune capitaine Gates et une certaine Mrs Halliday — une Américaine, je crois, et une créature fort originale. Glenn est venu également. Il y aura une enquête, naturellement, mais la police a établi les causes de l'horrible fin de cette pauvre Monica Ford.

Amanda s'assit brusquement sur le bord du lit.

— Et... et qui est l'assassin, à son avis ?

— Un voleur, bien sûr, dit Miss Moon.

Elle se tordit nerveusement les mains, faisant tinter ses bracelets.

— Amanda, ma chère, tout cela est de ma faute, je le crains !

— Ma chérie ! s'écria Amanda en se levant et en allant spontanément embrasser son hôtesse. Ne soyez pas sotte ! En quoi est-ce votre faute ?

— Eh bien, voyez-vous, ma chère, cette maison contient un grand nombre d'objets de valeur. Mon cher papa était un grand collectionneur. Evidemment, je n'ai jamais rien mis sous clé et chacun sait que la porte d'entrée n'est pas verrouillée — excepté la nuit, bien sûr. Euridice y tient absolument. Ces objets ont dû tenter quelqu'un, je m'en rends compte à présent. Une personne malhonnête a sans doute appris que la maison serait vide hier après-midi et s'y est introduite avec l'intention de récolter un joli butin. Le voleur ne s'attendait pas à trouver quelqu'un dans le salon et n'a peut-être pas remarqué Monica avant que celle-ci n'ait eu le temps de le voir et, qui sait, de le reconnaître. Selon la police, il a perdu la tête et pris le foulard dans le seul but de l'empêcher d'appeler. Il n'avait pas l'intention de la tuer — ce que j'espère, moi aussi, de tout mon cœur.

— Mais rien ne manquait ?

— Oh ! mais si, ma chère. Plusieurs des bibelots parmi les plus précieux de la collection de mon cher papa ont disparu des vitrines du salon. Mais il y en a tant que je ne m'en suis pas aperçue tout de suite.

Amanda éprouva un brusque et intense sentiment de soulagement.

Pourquoi ? Elle aurait été bien incapable de le dire. Avait-elle pu croire un instant que l'un des membres de leur petit groupe, qu'elle connaissait tous personnellement, avait étranglé de sang-froid cette pauvre et inoffensive Monica Ford ? Certes, non. Et pourtant, elle avait l'impression qu'un poids affreux, oppressant, venait d'être ôté de sa poitrine.

— Voilà qui me servira de leçon, soupira Miss Moon. Je porterai la collection de mon cher papa à la banque. Quel dommage ! Les œuvres d'art sont faites pour être regardées et appréciées, non pour être enfermées dans des coffres. J'entends Euridice, il me semble. Le déjeuner va être prêt et je vous retarde avec mes bavardages.

Elle disparut. Amanda prit un bain et s'habilla rapidement. Elle brossa ses cheveux emmêlés, les roula en chignon et enferma leur masse brillante dans un épais filet de coton blanc ; un style qui avait fait fureur à l'époque où la jeune impératrice Eugénie avait coiffé ainsi ses splendides tresses châtaines. Amanda se refusait à évoquer ces minutes terribles, à Hilarion, où seuls ses cheveux l'avaient empêchée de connaître une mort atroce. Pourtant, elle se refusait d'instinct à les fixer solidement avec des épingles. Elle avait besoin de les sentir libres et flottants autour de sa tête.

Elle se retourna pour s'examiner dans le grand miroir fixé au mur. Le lourd chignon tirait sa tête en arrière, faisait paraître son visage plus petit et plus aigu, allongeant encore son cou mince, délicat comme la tige d'une fleur. Elle avait choisi une robe en coton blanc. Des sandales de toile assorties. Du coton blanc ! Une petite fleur en coton blanc accrochée à un bout de métal du coffre de l'entrée...

Amanda se mordit les lèvres. Elle avait oublié la sinistre petite fleur. Mais était-elle si importante après tout ? A supposer qu'Anita Barton se soit effectivement rendue à la villa « Les Lauriers » à son retour d'Hilarion, à supposer même qu'elle soit dépensière (comme ses toilettes le suggéraient) et peut-être endettée, elle n'en était pas pour autant une voleuse, pas plus que sa haine pour Monica Ford ne faisait d'elle une criminelle. Evoquant le visage paisible d'Anita Barton endormie, Amanda se sentit brusquement rassurée.

La police et Miss Moon avaient raison. Un cambrioleur avait été surpris par Monica Ford en train de dérober les bibelots de cristal et de jade exposés dans les vitrines. Il avait perdu la tête et l'avait tuée.

Amanda appliqua son rouge à lèvres d'une main décidée, fit une grimace au visage qui la contemplait dans la glace et descendit en hâte l'escalier pour rejoindre Miss Moon.

Dans la salle à manger flottait une délicieuse odeur de fleurs, de fruits et de raviolis, spécialité d'Euridice. Le soleil brillait dans le jardin où roucoulaient et voletaient les pigeons et l'on entendait Andréas couper du bois. Euridice était plongée dans une conversation animée avec une amie, dans la cuisine, et Miss Moon se montrait plus bavarde que jamais.

— Non, dit-elle en refusant du geste l'infusion d'orge que lui tendait Amanda. Je ne bois jamais pendant les repas, ma chère. Cela dilue les sucs gastriques et c'est mauvais pour la digestion. Je bois mon eau *entre* les repas. Quoique j'oublie souvent de le faire, naturellement, et l'infusion est perdue. Elle se conserve mal par cette chaleur. Prenez donc un peu de melon, ma chère...

Tout redevenait soudain sûr, normal, familier. La maison ne semblait plus retenir son souffle mais s'épanouissait délicieusement sous les chauds rayons du soleil. Les couleurs revinrent aux joues d'Amanda, ses yeux brillèrent à nouveau ; avec le ressort et l'optimisme de la jeunesse, elle repoussa les mauvais souvenirs des jours précédents et retrouva courage et bonne humeur à la vue de la belle journée qui s'annonçait. Elle oublierait les événements horribles qui s'étaient produits depuis son voyage. Elle s'efforcerait de les chasser de son esprit. Elle était à Kyrenia — dans l'île de Chypre — et le soleil brillait. Elle irait se baigner avec Toby, plaisanterait avec Persis, achèterait des tissus brodés dans les boutiques de la ville et prendrait des photographies du port comme des milliers de touristes insouciants l'avaient fait avant elle.

Ces bonnes dispositions durèrent jusqu'à la fin du déjeuner et ce fut Miss Moon qui les anéantit.

Amanda était en train d'admirer le plateau de fruits en verre de Venise lorsqu'elle se souvint brusquement des bibelots volés.

— Dire que je ne vous ai même pas demandé de m'en parler, fit-elle avec remords. C'est vraiment mal de ma part. Vous y étiez très attachée ?

— Oh ! mais je ne les ai pas perdus, dit tranquillement Miss Moon. Ils ont tous été retrouvés, vous savez...

— Retrouvés ? Mais où cela ? Alors, on a arrêté le cambrioleur ?

— Non, ma chère. C'est Euridice qui les a découverts ce matin. Ou plutôt Katina, sa chatte. Je n'aime guère cet animal, d'ailleurs. Elle jouait avec un objet brillant dans l'allée qu'elle faisait rouler entre ses pattes. Euridice est allée le ramasser. C'était cet œuf en cristal. L'œuf de Fabergé, vous savez. Et tous les bibelots étaient là, dans les hautes herbes, près de l'allée. Le voleur a dû se rendre compte que, s'il était découvert en possession de ces objets, il risquait une condamnation pour meurtre et il s'en est débarrassé.

— Le... l'œuf de Fabergé ? fit Amanda dans un souffle.

— Oui, ma chère, une pièce ravissante. Il en a fabriqué beaucoup de ce genre. Pour cette malheureuse tsarine, vous savez. Celui-ci est particulièrement beau et, naturellement, la présence des diamants ajoute à sa valeur. Il y a un petit oiseau en pierre précieuse qui chante à l'intérieur. Personnellement, je ne l'aime pas beaucoup. Son histoire est tragique et l'on se demande, après cette révolution sanglante, si l'on peut faire confiance aux Russes.

Mais Amanda n'écoutait plus. Elle revoyait le salon tel qu'il était la veille, obscur, silencieux, lorsque, paralysée par la peur et certaine que quelqu'un d'autre se trouvait là, elle avait scruté la pièce avec des yeux terrifiés. Les diamants qui scintillaient dans l'obscurité avaient attiré son regard...

L'œuf de Fabergé se trouvait dans la vitrine de Boulle moins d'une minute avant qu'elle n'ait découvert le cadavre de Monica Ford. Il n'avait donc pas été volé. Quelqu'un l'avait ôté de la vitrine plus tard dans la soirée en même temps que d'autres bibelots similaires, pour faire croire que Monica Ford avait été assassinée par un voleur. Et brusquement, Amanda sut quand l'œuf avait été dérobé et par qui.

Steve Howard lui avait fait quitter la pièce pour donner un coup de téléphone, mission dont il aurait pu s'acquitter plus rapidement lui-même. Il avait ainsi poursuivi un double but car il s'était débarrassé d'elle pendant au moins dix minutes et c'est alors qu'il avait dû ouvrir la vitrine.

Amanda pouvait l'imaginer, se mouvant sans bruit, avec cette agilité féline qui l'avait frappée ; prenant l'un après l'autre les bibelots luisants à l'aide de son mouchoir pour ne laisser aucune empreinte, exactement comme il avait soulevé le flacon portant l'étiquette rouge : POISON, dans la cabine de l'*Orantares*.

« Très bien. Nous procéderons ainsi. C'est à vous de jouer », avait dit le petit homme mince à l'aspect si ordinaire et au nom étrange. La demi-douzaine de bibelots provenant de la vitrine de Miss Moon devait certainement se trouver en sa possession quand il avait prononcé ces paroles. Après avoir serré la main d'Amanda, il avait disparu dans la nuit et laissé tomber les fausses preuves dans les hautes herbes qui bordaient le sentier dallé.

Il accréditait ainsi la théorie que le meurtre de Monica Ford était l'œuvre du hasard et non le fruit d'un plan secret et mortel, mûri à Fayid, qui impliquait le petit groupe de passagers embarqués pour Chypre à bord de l'*Orantares*... dont l'un d'eux avait prémédité l'assassinat de Julia Blaine.

14

Amanda ne fit rien de ce qu'elle avait projeté pendant le déjeuner. Elle monta en courant dans sa chambre et, après avoir regardé sous le lit, à l'intérieur des placards et derrière chaque meuble, elle ferma sa porte à clé et écrivit trois lettres. L'une à son oncle Oswin, l'autre à sa tante de Fayid et la troisième à la compagnie de navigation. Après quoi, elle se jeta sur le lit et pleura abondamment sans comprendre le moins du monde la raison de cette brusque crise de larmes.

Quoi qu'il en soit, elle se sentit ensuite beaucoup mieux, bien que fort honteuse d'elle-même. Quelques instants plus tard elle entendit l'horloge du hall sonner quatre heures : l'après-midi touchait à sa fin et bientôt Euridice allait servir le thé sur la véranda.

Amanda s'assit et écarta d'une main ses cheveux défaits. Elle alla à la coiffeuse et s'arrêta brusquement, effarée, à la vue de son reflet dans le miroir ovale qui surmontait la table de toilette.

Elle demeura ainsi un long moment à se contempler. Ses cheveux, échappés du filet, tombaient sur ses épaules et jusqu'au milieu de son dos dans un désordre de boucles. Son visage blême était bouffi par les larmes, sa robe blanche défraîchie et froissée.

Une image inquiétante se présenta soudain à son esprit ; celle de Julia Blaine, hystérique, le visage enlaidi et gonflé par les pleurs, dans la cabine de l'*Orantares*. Si elle n'y prenait garde, elle, Amanda Derington, se conduirait bientôt comme Julia Blaine. Déjà, l'expression de son visage sillonné de larmes lui rappelait désagréablement celle de Julia. Elle crut entendre une voix familière et moqueuse lui chuchoter à l'oreille : « Allons, petit soldat, du courage. »

Amanda sursauta et redressa ses épaules voûtées. Les

muscles délicats de sa mâchoire se serrèrent. Une étincelle de défi enflamma soudain ses yeux gris.

Les trois lettres qu'elle venait d'écrire se trouvaient sur la table du secrétaire, près de la fenêtre. Elle les prit, les déchira en menus morceaux et les jeta dans la corbeille à papier. Dix minutes plus tard, la tête haute, un pli volontaire marquant ses lèvres rouges, elle descendit prendre le thé.

Un bruit de voix lui parvint depuis la véranda et elle sentit son cœur se serrer d'inquiétude. La police encore ?

Ce n'était que George Norman.

Mr Norman, une tasse de thé dans une main, une assiette dans l'autre, se leva précipitamment à la vue d'Amanda, laissant aussitôt tomber un morceau de toast beurré sur la natte qui recouvrait le sol.

— Mooney vient de me raconter ce qui est arrivé à la secrétaire de Glenn, dit-il — il se baissa pour ramasser le toast et, ce faisant, renversa une bonne partie de son thé. Quelle mort atroce ! Je ne saurais vous dire à quel point elle nous a tous bouleversés. J'ai pourtant répété cent fois à Miss Moon que laisser ainsi traîner ses bibelots à la vue de tous c'est tenter le diable ! Ils devraient être enfermés à la banque. Horrible histoire, vraiment ! Claire est encore sous le choc. Elle n'a pas réussi à fermer l'œil, la nuit dernière.

— La nuit dernière ? demanda Amanda, stupéfaite et incrédule.

Claire savait donc toujours les mauvaises nouvelles avant tout le monde ? Comment pouvait-elle être au courant de ce qui était arrivé à Monica Ford la nuit précédente ?

— Glenn l'a informée, dit George Norman en étalant du beurre de hareng sur son toast. Il a téléphoné vers dix heures et demie, hier soir. Ce type est vraiment incroyable ! Il voulait que nous allions sur-le-champ parler à Anita. Il n'osait pas s'y rendre lui-même, semble-t-il, car il craignait d'être filé par la police. Quelle idée ridicule ! Il ne voulait pas vous le demander, paraît-il, parce que la police se trouvait chez vous. Nous étions donc les seuls à pouvoir nous charger de la commission ! Glenn est notre ami depuis des années, bien sûr, mais tout de même, il y a des limites ! Il sait parfaitement que Claire et Anita ne se sont jamais entendues, et c'est Anita, en outre, qui a répandu cette scandaleuse rumeur d'une liaison entre Claire et lui. Quelle que soit l'urgence de l'affaire, il ne devrait pas user ainsi de l'amitié qu'on lui porte. Anita ne vaut pas cher, d'ailleurs, et il devrait se féliciter d'en être débarrassé.

— J'avoue que je ne comprends pas Anita, dit Miss Moon. Je ne l'aurais jamais crue capable d'une conduite aussi vulgaire. Cela ne lui ressemble pas du tout. Elle a beaucoup changé, hélas, ces derniers temps.

— L'alcool, fit sobrement George.

— Voyons, mon cher ! protesta Miss Moon d'un air horrifié. Je suis sûre que vous vous trompez. Quoique j'aie entendu certaines rumeurs, récemment...

— Et comment ! Elles sont exactes, je le crains. Elle boit comme un trou. Et voilà une fille qui, autrefois, ne buvait que du jus de fruits !

— Elle a peut-être une raison, dit Miss Moon avec un petit soupir. Je ne peux m'empêcher de penser que, sous ses dehors effrontés, Anita est très malheureuse. Elle espère peut-être que l'alcool lui procurera l'oubli, ou du courage. Le courage puisé dans la dive bouteille, comme disait mon cher papa.

— Elle a mérité ce qui lui arrive, déclara George Norman, péremptoire. Quelle femme impossible !

— Qu'avez-vous fait hier ? demanda brusquement Amanda. Après avoir quitté Hilarion, je veux dire.

— Hier ? Euh... pas grand-chose. Nous sommes allés au club. Un type que je voulais voir... Mais il n'était pas là. Il n'y avait presque personne, d'ailleurs. Lumley est passé, bien qu'il ne soit pas membre. Il était venu montrer quelques toiles à un client. Claire est allée visiter les boutiques et Alastair est parti se promener. Nous nous sommes tous retrouvés au Dôme, vers huit heures, pour l'apéritif. Alastair dînait là-bas, avec Mrs Halliday, et nous a proposé de rester. Ce que nous avons fait. Nous ne sommes pas rentrés à la maison avant dix heures et demie. C'est alors que le téléphone a sonné et que Glenn nous a appris l'horrible nouvelle. Je ne pouvais pas y croire quand Claire me l'a annoncée. J'ai pensé que le pauvre garçon avait définitivement perdu la raison.

Amanda demanda prudemment :

— Et Toby... le capitaine Gates ?

— Oh ! Il était là également. Il a, je crois, déposé Mrs Halliday à l'hôtel et a ensuite rapporté la voiture au type qui la lui avait louée. Il nous a rejoints pour le dîner.

Amanda retomba dans le silence. Ainsi, tous s'étaient séparés. N'importe lequel d'entre eux aurait pu se rendre à la villa « Les Lauriers » et en sortir à l'insu des autres. Tous s'étaient trouvés à cinq minutes de marche de la maison et il existait trois accès distincts au jardin : la grille d'entrée, celle située à l'extrémité du jardin conduisant au garage et enfin, la petite porte de bois, fendillée par le soleil, creusée dans l'ancienne muraille turque longeant le fond du jardin et qui ouvrait sur un petit chemin écarté.

« Je ne veux pas y penser, se dit Amanda. Je ne veux pas... Elle a été assassinée par un cambrioleur qui a pénétré dans la maison par effraction. C'est sûrement cela... Les gens normaux, ordinaires... ceux qu'on connaît... sont incapables de tuer. Et pourtant... ce qui s'est passé à Hilarion... Je ne veux pas y penser », se répétait-elle avec désespoir.

Elle entendit Miss Moon qui disait :

— Oui, beaucoup de gens ont téléphoné pour me témoigner leur sympathie, bien sûr. Et deux amis d'Amanda sont venus prendre de ses nouvelles. Lady Cooper-Foot et Mrs Tenley ont appelé. Chacun comprend quel choc j'ai dû éprouver. Mais je n'ai pas pu tous les recevoir ce matin. La police était ici, vous comprenez. Et après le déjeuner, cette chère Amanda est montée dans sa chambre pour se reposer. J'ai donc demandé à Euridice de dire aux visiteurs que nous ne recevions pas et de décrocher le téléphone. Les gens sont très gentils mais, vu les circonstances...

— Des curieux et des indiscrets ! grogna George, indigné. Toutes ces vieilles commères meurent d'envie d'entendre des détails croustillants sur le crime.

— Certainement pas, mon cher, protesta Miss Moon, choquée. Après tout, vous-même vous trouvez ici et, quoique nous ayons discuté du meurtre, naturellement, je suis certaine que vous n'êtes pas venu pour cette seule raison.

Le teint brique de George Norman vira à l'écarlate et il se hâta de protester :

— Non... bien sûr que non. Je veux dire que Claire m'a dit... enfin...

Il s'empêtra dans un discours incohérent. Miss Moon, le prenant en pitié, lui versa une autre tasse de thé et lui proposa de reculer légèrement son siège pour profiter de l'ombre fournie par le rosier grimpant.

— Je prends toujours le thé sur la véranda, dit-elle. La vue est si belle et complètement dégagée. Je m'assois souvent ici pour admirer le coucher de soleil. Quoique l'orientation ouest ait ses inconvénients. Il y a presque trop de soleil. Le tapis du salon en a beaucoup souffert. Mais, personnellement, j'adore le soleil et j'estime qu'on n'en a jamais trop — excepté, naturellement, aux heures chaudes de la journée. Qu'en dites-vous ?

George Norman soupira et son visage prit une expression songeuse et triste.

— Oui, fit-il enfin. Je suppose que vous avez raison.

— Vous paraissez plutôt sceptique, dit Amanda, désireuse de maintenir la conversation sur un terrain aussi rassurant que les considérations sur le temps. Ne me dites pas que vous préférez la pluie et un ciel gris à ce climat de rêve ?

— Mais si, bien sûr, dit George Norman, surpris. L'Angleterre est mon pays. Les voyages sont très agréables pendant un temps mais on s'en lasse. La chaleur, les odeurs, les jacasseries de ces voix étrangères et ce satané soleil, tout le temps ! Non. Parlez-moi plutôt du Suffolk par temps gris quand le vent balaie les champs labourés, les pinsons et les bruants jaunes dans les haies et...

Il se tut avec un soupir.

— Bah ! Inutile de rêver. Claire n'aime pas le Suffolk. Mais sans Claire...

Il n'acheva pas et resta à contempler son thé qui refroidissait lentement dans sa tasse comme s'il avait oublié Amanda et Miss Moon, son visage rouge et carré soudain sombre et amer.

— Prenez donc un morceau de pain d'épice, mon cher, dit Miss Moon. Je l'ai confectionné moi-même, selon une recette de ma chère grand-mère.

George Norman sursauta, visiblement tiré de ses réflexions et dit précipitamment :

— Non, merci. Je dois rentrer.

Il vida sa tasse d'une seule gorgée, ajoutant qu'il regrettait de s'être ainsi imposé pour le thé.

— Je suis uniquement venu pour...

— Je sais. Pour recueillir des détails croustillants, acheva Miss Moon, taquine. Eh bien, j'espère que vous êtes satisfait. Dites à Claire que je suis navrée d'apprendre qu'elle est aussi bouleversée et que je lui conseille une bonne dose de poudre Gregory. Mon cher papa avait coutume de dire que c'était un excellent remède pour les maux imaginaires. Au revoir, mon cher. C'est si gentil à vous d'être venu.

Miss Moon le regarda tourner les talons et claqua de la langue avec impatience.

— Je suis souvent surprise, dit-elle d'un ton acide, de la faculté d'endurance de certains hommes. Et ce sont les plus gentils qui en supportent le plus. Regardez Glenn! Quant à George, il met ma patience à rude épreuve.

— Et pourquoi donc, Miss Moon? demanda Amanda.

Elle s'intéressait aux Norman. Comme tous les membres du petit groupe qui avaient connu Julia Blaine et pique-niqué à Hilarion, ils suscitaient en elle un mélange de curiosité, de fascination et de crainte vague.

— Parce qu'il a pris l'habitude — Claire y a veillé — de subordonner ses propres goûts, ses désirs et son bien-être à ceux de sa femme. Claire se porte comme un charme et George le sait. Mais il se doit de maintenir la fiction de la maladie de son épouse pour conserver un semblant de dignité. Celui qui paie choisit, comme dit le proverbe. Dans ce cas précis, c'est Claire qui a l'argent et c'est elle qui dicte ses conditions. Cela dit, George est un homme solide et normalement intelligent. Il n'y a aucune raison pour qu'il ne trouve pas un emploi bien rémunéré dans son pays s'il désire vraiment y retourner. Avec ou sans femme!

— Mais il lui est tellement attaché! protesta Amanda.

— Croyez-vous? Vous avez peut-être raison. Mais je me suis souvent demandé ces derniers temps s'il ne serait pas presque soulagé de la voir prendre le même chemin qu'Anita. Pauvre Anita! Je crains qu'elle ne se soit fait une ennemie redoutable en s'attaquant à la femme de George. Elle s'est conduite de manière stupide. Mais Anita a toujours été une créature insouciante et pleine de feu. Il faut toujours qu'elle « fonce sur l'obstacle », selon l'expression favorite de mon cher papa. Et c'est une conduite souvent désastreuse. Claire est beaucoup plus subtile. Oui, Claire est une ennemie redoutable, j'en ai peur.

Miss Moon soupira.

— Vous aimez beaucoup Mrs Barton, n'est-ce pas ? demanda Amanda.

— Eh bien... oui, ma chère. On ne saurait s'empêcher de l'aimer. C'est une telle enfant.

— C'est également ce que dit Glenn, dit lentement Amanda.

— Il a raison. Certains adultes semblent conserver plus longtemps que d'autres les plus charmants traits de l'enfance. Quoique beaucoup, je dois le dire, en gardent les pires pour la vie. Anita Barton appartient à la première catégorie. Un peu trop gâtée, peut-être, mais confiante et honnête — et pas très intelligente. Une femme comme Claire Norman, par exemple, la bat de cent coudées dans ce domaine. Anita et Glenn avaient tout pour être heureux, semblait-il. Anita a toujours été très gaie ; elle aime les sorties, le monde, les jolies toilettes. Et Glenn, le pauvre garçon, travaille tellement ! Peut-être ne s'est-il pas assez occupé d'elle, ce qui expliquerait...

Miss Moon s'interrompit soudain et se tut quelques minutes, les sourcils froncés.

— Qu'y a-t-il ? demanda Amanda, intriguée.

— Eh bien, ma chère, il m'apparaît soudain qu'à force d'entendre répéter une chose, on finit par la croire vraie, même si elle ne l'est pas. Nous avons tous entendu dire si souvent ces derniers temps que Glenn négligeait sa femme. Et pourtant, maintenant que j'y réfléchis, ils semblaient sortir énormément tous les deux. En tout cas, je n'ai jamais entendu dire que Glenn se tenait à l'écart de la vie sociale. Naturellement, il se peut qu'elle l'ait jugé ennuyeux, tout simplement. Comment savoir ?

— Il faudrait qu'elle choisisse, remarqua Amanda. Si —

185

comme elle le prétend — il se conduisait en Don Juan et courtisait une demi douzaine de femmes à la fois, il ne saurait être vraiment ennuyeux. Il doit avoir un certain charme, quelque chose... à commencer par beaucoup de loisirs !

Miss Moon soupira à nouveau.

— Peut-être, en effet. Pourtant, Glenn plaît aux femmes, c'est certain. Moi-même, je l'aime beaucoup. Et Claire également. Elle n'a pas du tout apprécié son mariage avec Anita. Quoi qu'il en soit, Anita a été stupide de se montrer grossière avec elle et j'ai toujours soupçonné Claire — ce n'est guère charitable de ma part, je le crains — d'avoir une certaine responsabilité dans l'échec de ce mariage. Qu'y a-t-il, Euridice ?

Euridice se tenait debout derrière les deux femmes avec l'expression patiente de quelqu'un qui attend depuis cinq bonnes minutes. Elle proféra une brève et incompréhensible remarque et commença à desservir la table. Miss Moon se tourna vers Amanda :

— Une visite pour vous, ma chère. Si c'est ce charmant Mr Howard, priez-le donc de rester dîner avec nous.

Amanda se leva vivement et passa une main dans ses cheveux en un geste instinctif et typiquement féminin.

Miss Moon lui adressa un sourire amical et complice.

— Vous êtes ravissante, ma chère. En fait, tout à fait charmante.

Amanda rougit, éclata de rire et traversa rapidement le salon en direction du hall. Elle s'arrêta brusquement à la vue de la personne qui lui rendait visite avec un vif sentiment de déception qu'elle jugea ridicule.

Ce n'était pas Steve Howard qui attendait son arrivée dans le hall d'entrée de la villa « Les Lauriers » mais — et cela intrigua la jeune fille — Anita Barton. Visiblement, Anita avait peur. Amanda s'en aperçut aussitôt et un frisson glacé lui parcourut l'échine.

Dans la haute pièce obscure, le visage de Mrs Barton ressemblait à un masque de papier blanc qu'un enfant se serait amusé à enluminer de couleurs criardes. Deux taches de rouge sur les pommettes, une bouche peinte en écarlate, des paupières poudrées de bleu aux cils noircis par le mascara donnaient un aspect dur et artificiel à ce visage tiré et blême où étincelaient, pareils à ceux d'un chat terrifié, deux yeux immenses.

Toute trace de joliesse avait disparu de ce visage mais, curieusement, son aspect hagard ne le vieillissait pas et, privé de cet air d'assurance et de défi qui le durcissait, il semblait soudain plus jeune. C'était bien celui de l'enfant effrayée et un peu sotte que décrivaient son mari et Miss Moon.

Amanda sentit son cœur se serrer de pitié et, mue par un instinct de protection, elle s'avança vivement vers la jeune femme, la main tendue :

— Que se passe-t-il ? demanda-t-elle. Vous désiriez me voir ?

— Oui...

Les yeux d'Anita Barton, pareils à ceux d'un animal traqué parcoururent rapidement la grande pièce et l'escalier dont les dernières marches se fondaient dans l'ombre du palier. Elle se mit à pétrir nerveusement le petit mouchoir bordé de dentelle qu'elle tenait à la main, de telle sorte que le fin tissu se déchira soudain avec un léger craquement. Elle sursauta, le laissa tomber sur le sol et dit d'une voix haletante :

— Mais... pas ici. Pourrions-nous aller ailleurs ? Sur la route, par exemple ?

Amanda la regarda, déconcertée, inquiète.

— Très bien, acquiesça-t-elle. Attendez-moi ici un instant. Je vais prévenir Miss Moon.

Elle retourna sur la véranda et informa Miss Moon qu'elle sortait pour une courte promenade. La vieille demoiselle eut l'air intéressé.

— Anita, dites-vous ? J'ignorais que vous la connaissiez. Ce n'est guère la personne avec laquelle il convient de se montrer en ce moment, ma chère. Les gens sont si bavards. Ne croyez-vous pas qu'il serait peut-être plus sage de décliner l'invitation — avec tact, naturellement ?

— C'est impossible, dit Amanda, désolée. Je crois qu'elle a des ennuis. Je n'en aurai pas pour très longtemps, je suppose.

Une fois franchies les grilles de la villa « Les Lauriers », Anita Barton tourna à droite, dans un chemin écarté et, dès qu'elles furent hors de vue de la maison, elle saisit le bras d'Amanda et lui demanda d'une voix dure, hachée :

— Est-il vrai qu'on a trouvé un objet qui m'appartenait dans la maison de Miss Moon, la nuit dernière — une fleur en tissu arrachée à la robe que je portais ?

— Oui, dit simplement Amanda.

Elle vit Anita Barton tressaillir et retenir son souffle. Les doigts de la jeune femme serrèrent nerveusement son bras, si fort que les ongles écarlates et effilés pénétrèrent douloureusement sa chair.

Anita Barton trébucha, faillit tomber mais se redressa aussitôt et s'arrêta à l'ombre d'un tamaris poudreux, près d'un haut mur blanchi à la chaux, à l'entrée de ce qui semblait être un cul-de-sac désert.

— Alors, c'est vrai ? Je ne voulais pas le croire. Je pensais qu'il s'agissait seulement de... d'un de ces méchants racontars dont les gens raffolent. Mais Lumley m'a dit...

Elle n'acheva pas et ses grands yeux pareils à ceux d'un animal traqué scrutèrent le visage d'Amanda avec une intensité désespérée.

— Dites-moi tout, supplia-t-elle. Je *dois* savoir.

Amanda s'exécuta. Elle n'avait pas grand-chose à raconter mais les faits, dans leur atroce nudité, parlaient d'eux-mêmes. Le visage d'Anita Barton sembla se creuser et pâlir davantage à mesure qu'elle écoutait.

Elle dit enfin dans un murmure :

— N'ont-ils pas demandé à qui appartenait cette fleur ?

Amanda hésita et, de nouveau, sentit les ongles pointus de la jeune femme s'enfoncer dans sa chair.

— Répondez-moi !

— Si, dit Amanda d'un air malheureux. J'ai... j'ai dit qu'elle m'appartenait.

— Quoi !

La voix de Mrs Barton s'était faite stridente, soudain. Elle demanda :

— Mais pourquoi ? Pourquoi avoir menti pour moi ?

— Ce n'était pas pour vous, avoua Amanda. Je l'ai fait à cause de votre mari. Voyez-vous...

— Glenn ?

Anita Barton lâcha le bras d'Amanda et recula brusquement d'un pas sans cesser de la fixer. Son regard se fit soudain méprisant, sa bouche se tordit en un rictus moqueur.

— Glenn, répéta-t-elle. Ainsi vous êtes tombée amoureuse de lui, vous aussi, pauvre petite imbécile !

Amanda sursauta et releva le menton. Ses yeux gris brillèrent d'une colère froide et elle lança d'une voix aussi méprisante que celle de Mrs Barton :

— C'est vous, je pense, qui êtes une imbécile si vous croyez vraiment que je m'intéresse tant soit peu à votre mari. Peut-être, d'ailleurs, que personne ne s'est jamais intéressé à lui et que vous êtes pareille à Julia Blaine : une femme qui ne saurait voir une autre femme parler à son époux sans s'imaginer qu'elle est amoureuse de lui. Vous l'aimez, n'est-ce pas ? Vous ne vous conduisez ainsi que parce que vous êtes jalouse. Julia vous ressemblait.

Anita Barton resta silencieuse pendant une longue minute. Le mépris et l'amertume avaient disparu de son visage qui ressemblait à nouveau à celui d'une enfant tremblante et effrayée. Elle porta une main à sa gorge et, d'une voix aussi légère qu'un souffle :

— Oui, Julia me ressemblait. Et Julia est morte. Mais moi, je ne veux pas mourir !

Elle avala péniblement sa salive et ses yeux revinrent se fixer sur Amanda :

— Si Glenn n'est rien pour vous, et moi non plus, pourquoi avez-vous dit à la police que la fleur vous appartenait ?

— Parce que j'ai une dette envers votre mari. Je lui dois la vie.

— La vie ? Que voulez-vous dire ?

Amanda lui raconta ce qui lui était arrivé en omettant seulement de mentionner que sa chute n'avait pas été accidentelle.

— Vous comprenez maintenant, conclut-elle, pourquoi j'estime avoir une dette envers lui.

— Voilà donc pourquoi vous avez prétendu que la fleur vous appartenait !

Soudain, sans que rien ne le fît prévoir, Anita Barton, rejetant la tête en arrière, éclata de rire. Un rire en cascade, hystérique, qui surprit et choqua Amanda. Il cessa aussi brusquement qu'il avait commencé et la jeune femme agrippa à nouveau le bras d'Amanda.

— Ecoutez-moi, je ne suis pas allée chez Miss Moon, hier. Vous entendez ? Je ne me suis pas approchée de la maison.

Elle se mit à claquer des dents comme si elle avait froid et Amanda répliqua aussitôt :

— Dans ce cas, vous pouvez le prouver et...

— Non, justement ! la coupa Anita Barton avec désespoir. Quelqu'un a téléphoné au café, sur le quai, en demandant qu'on transmette un message à Lumley : un touriste lui demandait d'apporter quelques-unes de ses toiles au club. Mais l'homme ne s'est jamais montré. Lumley a attendu et il n'est rentré que très tard dans la soirée. J'étais seule dans l'appartement mais je ne peux pas le prouver. J'aurais pu sortir. Les appartements du dessous sont vides. Ils servent d'entrepôt et il y a deux issues à la maison.

— Peut-être aviez-vous déjà porté cette robe pour aller chez Miss Moon ? suggéra Amanda. Cette fleur aurait pu se trouver là depuis longtemps. Vous savez, Euridice ne me paraît pas une très bonne ménagère et je ne pense pas que quiconque, à part elle, ait eu l'occasion de la remarquer.

— Je n'ai pas mis les pieds aux « Lauriers » depuis cet hiver, dit Anita Barton, et cette fleur n'a pas pu se détacher de ma robe là-bas car je ne l'ai jamais portée pour me rendre chez Miss Moon. Quelqu'un l'a mise là et je sais qui c'est. Je sais aussi comment cette personne a pu se la procurer et pourquoi. Vous avez prétendu que la fleur vous appartenait, ce qui aurait pu ruiner son plan. Mais cela n'arrivera pas, hélas, vous verrez ! La police découvrira bientôt la vérité et les gens sauront...

Sa voix s'éteignit dans un murmure craintif, désespéré. Amanda, soucieuse de la réconforter, posa sa main sur les doigts crispés de la jeune femme qui étreignaient son bras.

— Personne ne saura. Ne craignez rien, Mrs Barton. La police croit que la fleur m'appartient et elle ne s'en inquiétera plus car, d'après Miss Moon, elle pense que c'est un cambrioleur qui a assassiné Miss Ford.

Anita Barton exhala un long soupir tremblant et ses yeux

semblèrent se fixer très loin, au-delà d'Amanda. Elle dit dans un murmure à peine audible :

— Il faudra que je me montre prudente. Très prudente...

Au-dessus des tamaris poudreux, le ciel se teintait d'or. L'allée déserte était plongée dans l'ombre et dans le lointain, bien au-delà de la cime des arbres, Amanda pouvait distinguer l'éminence rocheuse de Saint-Hilarion encore illuminée par le soleil couchant. Quelques minutes encore et le bref crépuscule tropical les envelopperait avant de se fondre dans une autre nuit d'étoiles et de clair de lune. Elle entendit une charrette passer en grinçant au bout de l'allée et, venue de derrière le haut mur de pierre blanchi à la chaux, une voix de femme entama une plaintive ballade turque, plus ancienne sans doute que l'Empire de Byzance.

Les yeux d'Anita Barton revinrent se fixer sur Amanda. Elle poussa un bref soupir et dit :

— Merci de m'avoir aidée. C'était gentil de votre part. Je crois qu'il vaut mieux qu'on ne vous voie pas avec moi. Je partirai par un autre chemin.

— Si je puis quelque chose... pour vous aider, je veux dire, offrit spontanément Amanda. J'aimerais le faire. Vraiment.

Anita Barton grimaça un sourire :

— Merci, dit-elle. Je m'en souviendrai.

Elle tourna les talons et s'éloigna d'un pas rapide. Amanda qui la suivait plus lentement la vit tourner dans l'étroit chemin qui longeait le mur, derrière la villa « Les Lauriers », où les pigeons paradaient en roucoulant sous les voûtes à demi écroulées, aux pierres usées par les siècles.

15

Amanda revint à pas lents vers la villa mais, arrivée devant la grille, elle changea brusquement d'idée. Au lieu d'entrer, elle poursuivit son chemin et descendit vers le centre de la ville.

Elle avait décidé d'aller voir Steve Howard et de lui raconter son étrange et déroutant entretien avec Anita Barton. Steve saurait quoi faire.

Un homme était arrêté au coin de la rue et, en le dépassant, Amanda eut l'étrange impression qu'il l'observait ; non de la manière dont un homme regarde une jolie fille mais comme quelqu'un qui note et enregistre une information.

Elle se retourna aussitôt pour jeter un coup d'œil par-dessus son épaule mais l'homme était appuyé à présent contre le mur, apparemment fort occupé à retirer un caillou de la semelle de sa chaussure. Elle se demanda si son imagination lui jouait des tours ou si la police, peu satisfaite contrairement à ce que croyait Miss Moon de l'hypothèse de l'assassinat de Monica Ford par un cambrioleur, surveillait la villa.

C'était une pensée peu rassurante et pourtant la jeune fille dut s'avouer qu'elle dormirait beaucoup mieux cette nuit-là si elle était certaine que la police gardait l'œil sur la maison.

Arrivée en ville, elle aperçut Claire Norman et Toby Gates, mais ceux-ci ne la virent pas. Ils discutaient avec animation devant la boutique de Karafillides et, comme elle approchait, ils tournèrent les talons et s'éloignèrent ensemble.

Amanda ne rencontra pas d'autres connaissances à l'exception de plusieurs enfants qui lui adressèrent de larges sourires, sans doute les admirateurs de Steve Howard qu'elle avait vus sur la jetée lors de sa première matinée passée à Kyrenia. Frappée d'une inspiration subite, elle ne se rendit pas directement au Dôme mais se dirigea vers le port où les rayons du soleil couchant poudraient d'or les murailles massives du château de Kyrenia et teintaient la longue chaîne de collines de tons roses, cyclamen et lavande striés d'ombres bleu pâle.

Les eaux tranquilles du petit port endormi luisaient comme une large opale à l'abri de la jetée, reflétant toutes les couleurs du crépuscule et la voile brun orangé d'un petit bateau bleu que le propriétaire ramenait à son ancre, de l'autre côté du quai. Le tableau aurait ravi l'œil de l'esthète le plus délicat. On aurait cru un décor de ballet ou d'un opéra de Puccini. Mais personne ne peignait sur la jetée, ce soir-là, et Amanda ne vit nulle trace de Steve Howard.

Elle regarda en direction des grandes maisons aux toits plats qui s'alignaient à l'extrémité du port et dont l'une abritait l'appartement de Lumley Potter. Les fenêtres du studio ouvraient sur un petit balcon et Amanda vit un homme sortir et se pencher à la balustrade de fer pour observer le quai, à ses pieds. Il était trop loin pour qu'elle puisse distinguer les traits de son visage mais, sur le carré d'ombre découpé par la fenêtre ouverte, on distinguait nettement les cheveux blonds du visiteur. Amanda se demanda si l'artiste était en train de convaincre Alastair Blaine — s'il s'agissait bien d'Alastair — d'acheter une nouvelle toile qui servirait de pendant aux *Cypriotes en vert glauque.*

L'homme quitta le balcon et le regard d'Amanda, redescendant jusqu'au quai, parcourut les tables du petit café. Mais Steve ne se trouvait pas parmi les consommateurs et après quelques minutes, elle repartit à pas lents en direction de l'hôtel du Dôme.

La jeune fille qui occupait le comptoir de la réception jeta un coup d'œil au tableau des clés et lui déclara que Mr Howard était sans doute sorti. Il avait laissé sa clé au bureau de la réception et ne l'avait pas réclamée. Si la jeune demoiselle désirait l'attendre...

Amanda hésita, ne sachant si elle devait rester ou laisser un message pour demander à Steve de passer la voir à la villa « Les Lauriers ». Tandis qu'elle s'interrogeait, des talons aiguilles martelèrent le sol derrière elle, elle huma un parfum de « Bois-des-Iles » et la voix de Persis Halliday lança :

— Bonjour ! Vous êtes exactement la personne que je

voulais voir. Amanda chérie, j'ai fait un tour, ce matin, à ce vieux *palazzo* où vous logez et j'ai appelé deux fois cet après-midi. Votre téléphone doit être en dérangement. J'ai appris que vous étiez mêlée à une histoire qui va faire la une des journaux. Allons boire un verre et vous me raconterez tout. Dieu que c'est excitant !

Elle serra le bras d'Amanda dans une étreinte possessive et affectueuse, et l'entraîna dans un coin du vaste salon déjà éclairé dont les fenêtres ouvertes sur les flots paisibles s'illuminaient des derniers rayons du soleil couchant.

Persis, observa Amanda, trahissait quelques signes de fatigue et de nervosité. De petites rides marquaient le coin de ses yeux et de sa bouche qu'Amanda n'avait jamais remarquées auparavant et elle paraissait moins éclatante, moins soignée aussi, qu'à l'ordinaire. Il manquait du vernis à l'un de ses ongles et, pour la première fois depuis qu'elle la connaissait, Amanda nota que ses cheveux brillants avaient perdu leur pli impeccable.

Elle questionna Amanda sur les événements de la veille d'une voix basse, pressante, bien différente de son ton habituel, gai, léger et incisif.

Amanda lui donna un aperçu des faits en évitant de s'attarder sur les détails et Persis, abandonnant enfin son interrogatoire, se laissa aller dans son fauteuil.

Elle s'était présentée à la villa « Les Lauriers » dans la matinée, dit-elle à Amanda, après avoir appris la nouvelle du meurtre par l'un des clients de l'hôtel qu'elle connaissait. Miss Moon l'avait reçue.

— Elle ne m'a pas autorisée à vous voir, expliqua Persis. Vous dormiez, paraît-il. La maison était envahie par des policiers que votre hôtesse cornaquait de main de maître. C'est un sacré personnage ! Glenn était présent également. Et Toby est passé prendre de vos nouvelles. Nous nous sommes tous réfugiés dans le boudoir, au premier étage, et nous avons grillé tranquillement quelques cigarettes pendant que les flics fouinaient dans le salon. Une vraie réunion mondaine !

— Glenn était là ? Mais pourquoi ?

— D'après ce que j'ai compris, on procédait à une sorte de reconstitution du crime, dit Persis en hélant un serveur qu'elle plongea dans une confusion momentanée en exigeant un *rye on the rocks*. Il semblerait que Glenn ait été leur suspect numéro un avant que quelqu'un n'ait découvert une poignée de bibelots précieux sur le sentier du jardin. Prendrez-vous du porto ou du gin, Amanda ? Je vois. Garçon, apportez-lui un jus de tomate.

— Selon vous, la police aurait soupçonné Glenn d'être l'assassin ? Impossible.

— Bien sûr que si. Et pourquoi pas ? Après tout, de son propre aveu, il est le dernier à avoir vu Miss Ford vivante et il semblerait que sa femme ait raconté partout qu'il entretenait une liaison avec la dame en question. Tout le monde était au courant. Même les flics du coin connaissent l'histoire classique de la secrétaire séduite par son patron !

— Connaissiez-vous Monica Ford ? demanda Amanda, exaspérée.

— Non. Mais j'en ai beaucoup entendu parler par ceux qui ont eu ce privilège. D'après ce que j'ai cru comprendre, elle n'aurait pas eu la moindre chance dans le plus miteux concours de beauté d'un trou perdu de Pennsylvanie. C'est bien ça ?

— Exactement. Elle avait trente-cinq ans environ, elle était laide, efficace, courtaude et...

— Vu, mon chou. Mais les flics ont dû lire *Confidences,* j'imagine, car ils tiennent à leur petite théorie. Selon eux, le type s'est lassé de jouer les jolis cœurs au bureau et a tenté de jeter la fille comme une vieille savate. Elle n'a pas voulu se laisser faire, alors il a rappliqué à la villa et il l'a étranglée. Il a abandonné le cadavre dans le salon de Miss Moon, nous a ensuite rejoints à Hilarion où il a froidement partagé notre copieuse collation pour fêter l'événement. Voilà leur théorie et ils ne veulent pas en démordre !

— Mais c'est de la folie ! s'écria Amanda. On venait de la tuer quand je l'ai découverte. Le corps était encore tiède.

— Oui, je sais. Mais ils pensent sans doute que Glenn a fait semblant de tourner en direction de Nicosie ; qu'en fait, il a fait marche arrière, suivi les Norman jusqu'à Kyrenia, s'est glissé en douce chez Miss Moon, a étranglé sa secrétaire, enfourché son coursier — je veux dire sa Studebaker — et hop! en route pour la liberté. C'est possible, après tout.

— Et comment aurait-il su que Monica Ford se trouvait encore dans la maison? fit Amanda avec hauteur. Tout cela me paraît un tissu d'absurdités.

— Eh bien, l'hypothèse clochait en effet avec ce qui s'est passé plus tôt. Le gaillard, semble-t-il, a embarqué deux soldats après ce fameux tournant. Les policiers ont déniché les militaires en question et vérifié leur emploi du temps. Glenn Barton n'aurait pas pu se trouver au même moment à la villa, à moins de jouir du don d'ubiquité. Et puis, il y a eu la découverte de ces bricoles dans le jardin : ils ont estimé qu'il pouvait à la rigueur être un assassin mais sans doute pas un cambrioleur.

— Comment avez-vous appris tout cela? demanda Amanda. Est-ce Miss Moon qui vous a mise au courant?

— Mon Dieu, non! Elle était trop occupée à dire leur fait aux policiers! C'est Glenn qui m'a tout raconté. Je l'ai ramené à l'hôtel, nous avons bu quelques verres et discuté de choses et d'autres. J'aime bien ce garçon. Dommage qu'il soit toujours amoureux de sa femme. Elle me fait l'effet d'être un peu piquée, celle-là. Une femme qui abandonne un brave garçon comme Glenn pour s'enfuir avec un barbouilleur rouquin qui porte des favoris et empeste la térébenthine ne doit pas avoir les yeux en face des trous.

Persis resta quelques minutes à siroter son cocktail et dit enfin d'un air songeur :

— Steve était là également.

— Où cela? demanda vivement Amanda.

— Chez Miss Moon, ce matin. Voilà un garçon qui sait manier les gens, croyez-moi. Il perd son temps comme peintre. Sa vraie carrière se trouve ailleurs. Il pourrait en remontrer à Dulles ou à Eden en matière de diplomatie.

— Que voulez-vous dire?

— Quand j'ai forcé la porte de votre villa, ce matin, la situation était plutôt compliquée, fit Persis en souriant à cette évocation. Glenn prenait fort mal la suggestion que cette Monica ait été sa maîtresse et votre Miss Moon s'adressait au chef des policiers sur un ton qu'une maîtresse d'école aurait pu lui envier. En outre, sa femme de chambre, cuisinière ou je ne sais quoi, était occupée à piquer une crise d'hystérie dans la cuisine. Quant au cireur de bottes, il voulait boxer l'un des policiers qui semblait le soupçonner d'avoir informé un copain à lui que la villa serait vide hier après-midi et qu'il pourrait la visiter tranquillement et emporter quelques babioles. La situation était plutôt tendue et l'O.N.U. y aurait perdu son latin. Là-dessus arrive Steve, telle la colombe apportant le rameau de la paix et, aussitôt, tout le monde se retrouve tranquillement assis en train de siroter du vin et Miss Moon appelle le chef des policiers « mon cher » ! Oui, le spectacle valait vraiment le coup d'œil.

Elle alluma une cigarette à l'aide d'un petit briquet de platine incrusté de diamants et contempla rêveusement Amanda à travers la fumée.

— Vous êtes amoureuse de lui, n'est-ce pas ?

— De Steve Howard ? Ne soyez pas absurde ! Je le connais à peine.

— Vous m'avez presque convaincue, mon chou — presque, mais pas tout à fait. Et il n'est pas nécessaire de connaître un homme pour en tomber amoureuse. En fait, moins on le connaît, plus c'est facile.

Il y avait une note d'amertume dans la voix de Persis.

— Vous a-t-il embrassée ?

Elle vit le visage d'Amanda s'empourprer et reprit sèchement :

— Il vous a embrassée à ce que je vois. Eh ! oui, certaines ont toutes les chances.

— Persis, dit sévèrement Amanda, vous arrive-t-il parfois de songer à autre chose qu'à l'amour.

— Le moins souvent possible, avoua Persis avec une désarmante candeur. J'adore l'amour ! Le romanesque est mon métier — et une affaire qui rapporte, j'ai pu le constater.

— Allez-vous utiliser tout ce qui est arrivé ici dans l'un de vos livres ?

Une ombre passa sur le visage de Persis Halliday, puis elle se mit à rire. Un rire bref et amer.

— Non. Pas tout.

Amanda la fixa, intriguée, et demanda soudain :

— Persis, sommes-nous des êtres réels à vos yeux ou

seulement des personnages qui jouent leur rôle et vous donnent des idées pour vos romans ?

Persis se renversa dans son fauteuil et souffla un nuage de fumée en direction du plafond. Elle dit d'une voix douce, lointaine :

— C'est curieux que vous me posiez la question. J'ai effectivement cette impression, parfois. Comme si je me trouvais derrière une paroi de verre en train de regarder un spectacle de marionnettes en pensant : « Comme c'est intéressant ! » Certains de mes personnages me paraissent quelquefois plus réels que beaucoup de gens que je rencontre parce que je les connais et qu'ils m'appartiennent. C'est... c'est un peu comme si j'étais Dieu, je suppose. Je peux manipuler mes personnages exactement comme je le désire. Les faire tomber amoureux, se marier, se haïr, les faire sauter à travers n'importe quel cerceau. Je peux les supprimer ou les rendre riches et célèbres en deux lignes. Mais — mais dans la vie réelle les gens n'agissent pas toujours comme on le souhaiterait...

Sa voix s'éteignit sur ces derniers mots et elle retomba dans le silence. Abandonnée dans son fauteuil, elle regardait d'un œil absent le ciel qui noircissait derrière la vitre et les premières étoiles, tandis que sa cigarette se consumait lentement entre ses doigts.

Une voix douce et flûtée se fit entendre du côté de la porte et Persis, laissant tomber le mégot de sa cigarette dans son verre, jeta un coup d'œil par-dessus l'épaule d'Amanda.

— Et voilà la petite Claire, remarqua-t-elle. Bonjour, mon chou. Vous avez avec vous toute l'équipe masculine, à ce que je vois.

Claire Norman accompagnée de son époux, d'Alastair Blaine, de Toby Gates et de Lumley Potter traversa la pièce et se laissa tomber dans un fauteuil en annonçant qu'elle était épuisée. Elle parut surprise de la présence d'Amanda et lui murmura quelques délicates paroles de sympathie au sujet de l' « horrible épreuve » qu'elle venait de traverser.

— Nous venons de rendre visite à Miss Moon, ajouta-t-elle. Nous pensions vous voir aussi, naturellement, mais Mooney nous a dit que vous étiez sortie. Elle s'est montrée extrêmement discrète et a refusé de nous dire avec qui. J'ai pensé qu'il s'agissait de Steve. Je n'avais pas songé à Persis. Lumley, vous n'allez pas nous quitter, j'espère ?

— Je crains d'y être obligé, hélas, dit Mr Potter d'un air malheureux. J'ai promis d'être de retour vers six heures. Il est sept heures passées et...

— Pauvre Lumley ! interrompit Claire de sa voix douce et chantante.

Elle posa un instant sa petite main sur le bras du peintre en signe de sympathie et de compréhension. Mr Potter rougit jusqu'aux yeux.

Persis, qui avait observé la scène avec un intérêt extrême, surprit le regard d'Amanda et lui fit un clin d'œil. La jeune fille se mordit les lèvres pour ne pas éclater de rire et se tourna aussitôt vers Toby Gates qui, assis sur le bras de son fauteuil, s'inquiétait aimablement de sa santé.

Mr Potter prit congé, Alastair Blaine commanda une tournée et George Norman invita Amanda à dîner chez eux.

— Je voulais vous inviter plus tôt, dit-il, mais je craignais que vous ne fussiez pas suffisamment remise pour sortir. Je serais charmé que vous acceptiez. Un dîner à la fortune du pot, naturellement. Claire, je viens de prier Miss Derington de se joindre à nous ce soir.

Claire Norman releva délicatement les sourcils et adressa à Amanda un charmant sourire, mais celle-ci eut l'impression très nette qu'elle était mécontente et s'empressa de décliner l'invitation.

— Je suis navrée mais je crains de ne pouvoir accepter. Je ne peux abandonner Miss Moon sans la prévenir. Elle a eu une journée particulièrement éprouvante hier et celle d'aujourd'hui n'a guère été reposante non plus.

— Mais bien sûr, fit Claire avec sympathie. C'est tout à fait compréhensible. Une autre fois, peut-être.

Toby lui demanda à voix basse :

— Pourquoi ne pas m'avoir téléphoné la nuit dernière pour me prévenir ? Vous avez dû passer des moments épouvantables. Je serais accouru aussitôt, vous le savez.

— Merci, Toby, lui dit Amanda avec une gratitude sincère. Mais vous n'auriez rien pu faire pour m'aider.

— Je suppose qu'Howard était là-bas, dit Toby, une note de rancœur dans la voix.

— Uniquement parce qu'il m'avait ramenée d'Hilarion dans sa voiture. Dites-moi, Toby, est-il vrai que vous soyez tous revenus chez Miss Moon dans la soirée ?

Elle désigna d'un geste bref Claire et le groupe d'hommes qui l'entourait.

— Nous voulions simplement passer prendre de vos nouvelles. Nous nous sommes retrouvés par hasard sur les hauteurs de la ville et, comme « Les Lauriers » n'étaient qu'à cinq minutes à pied, nous avons décidé d'y aller. Quelle maison étonnante, n'est-ce pas ? La vieille demoiselle nous a tout fait visiter. Elle est bourrée de bibelots et de meubles qui feraient le bonheur d'un antiquaire. Savez-vous qu'il y a une esquisse de Constable dans l'une des chambres ? Elle doit valoir un sacré paquet. Pas étonnant qu'un cambrioleur entreprenant ait été tenté. Tout le lot aurait dû être piqué depuis longtemps ! Je crois même que la vieille ne s'en serait pas aperçue !

— ... Toby va nous le dire, coupa la voix de Claire. Toby, très cher, est-il vrai que votre régiment sera ici à l'automne ? Alastair prétexte le secret militaire et ne veut rien nous dire. Comme si cela avait une quelconque importance !

Le major Blaine se mit à rire :

— Je ne fais aucun mystère. Je n'en sais rien, c'est tout. Et je parie que Toby n'est pas au courant non plus. On suppose seulement que la politique de Broadmoor, chargé de la répartition des unités, consiste à décider de leur mutation à la dernière minute et sans le moindre avertissement dans l'espoir — trop fréquemment réalisé, hélas — de semer la confusion, non point tant chez l'ennemi qu'au sein de nos propres troupes. Amanda, à présent que vous en avez fini avec votre jus de tomate, pourquoi ne pas essayer un gin soda ?

Amanda sourit et secoua la tête.

— Non, merci, Alastair. Je crois qu'il est temps que je parte. Je ne veux pas faire attendre Miss Moon.

— Ne dites pas de bêtises. Vous avez largement le temps de boire un autre verre.

— C'est ma tournée, proposa aussitôt Toby.

Il se leva pour sonner le serveur. Alastair Blaine, ayant débarrassé Amanda de son verre, vint prendre la place de Toby sur le bras de son fauteuil et entreprit une conversation à bâtons rompus à laquelle Amanda prêta peu d'attention.

L'œil fixé sur la pendule, elle se demandait si Steven Howard était rentré et s'il dînait lui aussi chez les Norman. Dans ce cas, il serait trop tard pour lui parler d'Anita Barton et il lui faudrait attendre le lendemain.

Elle prit soudain conscience qu'Alastair Blaine avait baissé la voix et la questionnait. Elle sursauta et, cessant de regarder la pendule, se tourna vers lui.

— Je... excusez-moi, Alastair. Que disiez-vous ?

Alastair jeta un rapide coup d'œil en direction du groupe : George expliquait à Persis les subtilités du jeu de cricket et Claire et Toby discutaient d'un ami commun qui habitait Alexandrie. Son regard revint à Amanda et il lui posa une question qu'elle avait déjà entendue ce soir-là :

— Est-il vrai, demanda-t-il à voix basse, qu'un morceau de la robe d'Anita Barton a été découvert la nuit dernière par la police ?

— Qui vous a raconté cela ? demanda Amanda, stupéfaite. Miss Moon ?

Alastair secoua la tête.

— Non. C'est Claire qui me l'a dit.

— Claire ? répéta la jeune fille, surprise. Comment était-elle au courant ?

— Par Barton, semble-t-il. Il a téléphoné, affolé, la nuit dernière. Il voulait que Claire aille voir sa femme ou Lumley pour leur dire de brûler la robe ou de l'enterrer ; bref, de s'en débarrasser d'une manière ou d'une autre. Il n'osait pas y aller lui-même car il craignait d'être filé par la police. A mon avis, il devait être un peu excité pour suggérer une telle démarche car Claire ne porte pas exactement Mrs Barton dans son cœur. Mais enfin, George et elle ont toujours été d'excellents amis de Glenn et il a estimé sans doute que, vu les circonstances, elle consentirait à l'aider lui, sinon Anita.

— Et elle a accepté ?

— Non, dit lentement Alastair Blaine dont le visage s'assombrit.

201

— Il semblerait qu'elle ait pris soin d'informer bon nombre de gens de cette histoire, fit observer Amanda d'un ton acide. Est-ce pour cette raison que vous vous trouviez chez Lumley Potter ?

La stupéfaction se peignit sur le visage d'Alastair Blaine.

— Il m'a semblé vous apercevoir sur le balcon, expliqua la jeune fille.

— Je suis passé au studio, en effet, reconnut le major Blaine d'un air gêné. J'estimais que quelqu'un devait mettre Anita au courant. Mais elle était absente et Lumley m'a dit qu'il l'avait déjà prévenue. J'ignore comment lui-même était renseigné. Ensuite, nous avons rencontré les Norman et Toby en ville et nous sommes montés vous voir. Je crois que Claire désirait s'informer auprès de Miss Moon de l'exactitude de l'information. Mais votre hôtesse est une vieille originale et elle n'a rien voulu nous dire. Est-ce vrai, Amanda ?

La jeune fille hésita mais, avant qu'elle ait eu le temps de répondre, Claire, levant la tête, appela de sa voix douce et flûtée :

— Steve ! Mais quelle élégance ! Est-ce en l'honneur du dîner de ce soir ?

Amanda se retourna vivement, sentant curieusement le souffle lui manquer.

Selon toute probabilité, Mr Howard ne venait pas de s'adonner à son art favori. Pour une fois, ses cheveux étaient parfaitement disciplinés et, au lieu de sa tenue de sport habituelle, il portait un costume finement quadrillé. Il avait, il est vrai, ôté sa veste qu'il portait sur l'épaule, mais sa chemise de soie était impeccable et il arborait une cravate aux couleurs d'une célèbre université.

— Non, répondit-il en adressant à Claire un sourire nonchalant. Seuls l'habit et la cravate noire m'auraient rendu digne d'un tel honneur mais j'ai oublié de les emporter dans mes bagages. Alors, j'ai enfilé ce costume. Et il me tient sacrément chaud, je dois dire.

— Où étiez-vous, Steve ? demanda Persis.

— A Troodos, répondit-il sans autre commentaire.

— A Troodos ! s'écria Claire, étonnée. Vous voulez dire

que vous avez fait tout ce chemin, aller et retour, dans l'après-midi ? Mais pour quelle raison ?

— Oh ! simplement pour voir un homme au sujet d'un chien, fit Steve aimablement.

Il tira une chaise et s'assit, ses longues jambes étendues devant lui, les mains profondément enfoncées dans ses poches.

Claire lui adressa un sourire malicieux :

— Je n'en crois rien ! dit-elle. Qui est-elle, Steve ? Aucun homme, j'en suis certaine, ne vous aurait contraint à revêtir un costume — excepté, naturellement, le gouverneur de l'île pour une visite de protocole.

Elle éclata de rire comme si elle jugeait une telle supposition ridicule. Steve lui sourit en réponse puis, se tournant vers George Norman, s'informa auprès de lui des facilités de pêche offertes par l'île. George mordit à l'hameçon, aussi prompt qu'une truite de mai, et la question posée par Claire demeura sans réponse.

Persis se leva et déclara :

— Eh bien, je vais prendre un bain. Toby, venez me chercher dans une demi-heure et nous irons à pied jusque chez Claire.

Amanda jeta un bref coup d'œil à la pendule et se leva précipitamment.

— Je crains d'être obligée de partir, moi aussi, dit-elle en s'adressant au petit groupe assemblé. Je ne m'étais pas rendu compte qu'il était si tard.

— Changez d'avis, dit George, et venez dîner chez nous.

Amanda lui sourit en secouant la tête et Steve se leva à son tour.

— Je vous raccompagne, offrit-il, devançant ainsi Toby Gates qui s'apprêtait à faire la même suggestion.

Amanda, croisant le regard amusé et moqueur de Persis Halliday, répondit un peu sèchement :

— Ne vous donnez pas cette peine, je vous en prie. La maison est toute proche, je peux facilement y aller seule.

— J'en suis certain, mais comme j'ai divers messages à transmettre à Miss Moon, autant m'y rendre tout de suite.

— Quels messages ? demanda Amanda. Puis-je m'en charger ?

203

— Ils concernent l'enquête. Elle aura lieu demain matin, à onze heures, à Nicosie, et nous sommes tous convoqués.

Il fit un large sourire à Amanda et suggéra, comme s'il voulait la mettre à l'aise :

— Naturellement, si ma compagnie vous déplaît, je vous laisserai partir la première.

— Ne soyez pas ridicule, dit la jeune fille d'un air digne, et elle marcha vers la porte.

— Le dîner est à huit heures quinze, Steve, lui lança Claire. Ne soyez pas en retard.

— Comptez sur moi.

— Bonne nuit, mon chou ! dit Persis à Amanda. Amusez-vous bien !

Steve et Amanda traversèrent le hall de l'hôtel et sortirent dans la nuit chaude.

Amanda partit d'un pied alerte mais Steve ne manifestant aucune intention de lui emboîter le pas, elle fut contrainte de ralentir sous peine de le voir marcher à quelques mètres derrière elle — « ce qui aurait été le comble du ridicule », se dit-elle.

— Voilà qui est mieux, approuva Steve en passant négligemment un bras sous le sien. J'ai eu une journée fatigante et je ne me sens aucune envie d'entamer un marathon. Pourquoi vouliez-vous me voir ?

Amanda s'arrêta, surprise :

— Comment savez-vous que je...

— Non, je ne suis pas omniscient, hélas, dit Steve d'un ton de regret. L'employée de la réception m'a dit qu'une jeune fille m'avait demandé. La description qu'elle m'a fournie de vous était flatteuse mais relativement fidèle et ma modestie naturelle m'a empêché de croire que vous recherchiez uniquement le plaisir de ma compagnie. Que se passe-t-il ?

Amanda fronça le sourcil, indécise.

— Vous avez changé d'avis ?

— Non, dit-elle d'un air hésitant. Le fait n'a sans doute guère d'importance mais Mrs Barton est venue me voir dans la soirée...

Steve Howard ne modifia pas son allure mais Amanda eut

l'impression que les muscles du bras qui étreignait le sien s'étaient imperceptiblement durcis.

— Vraiment ? Et à quel sujet ?

Amanda le lui expliqua, répétant chaque mot de leur brève conversation de façon aussi précise que possible. Steve ne fit aucun commentaire sinon pour lui demander si elle avait mentionné sa découverte de la fleur de tissu.

— Non, répondit Amanda. C'est Glenn qui en a parlé.

Cette fois, le bras de Steve se raidit violemment et sans doute s'en aperçut-il car, abandonnant celui de la jeune fille, il enfouit les mains dans ses poches.

— Ah ! remarqua-t-il, ironique. Le jeune héros ! Ainsi, il a vendu la mèche. Je me demande bien pourquoi.

Amanda, indignée, s'empressa d'expliquer les motifs de Glenn et Steve dit d'un ton caustique :

— Il semblerait que ce cher Glenn ait l'habitude de laisser ses jeunes amies tirer les marrons du feu à sa place.

— Pourquoi le dénigrer ainsi ? s'emporta Amanda. Tout le monde le juge stupide, je le sais, de ne pas se féliciter d'être débarrassé d'Anita, mais est-ce sa faute s'il l'aime toujours ? On ne peut décider tout simplement de cesser d'aimer quelqu'un. L'amour n'a rien à voir avec la raison ou la logique ou...

Elle se tut soudain et Steve lui jeta un curieux regard de biais :

— Avec quelle chaleur vous le défendez ! Mais vous avez raison : l'amour n'a rien à voir avec la raison, moins encore avec la logique. Tout bien considéré, c'est un mal effroyable, un piège tendu par Dame Nature pour semer l'inquiétude et le désordre, narguer la justice, et qui nous conduira inévitablement à la surpopulation et à la bombe atomique.

Amanda se mit à rire et Steve remarqua d'un ton triste :

— Il n'y a pas de quoi rire, je vous assure. Juste au moment où l'on a le plus besoin de garder la tête froide, voilà que paraît un écœurant bambin nu, doué d'une intelligence à la mesure de son âge et malencontreusement muni d'une arme mortelle, à savoir d'un arc et d'une flèche. Et pan ! Toute la machine se détraque.

— Parlez-vous d'après expérience ? demanda Amanda, intéressée.

Howard soupira :

— Oui, hélas !

Il la regarda et sourit :

— Je vous autorise à penser que le responsable de ma récente animosité envers ce cher Glenn n'est autre que le vieux démon de la jalousie qui me ronge le cœur. Nul ne vole ainsi à ma défense, ni ne compatit à mes malheurs. Et je ne sais pas m'attirer les vivats du public en risquant de me briser le cou pour sauver d'une mort certaine une demoiselle en détresse !

Amanda le regarda, incertaine. Il y avait une lueur ironique dans les yeux du jeune homme et, à n'en pas douter, il ne pensait pas un mot de ce qu'il disait. Ou bien ses paroles exprimaient-elles une part de vérité ?

Ils avaient atteint la route conduisant à la villa « Les Lauriers » et Amanda remarqua à nouveau la présence d'un homme. Debout dans l'ombre du mur, il allumait une cigarette. Ce n'était pas celui qu'elle avait aperçu plus tôt dans la soirée mais il donnait la même impression, indéfinissable, de nonchalance déguisée et attentive.

La lune argentait l'avenue tranquille, bordée d'arbres, mais les pavés qui la composaient étaient noyés dans l'ombre et Amanda éprouva soudain une vive reconnaissance envers Steve Howard qui avait insisté pour l'accompagner. Elle n'aurait pas aimé s'engager seule dans ce dédale obscur.

Steve s'arrêta devant la grille et jeta un coup d'œil au cadran lumineux de sa montre.

— Je vous verrai demain, au tribunal. Ne vous laissez pas troubler ni écarter des points essentiels par les questions qu'on vous posera. Contentez-vous d'y répondre le plus succinctement possible sans vous encombrer de détails inutiles. Soyez brève et précise, et tout ira bien. Bonne nuit.

— Mais je croyais que vous vouliez voir Miss Moon ?

— On a dû déjà la mettre au courant. Vous ne sembliez guère apprécier mon offre de vous accompagner, alors je me suis imposé en invoquant ce prétexte. A bientôt.

Il tourna les talons et Amanda l'appela :

— Steve...

Steve Howard s'arrêta et se retourna lentement vers la jeune fille :

— Oui ?

— C'est bien vous, n'est-ce pas, qui avez pris les objets dans la vitrine ? Les...

Steve s'avança rapidement vers elle et sa main, dure et chaude, vint se plaquer sur sa bouche. Il tourna la tête à droite, puis à gauche, scrutant l'obscurité, et poussa un bref soupir de soulagement. Il retira sa main et demanda d'une voix basse et tendue :

— Pourquoi pensez-vous que c'est moi ?

— A cause de l'œuf de Fabergé, chuchota Amanda. Je l'avais remarqué dans la vitrine, juste avant que... que je ne découvre le cadavre de Monica Ford. Les diamants scintillaient dans l'ombre et...

— Bon sang ! jura doucement Howard.

Il se pencha vers Amanda et, à la clarté de la lune, elle vit qu'une ride inquiète creusait son front.

— En avez-vous parlé à quelqu'un ? demanda-t-il sèchement.

Amanda secoua la tête.

— Alors, ne dites rien ! Ne dites rien à personne — vous m'entendez ?

Sa voix était dure, autoritaire.

— Oui, souffla Amanda.

De nouveau, il tourna la tête pour scruter la nuit puis, avec un haussement d'épaules fataliste, il tourna les talons et s'éloigna rapidement, ses pas résonnant dans le silence bien après que sa haute silhouette se fut évanouie dans l'ombre.

16

— C'est vous, ma chère ? appela Miss Moon, penchée au-dessus de la rampe du grand escalier de l'entrée. Je descends dans un instant. Dites à Euricide de servir le dîner.

Amanda alla à la cuisine s'acquitter de la commission puis monta dans sa chambre pour se recoiffer. Quand elle redescendit, elle trouva Miss Moon qui l'attendait au salon, royale dans une robe de velours jaune, et arborant une magnifique parure de topazes qui aurait beaucoup gagné à être nettoyée.

Amanda, un peu confuse, jeta un coup d'œil à sa propre toilette — une simple robe courte, en coton — et pria Miss Moon de l'excuser de ne s'être point changée.

— Ne dites pas de bêtises, ma chère. Vous êtes tout à fait charmante ainsi et si vous aviez pris le temps de passer une autre robe, la soupe aurait refroidi. Je ne me change moi-même que par habitude. Mon cher papa aurait jugé fort choquant que je ne le fasse pas mais je me dis souvent qu'il est stupide de continuer maintenant qu'il est mort. Pourquoi Anita désirait-elle vous parler ? Quel dommage qu'elle soit arrivé à cette heure-là : Claire et plusieurs de vos amis sont venus peu après. J'ai passé une soirée on ne peut plus mondaine. Tous ont très aimablement demandé de vos nouvelles. Quoique, de la part de Claire, il s'agit moins, je le crains, d'une visite de condoléances que de satisfaire sa curiosité. Mais je suis peut-être méchante. Ce major Blaine est un homme fort tranquille et plein de courtoisie. Sa femme s'est suicidée, m'a-t-on dit. Quelle tragédie ! Il paraît qu'elle... mais vous savez tout cela, naturellement, pauvre chérie. Vous voyagiez sur le même bateau. C'est affreux, vraiment.

— Oui, acquiesça Amanda d'une voix blanche. Elle n'avait aucune envie d'évoquer la mort de Julia Blaine et espérait que Miss Moon abandonnerait le sujet. Heureusement, la vieille demoiselle était beaucoup plus intéressée par le fait que Lumley Potter ait eu l'audace d'accompagner Claire et ses amis à la villa « Les Lauriers ».

— Quelle effronterie, ma chère ! J'ai toujours jugé cet homme extrêmement ennuyeux. Et ses fameuses « essences spirituelles » ! Peindre notre port enchanteur en utilisant ce mélange de noir et de marron sale — sans parler de ce détestable bleu de Prusse qu'il affectionne — prouve déjà son manque d'honnêteté. Quant à sa présence dans ma maison, alors qu'il sait fort bien l'affection que je porte à Glenn — sans parler d'Anita —, elle est parfaitement injustifiable. Je ne pouvais pas le jeter dehors, évidemment ; surtout que Claire l'avait emmené. Mais je lui ai fait clairement comprendre que je considérais sa visite comme une intrusion inqualifiable. Je dois dire qu'il avait l'air extrêmement mal à l'aise, ajouta Miss Moon avec satisfaction.

Amanda, se souvenant soudain de l'allusion d'Anita Barton aux relations de Claire et de Lumley Potter, demanda brusquement :

— Croyez-vous qu'il ait l'intention d'épouser Mrs Barton ?

— D'épouser Anita ? répéta Miss Moon comme si l'idée ne l'avait jamais effleurée. Je suis bien certaine que non.

— Alors, pourquoi s'être enfui avec elle, à votre avis ?

— Je ne pense pas que ce soit le cas — quoique je puisse me tromper, bien sûr. C'est Anita qui est partie avec lui. Dans le but de créer un scandale et pour obliger Glenn à divorcer. Il semble qu'elle soit bien décidée, pour des raisons personnelles, à reprendre sa liberté ; mais pas pour épouser Lumley Potter, j'en suis convaincue. Anita, je crois vous l'avoir dit, a un côté curieusement enfantin. Quand elle veut quelque chose, elle le veut tout de suite et à tout prix. Et vous seriez surprise, ma chère, du nombre de bêtises et d'enfantillages dont les gens sont capables lorsqu'ils se laissent emporter par leurs sentiments et leurs émotions : des actes qu'ils ne songeraient jamais à accomplir s'ils se donnaient le temps de la réflexion.

— Je sais, dit tristement Amanda. Je ne vaux guère mieux moi-même. J'ai perdu mon sang-froid hier et j'ai giflé quelqu'un. Je ne me serais jamais crue capable d'un tel geste.

— Mr Howard, dit tranquillement Miss Moon. Vous lui avez laissé une jolie marque, n'est-ce pas ? Vous piquez ma curiosité, je l'avoue. C'est un si charmant garçon. Qu'a-t-il fait pour vous provoquer de la sorte ?

Amanda se mit à rire puis se rembrunit soudain :

— Il m'a demandé si j'étais tombée amoureuse de Glenn Barton.

— Quelle question absurde ! s'écria Miss Moon. Mais les messieurs se montrent souvent peu clairvoyants, ma chère. Même les plus intelligents. Et lorsqu'ils sont jaloux, ils se comportent parfois avec une étonnante stupidité. Voyez Lumley Potter qui a toujours été amoureux de Claire. Non que je le considère comme intelligent ; bien au contraire ! Mr Howard a cru, j'imagine, que vous aviez menti au sujet de cette fleur uniquement pour faire plaisir à Glenn.

— Rien ne vous échappe, n'est-ce pas, Miss Moon ?

— Je n'aurais pas cette prétention, ma chère. J'espère seulement ne pas être une trop mauvaise observatrice.

— Comment saviez-vous que cette fleur était à Mrs Barton ? demanda Amanda avec curiosité. L'avez-vous vue dans cette robe ?

— Non, dit Miss Moon, je ne crois pas. Mais j'ai compris que Glenn et vous l'aviez reconnue et, quand j'ai observé la façon dont il vous regardait, j'ai su aussitôt qu'il devait s'agir d'un objet appartenant à Anita. Vous l'avez vue porter cette toilette, je suppose.

Miss Moon choisit une pêche tandis qu'Amanda se demandait combien d'autres détails Miss Moon avait remarqués et qu'elle gardait pour elle.

— Claire était au courant de l'histoire, elle aussi, reprit Miss Moon. Elle a essayé de me tirer les vers du nez mais je l'ai vite arrêtée. J'imagine que Glenn, le pauvre garçon, a dû lui demander de prévenir Anita. Il devrait pourtant mieux connaître Claire. Mais, comme je l'ai déjà dit, les messieurs manquent singulièrement de clairvoyance dans ce domaine et Glenn ne m'a jamais semblé un bon juge de l'âme féminine ou il aurait percé Claire à jour depuis des années. Allons prendre le café au salon.

Elle se leva dans un tintement de bracelets et de bijoux et, tandis qu'on servait le café, informa Amanda qu'un officier de police s'était présenté quelques heures plus tôt pour leur demander à toutes deux d'assister à l'enquête sur le meurtre de Monica Ford qui s'ouvrirait le lendemain matin.

— Une simple formalité, ma chère, commenta Miss Moon. Vous n'avez pas à vous inquiéter. J'ai cru comprendre que tous ceux qui se trouvaient à Hilarion cet après-midi-là ont reçu la même convocation. Je me demande pourquoi. Sans doute pour confronter leurs témoignages sur leurs heures d'arrivée et de départ. La police a même convoqué Lumley et Anita. C'est tout à fait inutile, à mon avis. Et si pénible pour ce pauvre Glenn.

Miss Moon orienta la conversation sur des sujets plus généraux et, peu après neuf heures, exprima son intention de se retirer.

— Je crois qu'une bonne nuit de sommeil nous fera du bien à toutes deux, ma chère.

Amanda ne se sentait aucune envie de dormir mais n'avait pas l'intention de rester seule dans le salon peuplé d'ombres, face aux deux miroirs ovales où s'était reflétée la main raidie de Monica Ford.

Euridice était déjà partie se coucher, Andréas ne logeait pas dans la maison. Miss Moon, après avoir éteint les lumières, ferma et verrouilla les portes-fenêtres et passa dans le salon pour prendre une carafe d'infusion d'orge déposée sur le buffet. La queue de sa robe de velours jaune traînait majestueusement derrière elle en soulevant un léger nuage de poussière.

— J'emporte souvent une carafe d'infusion d'orge dans ma chambre pendant la saison chaude, expliqua Miss Moon. Puis-je vous offrir une boisson quelconque, ma chère ? Non ? Alors, éteignons les lumières.

Amanda la déchargea de la carafe et la porta jusqu'à sa chambre.

— Merci, ma chère, dit la vieille demoiselle. Posez-la sur la table de nuit.

Amanda obéit et, se retournant, regarda autour d'elle. Elle

ne s'était jamais trouvée dans la chambre de Miss Moon auparavant excepté pendant quelques minutes, la veille au soir, où, affolée, elle n'avait pas songé à examiner le décor. La chambre de Miss Moon, un superbe mélange de baroque français et d'acajou victorien, en valait pourtant la peine. La coiffeuse massive ainsi que les armoires appartenaient à cette dernière époque ; quant au lit, un monument à baldaquin, immense et doré, il n'aurait pas déparé la chambre de la Pompadour à l'apogée de sa gloire.

De chaque côté du lit, une console à dessus de marbre supportait un assortiment de livres, flacons et bibelots divers et, sur l'une d'elles se trouvait un chandelier en argent massif transformé en lampe de chevet. Amanda pressa la poire électrique et une lueur chaude illumina le fouillis d'objets sur la table, allumant l'or des guirlandes et le brocart fané des rideaux du lit.

Quelque chose bougea sur l'oreiller et Amanda recula en sursautant. Mais ce n'était que la chatte grise d'Euridice couchée en rond dans le nid douillet qu'offrait une antique liseuse bordée de dentelle.

— Que se passe-t-il, ma chère ? demanda Miss Moon. Oh ! C'est cette horrible chatte. Faites-la sortir de ma chambre, je vous en prie. J'aimerais vraiment qu'Euridice s'en débarrasse. Elle a dû laisser des poils partout sur l'oreiller. Comme c'est ennuyeux !

Amanda prit la chatte dans ses bras et la déposa dans le couloir. Puis, revenant dans la chambre, elle ôta la taie de l'oreiller et la secoua pour ôter quelques poils gris encore accrochés au tissu.

Elle se penchait pour le remettre en place quand elle se figea soudain, les yeux écarquillés de surprise, un frisson de panique lui glaçant le dos.

Un objet avait été placé sous l'oreiller. Un objet insignifiant et pourtant horriblement familier : un petit flacon contenant quelques comprimés blancs et portant une étiquette rouge marquée : POISON.

Il ne pouvait s'agir du même flacon ! C'était impossible ! Elle ne l'avait pas conservé. Steven Howard l'avait pris. Il l'avait soigneusement enveloppé dans son mouchoir avant de l'enfouir dans la poche de sa robe de chambre. Et pourtant, il s'agissait bien du même flacon — ou de sa parfaite réplique.

Amanda s'aperçut qu'elle frissonnait et se mordit violemment les lèvres pour les empêcher de trembler.

Miss Moon, assise devant la coiffeuse, s'occupait à ôter ses divers colliers, bracelets et bagues pour les ranger dans un écrin à bijoux démodé en marocain usé, de la taille d'un petit carton à chapeaux. Elle poursuivait son monologue mais ses paroles résonnaient aux oreilles d'Amanda sans que celle-ci leur accorde la moindre attention. La jeune fille frissonnait, incapable de détacher les yeux du flacon.

Elle s'aperçut qu'elle n'avait pas lâché l'oreiller et, le déposant avec précaution sur le lit, avança une main tremblante en direction du flacon. Juste avant d'y toucher, elle se souvint de ce que Steve Howard avait dit à propos des empreintes et s'arrêta net.

Un petit mouchoir froissé, bordé de dentelle, se trouvait sur la table de chevet, près du lit. Amanda le prit, s'en servant pour envelopper l'objet qu'elle souleva avec un soin extrême.

Elle jeta un coup d'œil à Miss Moon qui continuait à parler, le dos tourné, et soudain elle comprit en un éclair...

Elle comprit qu'il n'y aurait pas d'empreintes sur le flacon et dans quel but on l'avait placé là.

C'était une répétition du scénario qui s'était déjà déroulé dans la cabine de l'*Orantares*. Mais cette fois, Miss Moon était la victime désignée et non Julia Blaine. Miss Moon qui, restée chez elle au lieu de se rendre au bridge organisé par Lady Cooper-Foot, avait pu voir ou entendre quelque chose ou quelqu'un à l'heure où Monica Ford avait été tuée. Miss Moon, qui savait et remarquait tant de choses et n'attendait peut-être que l'occasion de révéler le détail qui mènerait l'assassin de Monica Ford au gibet...

En posant la tête sur l'oreiller de plumes, elle aurait senti la petite masse dure du flacon, l'aurait examiné, étonnée, avant de l'oublier jusqu'au lendemain matin — exactement comme Julia l'aurait fait.

Amanda devinait aisément quel verdict aurait prononcé le juge chargé de l'enquête : l'excentrique vieille demoiselle, bouleversée par l'assassinat de Miss Ford et jugeant que son refus de verrouiller la maison l'en rendait responsable, n'avait pas eu la force d'affronter une enquête publique. La tragédie survenue la veille avait miné son moral et le récent suicide de Julia Blaine lui avait suggéré cette échappatoire. Telle aurait été à peu près la conclusion du juge. Et si Amanda n'avait pas apporté la carafe de Miss Moon dans sa chambre et dérangé la chatte, la vieille demoiselle aurait été retrouvée morte le lendemain matin.

L'infusion d'orge!

Amanda se retourna brusquement et examina la carafe. La personne qui savait que Julia Blaine buvait de la citronnade sans sucre s'en était servie pour masquer l'amertume du poison. Cette personne, sachant que Miss Moon buvait de l'infusion d'orge, avait-elle utilisé le même procédé? Il n'y avait pas de citronnade glacée à l'aspect inoffensif sur la table de chevet de Miss Moon mais un verre vide — et la carafe placée là par les soins d'Amanda.

La jeune fille attendit que Miss Moon ait terminé son discours dont elle n'avait pas retenu un traître mot et se força à parler.

— Puis-je goûter votre infusion? demanda-t-elle.

Sa voix, curieusement aiguë et métallique, lui parut celle d'une étrangère.

Miss Moon se retourna.

— Mais bien sûr, ma chère. Servez-vous.

— Il y a un verre dans ma chambre. Je prends la carafe, si vous le permettez, et je vous la rapporte dans un instant.

— Faites donc, ma chère.

Amanda enfouit dans sa poche le petit flacon enveloppé du mouchoir et prit la carafe. Une fois dans sa chambre, elle remplit son propre verre, les mains si tremblantes qu'elle renversa une partie du liquide sur la table. Elle jeta le reste par la fenêtre, courut jusqu'à la salle de bains où, tournant les deux robinets du lavabo, elle rinça abondamment la carafe. L'ayant séchée à l'aide d'une serviette, elle la remplit à moitié d'eau froide et revint chez Miss Moon. Son visage était d'une blancheur de craie et ses mains tremblaient de façon incontrôlable.

— Je suis vraiment navrée, expliqua-t-elle d'une voix

hachée. Je... je crains d'avoir renversé votre infusion. Je vous ai apporté de l'eau à la place.

Miss Moon secoua la tête avec indulgence et pria Amanda de ne pas s'inquiéter.

— Je... il faut que je téléphone, dit-elle en essayant de raffermir sa voix. Je dois demander un renseignement. Cela ne vous dérange pas ?

— Bien sûr que non, ma chère. Vous savez où se trouve le téléphone, n'est-ce pas ? Mais ne veillez pas trop tard, surtout. Vous avez vraiment mauvaise mine.

Amanda lui souhaita le bonsoir et se hâta de quitter la chambre. Elle referma la porte derrière elle et s'appuya un instant au chambranle, luttant contre une absurde envie de s'évanouir et consciente des battements précipités de son cœur.

L'escalier s'enfonçait dans les ténèbres et elle eut peur, soudain, de descendre dans le hall désert, de franchir la porte du salon où Monica Ford avait trouvé la mort. Et si l'assassin se cachait là, attendant que Miss Moon meure à son tour ? Guettant le moment où il serait enfin à l'abri de ses yeux scrutateurs et de sa langue acérée.

« Quelle supposition absurde ! » pensa-t-elle. L'auteur de ce piège mortel prendrait soin, au contraire, de se trouver le plus loin possible de la villa « Les Lauriers » cette nuit-là. Elle n'avait rien à craindre. Rien si ce n'est l'obscurité et le silence...

Amanda serra les dents et se força à descendre les marches, se souvenant au même instant d'un autre escalier et des pas étouffés qui l'avaient suivie. Elle tâtonna à la recherche du commutateur et, un instant plus tard, les rares bougies électriques du lustre de cristal s'allumèrent, baignant d'une douce clarté le hall majestueux.

Le couloir s'ouvrait, silencieux et obscur, devant elle et, au bout, la porte donnant sur le salon plongé dans les ténèbres. Amanda frissonna, s'engagea résolument dans le corridor et, après quelques tâtonnements laborieux, découvrit enfin le commutateur d'une petite lampe placée au-dessus du télé-phone.

Elle mit un temps fou à trouver le numéro qu'elle cherchait. Les pages de l'annuaire voletaient sous ses doigts tremblants, ses mains refusaient de lui obéir, mais elle réussit enfin.

Ce fut George qui répondit :

— Qui ? Oh ! Howard ? Oui, il est ici. Vous désirez lui parler ?

— Oui, s'il vous plaît, répondit Amanda, s'efforçant de ne pas trahir sa crainte et sa panique et de s'exprimer d'une voix calme.

— Qui est à l'appareil ?

La voix de George, d'une lenteur exaspérante, résonnait dans le récepteur.

— Qui ? reprit-il. Je ne vous entends pas. Amanda ? Oh ! Miss Derington. Désolé, je n'avais pas reconnu votre voix. Puis-je lui transmettre un message ou préférez-vous...

L'appareil lui fut brutalement arraché et la voix de Steve interrogea sèchement :

— Que vous arrive-t-il, Amanda ?

— Steve, enfin !

Amanda sentit soudain la voix lui manquer. Elle agrippa le coin de la table pour se soutenir et reprit :

— Il faut que je vous voie, Steve ! Pourriez-vous... pourriez-vous venir ici ? Tout de suite. Je sais qu'il est tard mais... Steve, je vous en prie, venez !

Steve dit d'un ton joyeux et surpris :

— Oh ! Il s'agit de Miss Moon. J'ai sans doute dû mal m'expliquer. Peut-être ferais-je mieux de venir lui parler. Non, dites-lui que cela ne me dérange pas du tout. Je serai là dans un instant.

Un déclic. Il avait raccroché.

Amanda regarda stupidement le récepteur qu'elle tenait à la main et s'apprêtait à refaire le numéro pour dire à Steve qu'il l'avait mal comprise quand il lui apparut soudain que le jeune homme s'était sans doute forgé un alibi destiné à tromper les oreilles indiscrètes.

Elle reposa lentement le récepteur mais ne put se résoudre à regagner le hall. Trop de portes, là-bas, s'ouvraient sur des pièces obscures et silencieuses. Trop de miroirs anciens, magnifiques dans leur lourd cadre d'argent, la guettaient pour surprendre son reflet... comme ils avaient guetté Monica Ford.

Le corridor, étroit et nu, dégageait une forte odeur de poussière et d'encaustique à laquelle se mêlait, plus discret, un parfum d'ail. Un silence étrange pesait sur la maison. Aucun craquement, aucun souffle ne le troublaient comme dans tant de demeures à la tombée du jour. Et dehors, la nuit baignée par le clair de lune était calme et silencieuse elle aussi.

Amanda eut peur, soudain, de ce silence. Aucun bruit ne lui parvenait de la chambre de Miss Moon. Y avait-il un autre verre là-haut ? Un verre qu'elle n'avait pas vu ? Miss Moon gisait-elle à présent, la face tournée contre le sol, comme Julia Blaine dans la cabine ? Comme Monica Ford... ?

Amanda s'élança dans le couloir, bondit dans l'escalier en escaladant trois marches à la fois et pénétra chez la vieille demoiselle, le visage blanc de terreur.

Miss Moon, dans une chemise de nuit neigeuse évoquant celle dans laquelle, selon la tradition populaire, la princesse Victoria avait reçu la nouvelle de son accession au trône, était assise devant sa coiffeuse, occupée à rouler ses cheveux dans des papillotes.

— Qu'y a-t-il, ma chère ? demanda-t-elle sans se retourner.

Amanda s'agrippa à la poignée de la porte, luttant pour reprendre son souffle.

— Ri... rien, fit-elle. Je... j'ai cru vous entendre appeler.

— Sans doute quelqu'un sur la route, ma chère. Avez-vous obtenu votre communication ?

— Oui, dit la jeune fille, scrutant la pièce du regard sans y découvrir la moindre trace d'un second verre. Steve — Mr Howard — m'a demandé s'il pouvait venir ici. Il ne restera qu'une minute. C'est... c'est au sujet de l'enquête, je crois. J'espère que vous n'y voyez pas d'inconvénient.

— Bien sûr que non, ma chère. J'ignorais que c'était Mr Howard que vous appeliez. Quel homme délicieux ! Vous trouverez des gâteaux secs et du cognac dans le buffet. Les messieurs apprécient le cognac, en général. Je me demande bien pourquoi. Quel goût désagréable, ne trouvez-vous pas ? Sauf dans les sauces, naturellement. Ne veillez pas trop tard.

— Je vous le promets.

Elle redescendit lentement l'escalier, se sentant un peu stupide et se demandant si, après tout, elle n'avait pas dérangé Steve Howard pour rien. Et si l'infusion d'orge était inoffensive ? Si le flacon ne contenait que les cachets que Miss Moon utilisait pour combattre ses migraines ? Elle aurait dû s'en enquérir auprès de la vieille demoiselle au lieu de dramatiser sottement la situation. Ses nerfs la trahissaient et Steve ne manquerait pas de se moquer d'elle. Il valait mieux retourner chez Miss Moon et l'interroger...

Elle tournait les talons quand elle entendit des pas remonter rapidement le sentier dallé. Le heurtoir résonna dans le silence du hall et Amanda se dirigea lentement vers la porte. Steve Howard, si c'était lui, avait fait diligence.

Il ne trahissait pourtant aucun signe de hâte. Sa haute et mince silhouette se découpait, nonchalante, sur le ciel brillamment éclairé par la lune et il ne semblait pas le moins du monde essoufflé. Il scruta le visage d'Amanda un long moment et ses traits se détendirent.

— Sortez-vous ou est-ce moi qui entre ? demanda-t-il aimablement.

Amanda rougit et recula pour le laisser passer. Il entra sans se presser et referma la porte. Il regarda autour de lui, jeta un coup d'œil en direction du premier étage et, ayant sans doute décidé que l'endroit se prêtait mal à la conversation, se dirigea vers le salon.

— Non ! s'écria vivement Amanda. Pas dans cette pièce !

Elle passa devant le jeune homme, alla jusqu'à la salle à manger et alluma les lumières.

La pièce était chaude et amicale, dépourvue des recoins obscurs et des souvenirs pénibles qui peuplaient le salon. Steve la suivit et referma la porte.

— Eh bien, Amarantha ? Que vous arrive-t-il, cette fois ? A en juger par votre voix au téléphone, je m'attendais à trouver un nouveau cadavre sur le paillasson.

— Je suis désolée, dit la jeune fille d'une voix hésitante. J'ai découvert un... un objet et je me suis affolée. Peut-être qu'il ne signifie rien, après tout, et que je me suis montrée stupide.

— Voyons, dit Steve en tendant la main.

Amanda tira de sa poche le petit paquet enveloppé de dentelle et le tendit à Steve. Celui-ci le prit sans manifester beaucoup de curiosité, déplia le tissu et se figea brusquement.

Une minute s'écoula dans le silence. Il n'y avait plus trace de nonchalance dans l'expression ou l'attitude de Steve. Son regard brillait, intéressé, curieux. Il siffla doucement entre ses dents et, levant la tête, examina la jeune fille.

— Où avez-vous trouvé ce flacon ?

Amanda le lui dit et il l'écouta en silence, sans la quitter des yeux. Quand elle eut terminé, il la pria sèchement d'aller chercher le verre où elle avait versé l'infusion. Elle quitta la pièce et revint quelques instants plus tard, légèrement essoufflée, le verre à la main.

Steve n'avait pas bougé. Il avait débouché le flacon et placé sur la surface polie de la table les deux comprimés blancs éclairés par la lampe. Il prit le verre des mains de la jeune fille, le flaira puis, ayant trempé le bout de son doigt dans le liquide, le porta à sa bouche.

Il fit la grimace, sortit aussitôt un mouchoir de sa poche et s'en frotta énergiquement la langue. Amanda demanda d'une voix blanche :

— Ainsi, c'est du poison ?

— Hum ! fit Steve d'un air préoccupé.

Amanda répéta sa question et il la regarda comme s'il venait seulement de se rappeler son existence. Il dit, impatient :

— Naturellement, c'est du poison.

Ecartant le verre, il s'assit sur la chaise la plus proche et, les coudes sur la table, examina les deux comprimés blancs d'un air soucieux. Le mouchoir sembla soudain attirer son attention car il le prit et l'étendit à plat sur la table. C'était une fantaisie coûteuse : un monogramme brodé fait de trois initiales entrelacées ornait l'un des coins et, sur un des côtés, la dentelle avait été arrachée.

— « A.B.H. », dit pensivement Steve. Ce mouchoir ne vous appartient pas. Où l'avez-vous trouvé, Amanda ?

— Sur la table de chevet de Miss Moon, dit Amanda en se penchant pour l'examiner à son tour. L'initiale du milieu

219

empiète sur les deux autres. C'est « A.F.B. » qu'il faut lire.

— Anita F. Barton, fit Steve, songeur.

— Bien sûr ! s'écria soudain Amanda. Elle l'a laissé tomber, je l'ai vue, quand elle se trouvait dans le hall. Je suppose que Miss Moon l'a ramassé et emporté dans sa chambre en se réservant de s'enquérir plus tard de sa propriétaire.

— Mrs Barton me semble bien peu soigneuse de ses affaires, observa Steve d'un ton sévère. On découvre la secrétaire de son mari assassinée et voilà qu'on retrouve un morceau de sa robe accroché au coffre de l'entrée. Et si Miss Moon avait été trouvée morte, demain matin, la présence de ce mouchoir dans sa chambre, aussi innocente soit-elle, aurait soulevé pas mal de questions. A moins que... je me demande...

Il tourna et retourna le mouchoir entre ses doigts, l'air préoccupé et, au bout d'un moment, demanda brusquement à la jeune fille si Miss Moon emportait toujours une carafe d'infusion d'orge dans sa chambre pour la nuit.

— Elle m'a dit qu'elle avait coutume de le faire pendant la saison chaude, dit Amanda. Je crois, d'ailleurs, qu'elle ne boit rien d'autre. Euridice lui en prépare chaque jour.

— Y avez-vous goûté ?

— Non. Miss Moon est la seule à en boire. Mais personne n'est au courant.

— Vous vous trompez. J'ai une assez bonne mémoire et je me souviens que Glenn Barton ou vous — les deux, je crois — avez mentionné le fait au cours de notre déjeuner au Dôme. Ce qui veut dire qu'un certain nombre de personnes connaissent le goût de Miss Moon pour l'infusion d'orge et que l'une d'elles l'a mis à profit.

— Comme... comme pour Julia ? dit Amanda en frissonnant.

— Julia ?

— Je pensais à la citronnade.

Le visage de Steve se figea soudain en un masque impénétrable. Il regarda Amanda pendant quelques secondes et parut sur le point de dire quelque chose puis se ravisa.

— Vous avez cru que le même genre d'accident risquait de se reproduire, n'est-ce pas ? demanda Amanda.

220

— Oui. L'idée m'a frappé, je l'admets, que la personne qui s'était débarrassée de Monica Ford ne manquerait pas de s'affoler en apprenant que Miss Moon s'était trouvée dans la maison durant tout l'après-midi. Nous avons pris certaines précautions.

— Ainsi, la maison est surveillée. Je m'en doutais.

— Le contraire m'aurait étonné, dit sèchement Steve. En fait, c'était voulu. Le fait que l'endroit soit truffé de policiers devait tendre — du moins nous l'espérions — à décourager toute nouvelle tentative d'agression. Et voilà que quelqu'un s'introduit dans la maison sous notre nez pour y confectionner ce charmant attrape-nigaud, ajouta Steve d'un ton amer. Puis-je vous toucher ?

Il étendit la main et ses doigts effleurèrent rapidement le bras d'Amanda.

— Pourquoi faites-vous cela ? demanda la jeune fille, stupéfaite.

— Pour me porter chance. Sans vous et sans la chatte de la cuisinière, Miss Moon serait morte de la même façon que Julia Blaine. Vous me semblez donc protégée par le sort. Il faudrait vous découper en petits morceaux pour vous distribuer sous forme d'amulettes.

Amanda dit d'une petite voix effrayée :

— Mais si les policiers surveillent la maison, ils doivent savoir qui est entré et...

— Ma chère enfant, l'interrompit Steve avec impatience, naturellement qu'ils le savent ! Et à quoi diable cela les mène-t-il ? Je peux vous fournir moi-même une liste. Barton s'est trouvé dans la maison une grande partie de la matinée et Mrs Halliday, accompagnée du jeune Gates, est passée prendre de vos nouvelles et s'est attardée un grand moment. George Norman est arrivé pour le thé. Anita Barton est ensuite venue vous voir, a laissé négligemment tomber son mouchoir dans l'entrée et vous a emmenée en promenade. Pendant votre absence, Claire Norman, le major Blaine et Lumley Potter se sont présentés à la villa que Miss Moon leur a fait visiter du sous-sol au grenier. N'importe lequel d'entre eux aurait pu aisément ajouter une bonne dose de poison à l'infusion d'orge et glisser ce flacon sous l'oreiller de

Miss Moon. C'était d'une facilité enfantine et je m'en veux à mort de ne pas y avoir songé plus tôt. J'ai envisagé bien d'autres possibilités mais pas la répétition d'un plan qui avait déjà échoué une première fois.

— On peut exclure Mrs Barton de la liste. Elle n'aurait pas eu le temps nécessaire. Et elle n'est pas montée au premier étage.

Steve s'arracha à la contemplation des pièces à conviction disposées sur la table et regarda pensivement Amanda.

— Parlez-moi encore de la visite de cette dame. En détail, s'il vous plaît. A quelle heure est-elle arrivée exactement, combien de temps est-elle restée seule dans le hall, où se tenait-elle quand vous êtes arrivée ? Dites-moi tout.

Hésitante, la jeune fille rassembla ses souvenirs et lui fournit tous les détails dont elle se souvenait.

Steve s'enfonça dans son fauteuil et, les mains dans les poches, contempla le plafond, le sourcil froncé.

— Hum ! Voyons. Il est probable qu'elle a eu tout le temps de trafiquer l'infusion. En outre, elle connaissait suffisamment Miss Moon pour être au courant non seulement de son goût pour cette boisson mais de l'endroit où se trouvait la carafe. Trente secondes lui auraient suffi. Mais, d'après ce que vous dites, elle n'a pas eu le temps de monter jusqu'à la chambre de Miss Moon et d'en redescendre. Le risque était trop grand. Vous auriez pu la surprendre dans l'escalier, ce qui aurait excité votre curiosité, sinon vos soupçons.

Il resta un moment à réfléchir, se balançant sur le fauteuil qui émit un grincement de protestation. Il dit enfin d'une voix douce, songeuse :

— Je pense qu'une petite conversation avec la cuisinière avancerait nos affaires. Je m'en occuperai demain matin. Quoi qu'il en soit, Mrs Barton me paraît hors de cause, ce qui signifie...

Il n'acheva pas sa phrase et se mit à siffler *Sur le pont d'Avignon* entre ses dents. Amanda attendit une minute puis, comme il semblait décidé à garder le silence, demanda avec inquiétude :

— Qu'est-ce que cela signifie ?

Howard cessa de fixer le plafond et examina le visage blême de la jeune fille. Il dit d'un air pensif :

— Cela signifie qu'il n'est pas nécessaire de passer par Beachy Head pour se rendre à Birmingham. Autrement dit, si l'on veut aller d'un point A à un point B avec un minimum de temps et de peine, mieux vaut rester sur la grand-route et ne pas s'égarer sur les chemins de traverse. Une erreur, hélas, dont je me suis rendu coupable.

— Je ne comprends pas, dit Amanda d'une voix mal assurée.

— Dieu soit loué ! fit Steve en opérant un rétablissement sur son fauteuil qui gémit bruyamment. Mais moi, j'aurais dû comprendre.

Il se leva :

— J'avais tous les éléments en main mais le hasard a voulu que divers facteurs affectifs entrent en jeu et j'ai commencé à envisager le problème sous un angle différent. Sous plusieurs angles, en fait. C'était une erreur, Amarantha. Il n'existe qu'un seul angle. De même qu'il n'y a qu'une seule personne qu'on peut soupçonner de vous avoir poussée dans le vide par-dessus les remparts d'Hilarion.

— Vous voulez dire que vous... que vous la connaissez ? demanda Amanda d'une voix faible, effrayée.

— Je crois, dit tranquillement Steve. Le problème va être de le prouver. Le procédé évident consisterait bien sûr à se servir d'un appât pour attirer le tigre. Une méthode efficace, sans aucun doute. Mais je ne suis pas certain d'être assez bon tireur.

— Vous... entendez-vous par là que vous laisseriez Miss Moon à la merci d'une seconde tentative d'assassinat dans le but de démasquer le coupable ? C'est impensable, Steve ! Vous ne pouvez prendre un tel risque !

Steve Howard regarda la jeune fille et son visage et sa voix prirent soudain une étrange expression de rage et d'amertume.

— Non ! fit-il sauvagement. Je ne peux pas prendre ce risque. C'est là tout le problème. Je devrais, mais je n'ose pas, parce que je n'en ai plus le courage !

Il fixa Amanda un long moment avec une expression qui

ressemblait à de la haine puis, tournant brusquement les talons, ouvrit la porte à la volée et quitta la salle à manger.

Une ou deux minutes plus tard, Amanda l'entendit craquer une allumette et le suivit dans le hall, bouleversée et stupéfaite par cette brusque flambée de colère.

Il lui tournait le dos, debout sous le grand lustre poussiéreux dont la lumière teintait de bronze ses mèches brunes. Bien qu'il ait dû entendre la jeune fille arriver, il ne se retourna pas.

Amanda attendit en silence, contemplant sa nuque et son dos en songeant qu'elle aurait pu les dessiner les yeux fermés. Pourquoi ? se demanda-t-elle. Pourquoi en est-il ainsi alors que je le connais si peu ? La fumée de sa cigarette s'élevait doucement en spirales, son odeur se mêlant agréablement au parfum de poussière, d'encaustique et des longs lis orangés contenus dans un grand vase de cuivre, près du coffre sculpté.

Sans tourner la tête, Steve tendit la main derrière lui, et, d'un geste distrait, ramena Amanda dans le creux de son bras. Il la tint serrée contre lui, le regard perdu, tirant pensivement sur sa cigarette, l'esprit, semblait-il, à des milliers de kilomètres de la jeune fille.

Baissant enfin les yeux, il exhala une dernière bouffée de cigarette par-dessus la tête d'Amanda, relâcha son étreinte et laissa tomber son mégot dans la jarre de cuivre.

— Il est l'heure pour vous d'aller au lit, Amarantha. Et il est grand temps pour moi de retourner chez les Norman. Je suis censé être venu instruire Miss Moon des formalités requises pour l'enquête et j'ai eu tout loisir de mener à bien ma mission. Pourriez-vous me trouver une bouteille vide pour recueillir le reste de cette infusion d'orge ?

— Je vais essayer.

Elle disparut en direction de la cuisine et revint bientôt, munie d'une bouteille ayant contenu du vin de Madère destiné à la préparation des plats.

De retour dans la salle à manger, Steve remit les cachets dans leur flacon et enveloppa la petite bouteille dans du papier.

— Est-ce la même drogue que celle qui a tué Julia ? murmura Amanda.

— Non. L'usage d'un poison identique aurait donné lieu à des comparaisons gênantes.

— Mais il y en aurait eu, de toute façon. Le flacon...

— Vous oubliez un détail. Vous n'avez rien dit au sujet du premier flacon. C'est pourquoi on l'a utilisé à nouveau — pour la simple raison qu'ayant gardé le silence une première fois vous auriez continué à vous taire sous peine de vous retrouver dans de sales draps. Un point qui aurait dû me frapper, je l'admets, mais qui m'a échappé.

Steve versa l'infusion dans la bouteille de Madère avec d'infinies précautions et poussa le verre vide en direction d'Amanda.

— Rincez ce verre une dizaine de fois au moins sous le robinet, voulez-vous ? Oh !... et prenez donc ceci — il lui lança le mouchoir déchiré d'Anita Barton. Demain matin, vous demanderez à Miss Moon comment ce mouchoir se trouvait dans sa chambre et vous me communiquerez sa réponse.

Amanda acquiesça et enfouit le mouchoir dans sa poche. Elle prit le verre, l'emporta à l'office, le rinça et le mit à sécher au-dessus de l'évier. Quand elle revint, Steve l'attendait dans le hall.

Il jeta un coup d'œil à l'horloge.

— Je vous verrai demain, au tribunal, dit-il, et il ouvrit la porte d'entrée.

Amanda s'enquit d'une voix tremblante :

— Vous... vous ne prévenez pas la police ?

— Pour quoi faire ?

— Mais... au sujet du poison, naturellement !

Steve secoua la tête.

— Non, je crois préférable de ne prévenir personne pour le moment. Même pas Miss Moon.

— Mais la... l'auteur de cette tentative va sûrement essayer de recommencer.

— Oh ! c'est certain. Mais il emploiera une autre méthode. L'idée était bonne mais elle a échoué deux fois. L'assassin va passer un mauvais moment, demain, à essayer de savoir ce qui a cloché cette fois-ci, et comme il n'y parviendra pas, il va abandonner cette piste pour en suivre une autre. Et nous les avons toutes bloquées.

Il vit Amanda jeter un bref coup d'œil, par-dessus son épaule, en direction du hall désert, et il la rassura :

— Vous n'avez rien à craindre pour cette nuit, ma chère, je vous le promets. Celui ou celle qui a dissimulé le poison dans la chambre prendra soin de s'entourer de plusieurs personnes susceptibles de lui fournir un alibi jusqu'à une heure avancée de la soirée. Et il ou elle se gardera de s'approcher de la maison demain ou de poser des questions. De toute façon, les hommes qui surveillent la villa ne laisseraient pas une mouche y pénétrer jusqu'à demain matin.

— Ils vous ont pourtant laissé entrer, dit Amanda d'une voix mal assurée.

— C'est différent. Le bruit a couru que j'étais Marilyn Monroe déguisée en homme et ils espèrent que je leur accorderai un autographe.

Sur ce, il disparut dans la nuit. Amanda verrouilla la porte d'entrée derrière lui et monta se coucher mais ne réussit pas à s'endormir.

17

L'enquête concernant la mort de Monica Ford fut étonnamment brève. Le système du jury n'existant pas à Chypre, un juge à l'air ennuyé écouta sans manifester beaucoup d'intérêt les rapports du médecin légiste et ceux de la police. Amanda, pourtant, eut l'impression désagréable que les interrogatoires de pure forme ne témoignaient pas d'un manque d'intérêt ni de la conviction rassurante du tribunal que le meurtre avait été effectivement commis par un simple cambrioleur. Il lui sembla plutôt qu'il agissait sur ordre et elle se demanda avec un certain malaise si cette procédure négligente n'avait pas pour but de les bercer d'une trompeuse illusion de sécurité.

Tout s'était déroulé sans heurts, avec une facilité déconcertante. Les voix étaient trop polies, trop aimables, les regards trop durs et suspicieux.

Ils étaient tous là : Claire et George, Persis et Toby, Alastair et Glenn, Lumley et Anita, Steve, Miss Moon et Amanda.

Celle-ci s'aperçut qu'elle aussi les observait avec méfiance, effrayée à la pensée que l'un de ces visages puisse trahir la surprise ou la crainte à la vue de Miss Moon. Mais elle n'avait rien décelé de semblable et, ne sachant si elle devait le regretter ou s'en féliciter, hésitait entre le soulagement et la déception.

Steve Howard et elle avaient raconté comment ils avaient découvert le cadavre de Monica Ford ; Glenn avait évoqué son entretien avec sa secrétaire, au début de l'après-midi, la mort du frère de celle-ci et le choc qu'elle avait subi. Il n'avait pas eu un regard pour sa femme et son interrogatoire avait cessé après qu'on lui eut demandé l'heure de son départ d'Hilarion et celle de son arrivée à Nicosie ; la dernière confirmée, d'après la police, par les deux jeunes soldats qu'il avait pris dans sa voiture, et celle de son arrivée et de son départ d'Hilarion par les différents participants au pique-nique.

Miss Moon avait déclaré que, souffrant de migraine, elle était restée dans sa chambre, à la villa « Les Lauriers », pendant tout l'après-midi mais n'avait rien entendu hormis, à une heure qu'elle était incapable de préciser, la voix d'une femme qui, d'après son ton, paraissait en proie à une certaine agitation.

Sa déposition n'avait suscité aucun commentaire de la part du juge qui, inopinément, avait repris l'interrogatoire d'Amanda. On lui avait posé quatre questions et, cette fois, sur un ton beaucoup moins suave.

Etait-il exact qu'elle avait beaucoup fréquenté le major Blaine à Fayid ? Etait-il exact que Mrs Blaine était morte dans sa cabine, sur le bateau qui les transportait à Chypre ?

Etait-il exact qu'elle était restée seule dans le salon de la villa « Les Lauriers » pendant plusieurs minutes — cinq peut-être, ou même dix — avant que Mr Howard ne l'ait découverte près du cadavre de Miss Ford ?

Quelle robe portait-elle ce jour-là et pouvait-elle la décrire ?

Il régnait une chaleur étouffante dans la salle confinée et Amanda, retrouvant avec soulagement l'air frais du dehors, huma avec délice le souffle léger de la brise et le parfum de la terre sèche et des arbres en fleurs.

Miss Moon déclina l'offre des Norman qui l'invitaient chez eux pour boire un verre de xérès et annonça son intention de regagner directement la villa. Andréas se chargerait de la reconduire dans l'antique véhicule qui lui appartenait et Toby proposa à Amanda de la raccompagner. Miss Moon s'éloigna pour s'entretenir avec Persis Halliday. Amanda sentit qu'on lui touchait le bras et, se retournant, aperçut Glenn Barton.

— Je n'ai pas encore eu l'occasion de vous parler, dit-il à voix basse. Je voulais vous remercier. Pour votre déposition. Je... je ne sais comment vous exprimer ma reconnaissance. Je n'aurais pas dû vous laisser faire, je le sais mais... bref, c'était rudement chic de votre part !

— Ne me remerciez pas, Glenn, dit vivement la jeune fille.

N'importe qui à ma place aurait agi de même, mais peu de gens auraient risqué leur vie pour moi, à Hilarion. Et je ne vous ai même pas remercié !

Gleen Barton sourit et lui tendit la main.

— Disons que nous sommes quittes ?

Amanda prit la main du jeune homme dans la sienne et une voix, derrière eux, lança alors avec une sécheresse coupante :

— Je suis désolé de vous interrompre mais j'aimerais dire un mot à Miss Derington.

Amanda retira brusquement sa main. Elle se retourna vivement et resta atterrée à la vue du visage de Steven Howard.

Le regard dont l'enveloppait Steve semblait destiné à une étrangère peu séduisante à laquelle il se trouvait contraint de s'adresser et sa voix, lorsqu'il lui parla, était froide et lointaine, complètement dépourvue d'émotion :

— J'ai cru comprendre que vous possédiez un tuteur qui se trouve actuellement quelque part au Moyen-Orient. Je vous suggère de lui écrire au plus vite pour lui demander de vous rejoindre.

Amanda le fixa, déconcertée :

— Mais... mais pourquoi ?

— Parce que vous allez avoir besoin, semble-t-il, d'une personne responsable susceptible de vous conseiller. Il y a deux nuits de cela, vous avez fait à la police une déclaration totalement fausse et qui risque de vous attirer pas mal d'ennuis.

Il jeta un regard empreint d'une haine froide en direction de Glenn Barton et reprit d'un ton sec :

— Vu les circonstances, j'estime qu'il serait sage de votre part d'informer votre oncle du déroulement des événements et de le laisser décider de l'opportunité de sa venue. Vous vous apercevrez qu'il n'y a rien d'amusant à être mêlée à une affaire criminelle dans cette partie du monde.

— Mais mon oncle se trouve à Tripoli ! s'exclama Amanda.

— Je sais. Miss Moon me l'a dit. C'est pourquoi je désirais vous entretenir. J'ai un ami ici, pilote dans la R.A.F., qui se rend justement demain à Tripoli. Si vous me remettez une lettre avant demain midi, je veillerai à ce que votre oncle la reçoive le soir même. Grâce à ses relations, il pourra s'arranger pour être ici lundi ou mardi au plus tard. Réfléchissez à ma proposition.

Il tourna les talons et Amanda le regarda s'éloigner, désespérée, les larmes aux yeux, luttant contre un désir irrésistible de le suivre, de l'arrêter pour lui demander pourquoi il l'avait regardée ainsi et lui avait parlé sur ce ton. Il ne pouvait être jaloux de Glenn Barton ! C'était impossible ! Ne comprenait-il pas...

Glenn dit calmement :

— Il a raison, Amanda. Vous devriez informer Mr Derington de la situation. Préférez-vous que je lui envoie un télégramme ?

Amanda cligna fortement des paupières pour refouler ses larmes et dit :

— Je... je vais y réfléchir.

Elle ne croyait pas le moins du monde être en danger d'arrestation. L'idée était trop absurde pour qu'elle s'y arrêtât, même une seconde. Contrairement à Glenn Barton et à plusieurs de ses amis, elle n'avait pas saisi l'importance des trois dernières questions qu'on lui avait posées et n'y songeait même pas. Seuls la préoccupaient le visage et la voix de Steve et elle se sentait à la fois blessée, désorientée et furieuse.

Un policier les rejoignit et dit quelques mots à Glenn Barton. Celui-ci s'excusa auprès d'Amanda. Les deux hommes s'éloignèrent et pénétrèrent à nouveau dans le bâtiment qu'ils venaient de quitter.

Un tintement de bracelets. C'était Miss Moon ! La vieille demoiselle tapota affectueusement le bras d'Amanda de sa main chargée de bagues.

— Allons, ma chère ! dit-elle. Ne vous faites pas de soucis. Il ne vous en veut pas le moins du monde. C'est à lui qu'il en veut. Et à Glenn, évidemment. Les messieurs sont tellement stupides !

Amanda partit d'un rire un peu tremblé et répondit :

— Rien ne vous échappe, Miss Moon, n'est-ce pas ?

— Rien, ma chère. C'est seulement les jeunes qui sont incapables, semble-t-il, de voir ce qui se passe sous leur nez. Il sait fort bien, naturellement, que vous ne portez pas le moindre intérêt à ce pauvre Glenn mais il est très préoccupé, je crois, et cela l'irrite de constater qu'il ne peut s'empêcher de se laisser distraire par... disons par ses émotions.

— Pas par ses émotions, corrigea Amanda avec un rire encore proche des larmes. Par des « considérations inutiles ».

— Est-ce ainsi qu'il les nomme, ma chère ? Vous voyez bien que j'avais raison. Et maintenant, puisqu'il paraît que le capitaine Gates désire vous reconduire à Kyrenia, je crois que je vais rentrer à la villa. Je vous verrai au déjeuner.

Elle s'éloigna comme Persis et Toby, retenus par l'intarissable Lumley Potter, parvenaient enfin à se dégager et s'avançaient vers Amanda. A quelques mètres de là, George Norman, Alastair Blaine et Claire, debout sur le trottoir dans une flaque d'ombre, discutaient avec Steve Howard assis au volant de sa voiture. Amanda nota avec une certaine rancœur qu'il semblait d'excellente humeur et que le groupe qui l'entourait — en dépit ou peut-être à cause du fait qu'il venait d'assister à une enquête concernant un meurtre — s'esclaffait à une plaisanterie qu'il venait de lancer.

Anita Barton, quant à elle, se tenait seule, légèrement à l'écart. Elle semblait perdue et malheureuse, et des cernes noirs marquaient ses yeux. Son expression de défi habituel et de mépris de l'opinion publique lui faisait défaut ce jour-là et elle paraissait visiblement mal à l'aise.

Amanda qui l'observait remarqua qu'elle n'était pas très assurée sur ses jambes et la soupçonna d'avoir bu — peut-être pour se donner le courage d'affronter les regards curieux de ceux qui savaient à quel point elle détestait la secrétaire de son mari.

Persis qui évoquait, comme à son ordinaire, une vivante publicité pour la luxueuse boutique de Sacks, sur la 5ᵉ Avenue, prit affectueusement le bras d'Amanda et s'écria d'une voix vibrante :

— Alors, mon chou, quel effet cela vous fait-il d'être le suspect numéro un ?

— Taisez-vous, Persis ! lui intima Toby d'un air mécontent. Votre humour est déplacé. Venez, Amanda chérie, nous allons tous chez les Norman boire un verre. C'est la seule chose à faire après une séance comme celle que nous venons de subir.

— Qui « nous » ? demanda Amanda.

— La bande, mon chou, l'informa Persis. L'Amicale des suspects. J'étais loin de me douter, quand j'ai décidé de venir visiter le berceau de Vénus, qu'au lieu de l'Amour, on m'offrirait deux ˙ cadavres. Il est temps pour l'Office du tourisme de modifier son slogan. Au lieu de : « Venez découvrir le soleil de Chypre ! » il ferait bien de conseiller au futur visiteur de se munir d'un pistolet et d'un avocat.

— L'ennui avec vous, Persis, fit Toby d'un ton mordant, c'est que vous ne croyez vraiment qu'à ce que vous voyez de vos propres yeux. Ces morts ne sont pas plus réelles pour vous que l'un de vos romans et cela pour la simple raison que vous n'avez pas *vu* les cadavres de Julia Blaine ou de cette pauvre secrétaire.

— Et vous, mon cher Toby, les avez-vous vus ? demanda Persis d'une voix douce.

— Non. Mais Amanda, elle, les a vus.

Persis se tourna vivement vers la jeune fille et dit d'un ton contrit :

— Toby a raison. J'oublie toujours quel enfer vous avez dû traverser, mon chou. Que dois-je faire pour que vous me pardonniez ? Me prosterner sur le pavé ou vous dédier mon prochain roman : « A Amanda, qui m'a chipé tous mes soupirants » ?

— Toby, par exemple ? s'enquit Amanda avec un sourire. Etait-il votre soupirant ?

— Certes. Mais, bien qu'il soit humiliant de le reconnaître, je suis forcée de le classer parmi ceux qui m'ont échappé.

— Dites plutôt : parmi ceux que vous n'avez même pas daigné attirer dans vos filets, dit Toby qui prit la main de la jeune femme pour y déposer un baiser.

— Toby ! Voilà une galanterie tout européenne ! s'écria Persis avec une admiration feinte. Je ne vous savais pas si...

Laissant sa phrase en suspens, elle reprit brusquement :

— Par exemple ! Quelle mouche a piqué Glenn ?

Suivant la direction de son regard, Amanda aperçut Glenn qui s'avançait rapidement sous le soleil et comprit la raison de l'exclamation de Persis.

Les lèvres serrées en un pli dur, il semblait à la fois effrayé et désespéré. Il resta un moment à regarder autour de lui, les paupières plissées pour se protéger de l'éclatante réverbération puis, apercevant sa femme, il marcha vivement vers elle et posa une main sur son bras.

— Anita...

Anita Barton pivota brusquement sur elle-même, le visage blême sous son épais maquillage et, s'arrachant à l'étreinte de Glenn, elle tourna les talons comme pour s'éloigner.

De nouveau Glenn lui saisit le bras et la retourna brutalement vers lui :

— Je t'en prie, Anita! Il faut que je te parle. Quelques minutes seulement. C'est pour ton propre bien. Je t'en supplie, ma chérie!

Sa voix était rauque, désespérée; il paraissait avoir complètement oublié qu'elle portait parfaitement à une dizaine de mètres et qu'au moins autant d'yeux, curieux, intéressés ou consternés, le contemplaient.

Une rougeur affreuse envahit le visage livide d'Anita Barton. Elle se dégagea violemment et le frappa de toutes ses forces en pleine figure. Elle resta un moment encore à le fixer, le souffle court, puis tournant les talons, s'éloigna rapidement laissant son mari debout, en plein soleil, les marques de ses doigts se détachant nettement sur son visage hagard.

Persis fut la première à réagir et à voler au secours de l'infortuné avec une bravoure que tous les anges du ciel auraient pu lui envier. Elle se dirigea rapidement vers lui en s'écriant :

— Glenn Barton! Je vous croyais parti!

Elle glissa son bras sous le sien et, l'entraînant presque de force :

— Avez-vous une voiture? Si oui, je suis votre passagère. Voulez-vous m'emmener prendre un verre avant que je ne tombe morte d'insolation?

Glenn la fixa d'abord d'un air hébété, puis il sembla enfin la reconnaître car un sourire embarrassé tira les coins de sa bouche et il bafouilla :

— Mais... mais certainement, Mrs... euh...?

— Persis, fit obligeamment Mrs Halliday. Est-ce votre voiture, là-bas? Parfait. Allons-y.

Elle l'entraîna d'un pas décidé, poursuivant un monologue animé et décousu. Le spectacle était terminé.

La voiture de Steve Howard, suivie de celle des Norman, s'éloigna le long de la route. Lumley Potter se précipita sur les traces d'Anita Barton et Amanda, se découvrant soudain incapable d'assister à une réunion mondaine chez les Norman, demanda à Toby de la reconduire à la villa « Les Lauriers ».

Moralement et physiquement épuisée, elle se sentait grande envie, vers deux heures et demie, de suivre l'exemple de Miss Moon et de se retirer dans sa chambre pour y faire une sieste. Elle en était à considérer la sagesse d'une telle décision quand elle entendit des pas monter rapidement les degrés de l'entrée. Quelqu'un pénétra dans le hall sans frapper. C'était Glenn.

— Amanda !

Un bref soupir de soulagement lui échappa à la vue de la jeune fille.

— Amanda, puis-je vous parler, je vous prie ? Dans un endroit où nous ne risquons pas d'être entendus ?

Sa voix était heurtée, défaillante et il semblait sur le point de s'évanouir. Amanda le fixa un long moment puis, sans un mot, se dirigea vers le salon.

Il la suivit et referma la porte contre laquelle il s'appuya.

— Que se passe-t-il, Glenn ?

— C'est Anita, dit-il avec désespoir. Elle refuse de me voir. Elle ne comprend pas ! Amanda, je sais qu'elle n'a pas tué Monica. Je le sais. Elle peut se livrer à des actes stupides, inconsidérés, mais elle est incapable de tuer. Je vous répète que j'en suis certain. Mon Dieu, qui donc pourrait l'être sinon moi ? Je ne prétends pas savoir ce qu'elle faisait à la villa ce jour-là ; elle a dû y venir, je suppose, puisque cette satanée fleur en témoigne. Mais quel que soit son mobile, il n'a rien à voir avec la mort de Monica Ford. Elle est sans doute venue vous voir, vous ou Miss Moon, a découvert le cadavre de Monica et s'est affolée. Qui pourrait l'en blâmer ?

— Ne restez pas planté là, Glenn, lui dit Amanda d'une voix pressante. Venez vous asseoir près de moi et racontez-moi ce qui s'est passé. Vous n'avez aucune raison de vous tourmenter ainsi.

Glenn se mit à rire, d'un rire bref, tremblé, sans la moindre trace de gaieté. Il se dirigea d'un pas incertain vers le sofa et s'y laissa tomber comme si ses jambes lui refusaient soudain tout service.

Amanda le regarda, un pli inquiet barrant son front. Elle quitta brusquement la pièce et revint un moment plus tard avec un verre contenant une dose généreuse du cognac de Miss Moon. Glenn le prit et le vida avidement.

— Vous êtes une chic fille, Amanda. Je crois vous l'avoir souvent dit, ces derniers temps, n'est-ce pas ?

Il la regarda et un semblant de sourire tordit le coin de ses lèvres.

— Qu'y a-t-il, Glenn ? répéta Amanda. Que s'est-il passé ?

— La police, dit Glenn d'un ton misérable. C'est cette satanée fleur. Ils ont découvert, je crois, à qui elle appartenait. Ils m'ont demandé si je la reconnaissais. Et... et ils ont posé des tas d'autres questions. Est-il vrai qu'elle s'était querellée avec Monica ? Vrai, également, qu'elle m'avait menacé de me quitter si je ne me débarrassais pas de Monica ? Avait-elle mis sa menace à exécution ? Ils revenaient sans arrêt sur ce point. Ils... ils ont voulu savoir ensuite si j'étais au courant des rapports étroits qu'elle entretenait avec le major Blaine...

— Avec Alastair !

— Oui. Je sais qu'ils vous ont posé la même question mais c'était un interrogatoire de pure routine. Celui-là était beaucoup plus sérieux.

Glenn se leva brusquement. Il marcha jusqu'à la fenêtre et, tournant le dos à Amanda, resta un moment à contempler le jardin d'un air absent.

Il reprit enfin d'une voix dure, saccadée :

— Ils ont insinué qu'ils se connaissaient fort bien et que, depuis la mort de sa femme, Alastair était un homme riche. Ils ont souligné le fait qu'elle... Anita...

Sa voix se brisa soudain et Amanda vit ses épaules trembler, parcourues d'un frisson. Il reprit après un instant, d'un ton plus calme :

— Ils voulaient savoir si elle avait eu la possibilité de se procurer du poison et s'il était exact que son père était médecin. Ils... ils paraissaient savoir tellement de choses! C'est alors que j'ai pris peur et j'ai essayé d'avoir un entretien avec elle. Mais elle refuse de... de m'écouter.

Sa voix trahissait une stupeur douloureuse. Il se retourna, revint vers Amanda et resta planté devant elle à la fixer, les bras ballants, serrant et desserrant nerveusement les mains. Il dit enfin d'une voix blanche, épuisée :

— Je sais que je ne devrais pas vous demander cela... je sais que c'est impardonnable de ma part, mais je ne vois pas d'autre issue. Acceptez-vous de m'aider, Amanda?

— Oui, dit-elle.

Son ton était léger et pourtant assuré.

Glenn s'inclina et, prenant sa main, la baisa.

— Dieu vous bénisse!

Une brusque émotion faisait trembler sa voix.

— Que dois-je faire?

— La persuader de partir. Lumley est un imbécile sans le moindre intérêt. Il ne l'aidera pas. Il faut qu'elle s'éloigne pendant un moment, pour donner le temps à la police de découvrir le véritable assassin de Monica.

— Mais Glenn, c'est impossible! La persuader d'aller où?

— Au Liban. Nous y avons des amis qui se chargeront d'elle, je le sais. Et j'ai pas mal d'amis, ici, parmi les pêcheurs. Je peux arranger son départ; si seulement elle accepte.

Amanda l'examina en réfléchissant. Elle dit lentement :

— Ça ne marchera pas, Glenn, vous le savez. Si la police la soupçonne et qu'elle disparaît, sa fuite l'accusera.

— Oui, fit Glenn d'un ton las, je le sais.

— Alors... alors vous avez une autre raison pour désirer son départ. Quelle est-elle?

Tout en parlant, le soupçon lui vint que Glenn — quoiqu'il prétendît le contraire — conservait au fond de lui la crainte terrible que sa femme soit peut-être plus impliquée dans l'affaire qu'il ne voulait l'admettre.

Glenn leva vers Amanda un visage épuisé aux yeux rougis et la regarda un long moment. Lorsqu'il se décida enfin à parler, ce fut d'une voix si basse qu'elle était à peine audible.

— Oui, dit-il. J'ai une autre raison. Quelque chose

m'échappe dans cette affaire et cela m'effraie. Je crois... je crois, voyez-vous, qu'il va y avoir un autre meurtre. Ou du moins une tentative de meurtre. Elle devrait se produire sous peu si mes déductions sont justes.

Il entendit Amanda retenir son souffle. Il ignorait que la jeune fille évoquait les paroles à peu près identiques prononcées par Steve, la nuit, sur la jetée du port.

— Je me trompe peut-être. Je l'espère en tout cas. Mais je commence à penser que... Oh! comment dire... que cette affaire cache quelque chose. Un plan. Un projet peut-être mûri depuis longtemps. Mais voilà, ce plan a échoué et son auteur, qui n'a pas abandonné l'espoir de le réaliser, a pris peur et a besoin d'un bouc émissaire. C'est pourquoi je veux éloigner Anita. Je crois qu'on se sert d'elle à dessein. Une fois qu'elle sera au Liban, en sécurité chez des amis, la personne qui tente de l'utiliser pour se protéger devra trouver un autre paravent. Et puis, si jamais une autre tentative de meurtre se produit, nous pourrons aussitôt révéler à la police l'endroit où Anita se trouve et pourquoi nous l'y avons envoyée. Dès cet instant, elle n'aura plus rien à craindre. Mais pour l'instant, je suis incapable de la protéger contre un danger que je pressens mais qui reste invisible...

Sa voix s'éteignit dans un murmure et Amanda demanda aussitôt :

— Vous croyez connaître le coupable, n'est-ce pas ?

Comme il ne répondait pas, elle répéta sa question. Le regard de Glenn revint se poser sur elle.

— Oui, dit-il.

— Qui est-ce ? demanda Amanda dont la voix tremblait étrangement.

Glenn secoua la tête.

— Je ne vous le dirais pas, même si j'étais certain de son identité — ce qui n'est pas le cas. Ce serait trop dangereux. Et puis, je ne puis rien affirmer avec certitude, pas encore. Il existe, je crois, un moyen de m'en assurer mais je n'ose pas l'utiliser tant... tant qu'Anita est ici, pour être précis. Une fois le fait établi qu'elle n'était pas là pour commettre le meurtre, la police devra trouver un autre suspect. C'est une façon de prouver son innocence. Vous me comprenez, n'est-ce pas ?

Amanda se sentit brusquement traversée d'un intense sentiment de frayeur. Elle se souvenait des paroles de Steve Howard concernant l'appât destiné à attirer le tigre. Ainsi, Glenn avait l'intention de jouer ce rôle. Anita une fois en sécurité hors de l'île, et même si lui ne réussissait pas à éviter la mort, il aurait du moins fourni la preuve de l'innocence de sa femme... Mais il ne pouvait envisager une telle solution! Le risque était trop grand. « Un assassin sait fort bien que, même s'il tue douze personnes, ou même vingt, lui-même ne peut être pendu qu'une seule fois », avait dit Steve. Le meurtrier qui avait frappé deux fois n'hésiterait pas devant un troisième crime.

— C'est un projet insensé, Glenn, dit-elle d'une voix tremblante. S'il est dangereux pour Anita, il l'est tout autant pour vous.

— Oh! Je suis assez grand pour me défendre. Anita n'a que cet imbécile de Lumley pour veiller sur elle. Il faut que je la tire d'affaire, je le dois absolument. Si je parviens à la faire quitter l'île sans que personne le sache ni même s'en doute, il lui reste une chance.

— Mais Glenn! même si vous réussissez, ne comprenez-vous pas que si l'assassin essaie réellement de faire accuser Anita et... et qu'elle disparue, rien ne se produit, il aura atteint son but?

— Le suicide d'Anita remplirait cet objectif de façon beaucoup plus définitive et satisfaisante, fit observer Glenn d'un air sombre.

— Un suicide!

— Oui. Une mise en scène parfaite. Ce ne serait pas tellement difficile. Anita est trouvée morte. Verdict : elle s'est suicidée plutôt que d'affronter un jugement et une condamnation pour meurtre.

— Non! fit Amanda dans un souffle. Non, c'est impossible...

Mais elle savait qu'elle se mentait à elle-même. En un éclair, elle revoyait l'atroce image : Julia Blaine portait à ses lèvres un verre empli d'un liquide glacé à l'aspect inoffensif, le buvait et tombait morte. Elle sentait à nouveau la petite masse dure que formait le flacon sous son oreiller, elle contemplait, les yeux élargis de terreur, un flacon identique qu'elle avait découvert sous l'oreiller de Miss Moon la nuit précédente...

Glenn avait raison. L'assassin avait besoin d'un bouc émissaire et la mort d'Anita Barton — son suicide dirait-on — viendrait à propos pour mettre un point final à bon nombre de questions demeurées en suspens.

— Il se peut qu'elle refuse de partir, dit Glenn. Si c'est le cas... eh bien, je devrai trouver un autre moyen. Mais si vous arrivez à la convaincre...

— J'essaierai, dit Amanda d'une voix mal assurée.

Glenn se détourna et se mit à arpenter le salon, les mains dans les poches, plongé dans ses réflexions. Revenant se planter devant Amanda, il dit d'un ton brusque :

— Il faudra agir ce soir. Attendre demain serait trop risqué. Si elle est d'accord, acceptez-vous de l'aider ? De veiller sur elle ?

— Oui.

— Savez-vous conduire une voiture ?

Amanda acquiesça d'un signe de tête.

— Alors, voici mon plan. Cette nuit, je laisserai ma voiture garée le long de la route, à côté du terre-plein, à une cinquantaine de mètres après le tournant, en face de la maison aux volets bleus. Si Anita accepte, recommandez-lui de se munir d'un simple sac de voyage. Elle prétextera une migraine pour se retirer tôt. Il y a une petite crique après la grande plage, sur la route de Larnaca. Anita la connaît. Yiannopoulos l'y attendra avec un bateau jusqu'à dix heures. Il faudra que vous quittiez la maison vers neuf heures et demie, ce qui fournira un alibi à Anita puisqu'à partir de ce moment vous serez avec elle. Et comme la plage se trouve dans la direction opposée à celle de Nicosie, si jamais quelque chose se produisait cette nuit, la police ne pourrait pas penser...

Il se tut brusquement puis reprit :

— Dès qu'elle sera partie, vous reviendrez ici et laisserez la voiture à l'endroit où vous l'avez trouvée. Je viendrai la chercher plus tard. Il reste encore un détail...

D'un geste las, Glenn passa une main dans ses cheveux et sa bouche se contracta en un rictus.

— Vous devrez prétendre que l'idée vient de vous, ou de Miss Moon. Si elle soupçonne ma participation, elle refusera tout net. Je pense sincèrement qu'en l'état actuel des choses, elle préférerait être arrêtée pour meurtre que de s'en remettre à moi. Elle n'a rien compris, voyez-vous. Elle croit qu'elle peut n'en faire qu'à sa tête et s'en tirer. Elle ne se rend pas compte que le meurtre est une affaire dangereuse.

Une fois encore, ses paroles faisaient écho à celles de Steven Howard. Steve la serrait dans ses bras sur la jetée du port brillamment éclairée par la lune et murmurait : « Le meurtre est diabolique. »

— Je ferai de mon mieux, dit-elle.

— Je le sais. Essayez de la convaincre qu'il s'agit d'une affaire grave. Qu'elle ne prenne pas la situation à la légère en s'imaginant que rien ne peut lui arriver.

Amanda hocha la tête sans mot dire.

— Je ne sais comment vous remercier. Je ne devrais pas vous faire courir de tels risques, je le sais fort bien. Mais je suis acculé. Je choisirais volontiers une autre solution, hélas ! c'est la seule possible.

Il resta un moment silencieux puis sa bouche se tordit en un sourire amer et il dit :

— En fait, j'ai déjà essayé un autre moyen. Mais il a échoué et je n'ai réussi qu'à me rendre ridicule.

Son sourire s'effaça. Il reprit :

— La voiture sera là à neuf heures. Si Anita refuse de partir, alors...

Il haussa les épaules et quitta le salon. Un instant plus tard, Amanda entendit la porte d'entrée se refermer derrière lui.

18

Amanda déboucha sur le quai et se dirigea à pas lents vers le café situé au coin du port.

A sa fatigue se mêlait un curieux sentiment d'exaltation. Convaincre Anita Barton n'avait pas été chose facile : la jeune femme était méfiante et nettement éméchée. Mais elle avait peur et c'est cette peur qui avait emporté sa décision. Elle avait accepté de partir.

Amanda avait réussi à la persuader qu'elle-même et Miss Moon étaient à l'origine du plan proposé et ce fut peut-être le nom de cette dernière qui entraîna la capitulation de la jeune femme. Et puis, Amanda lui avait rapporté l'essentiel des questions posées à Glenn Barton par la police au sujet de sa femme, en prétendant que l'interrogatoire concernait Miss Moon. Elle lui avait également laissé entendre que Miss Moon avait organisé son départ de l'île avec la complicité du propriétaire d'un bateau de pêche car il était fort peu crédible qu'Amanda ait pu se charger elle-même d'une telle mission.

Il fut entendu qu'elle prendrait Mrs Barton en voiture à la hauteur du tournant proche du bureau de poste à neuf heures et demie. Il leur faudrait moins d'une demi-heure pour gagner la plage où le bateau les attendait — ce qui leur donnerait largement le temps de parcourir à pied la distance d'à peine cent mètres séparant la route de la crique : un chemin difficile, semé de rochers.

Le soleil se couchait dans un flamboiement de tons or, roses et abricot et les hautes maisons pittoresques alignées le long du port projetaient de longues ombres lilas sur le quai et l'eau tranquille. On entendit sonner la cloche d'une église et, du minaret d'une mosquée voisine, un muezzin lança l'appel à la prière.

Amanda descendit sur la jetée et, cédant à la fatigue, s'assit

241

sur la pierre tiède. Elle aurait tant voulu s'ouvrir à quelqu'un de son expédition nocturne. Glenn ne lui avait pas demandé le secret à ce sujet mais, bien sûr, il ne l'avait pas jugé nécessaire. Il était évident que, si un danger menaçait Anita Barton, nul ne devait être mis au courant de son départ.

Amanda songea à Steven Howard avec un mélange de tristesse et de rancœur. Steve, du moins, serait à l'abri. Elle aurait pu aller le voir et lui demander conseil et assistance. Mais elle ne parvenait pas à oublier la réflexion ironique prononcée la veille au soir au sujet de Glenn Barton. « Ce cher Glenn, avait-il dit, me paraît avoir l'habitude de laisser ses jeunes amies tirer les marrons du feu à sa place. »

Mis au courant de la situation, Mr Howard estimerait probablement que le « cher Glenn » n'avait aucun droit de demander à Amanda de se fourvoyer dans une affaire aussi dangereuse et exprimerait son opinion sans mâcher ses mots. Il refuserait, en outre, de la laisser poursuivre le plan établi et risquait même d'intervenir auprès d'Anita pour l'empêcher de quitter l'île. D'ailleurs, l'aurait-elle voulu, il était trop tard à présent pour le prévenir. Elle l'avait croisé en descendant vers le port. Il remontait en voiture la route principale conduisant de Kyrenia à Nicosie et, bien qu'il l'ait certainement aperçue, il n'avait pas esquissé le moindre signe de reconnaissance.

Amanda soupira et appuya son menton dans sa main. Une ombre passa près d'elle et une voix joyeuse l'interpella :

— Amanda ! Qu'est-ce qui vous tourmente ainsi ? L'amour, ou une mauvaise digestion ?

Amanda sursauta et se retourna.

— Persis, espèce de peste ! N'avez-vous pas honte d'effrayer ainsi les gens ? J'ai bien failli me couper la langue à cause de vous.. Non, ce n'est ni l'amour... ni une digestion difficile. Et je ne me tourmente pas le moins du monde.

— Vraiment ? Vous avez de la chance.

Elle s'assit gracieusement sur la jetée, près d'Amanda, et déclara brusquement :

— Je suis inquiète, mon chou.

Amanda tourna la tête et la regarda : Persis contemplait la mer, une ride soucieuse barrant son front pur.

— Pourquoi donc ?

— C'est au sujet de Glenn, avoua Persis. J'aime ce garçon, voyez-vous. J'ai beaucoup d'affection pour lui. Une affection maternelle. Et c'est certainement la première fois que je me découvre un tel sentiment à l'égard d'un homme. Les premiers signes de l'âge, sans doute.'

— Qu'a-t-il encore fait ? demanda Amanda prudemment.

— Il se comporte comme un imbécile ! s'écria Persis avec une violence inattendue. Savez-vous ce qu'a fait cet insensé ce matin ? Il s'est rendu tout droit à la police pour y confesser le meurtre de sa secrétaire !

— Il a... quoi ? Mais il est fou !

— Exactement. Il a complètement perdu la boule. J'ai essayé de le tirer de là en expliquant aux policiers qu'il avait eu une congestion cérébrale. Flairant le piège, il a gardé le plus grand sang-froid et débité son histoire avec un calme olympien. Il a prétendu ne pas s'être rendu directement à Nicosie après avoir quitté Hilarion. Il avait menti, paraît-il. Il a attendu, caché, que la voiture de George ait tourné en direction de Kyrenia, l'a suivie, s'est introduit chez Miss Moon, a étranglé la demoiselle en question et a filé chez lui. *Quid* des deux auto-stoppeurs qu'il avait recueillis sur la route ? lui ont demandé les policiers. Il tenait l'explication toute prête : il a retardé les aiguilles de la pendule du tableau de bord pour se forger un alibi et les soldats n'y ont vu que du feu. Il a déclaré enfin que, rongé par le remords, il se rendait à la justice.

— Et que s'est-il passé ensuite ? demanda Amanda qui écoutait en retenant son haleine. Pourquoi ne l'ont-ils pas arrêté ?

— Ils ne sont pas stupides à ce point, fit Persis avec un soupir. Ils avaient déjà envisagé cette hypothèse. Ils ont vérifié la déposition des deux militaires et éventé la mèche. Ces derniers n'avaient pas consulté l'heure à la pendule du tableau de bord — qui est détraquée d'ailleurs. Tous deux possédaient une montre et ils ont certifié sous serment l'heure de leur retour. Glenn a tenté de discuter mais les flics l'ont fort courtoisement jeté dehors. J'ai cru un instant qu'il allait se mettre à pleurer et je n'ai pas honte de vous avouer, mon chou, que j'ai dû me retenir pour ne pas le prendre dans mes bras et l'embrasser, là, sur la route, en lui disant : « Là, là, mon petit garçon ! Raconte tes malheurs à ta maman et elle veillera à ce qu'on t'arrête pour meurtre si c'est vraiment ce que tu souhaites ! » Et je voudrais bien qu'on me dise, conclut Persis, véhémente, si c'est moi qui suis cinglée ou si c'est lui !

— Voilà à quoi il faisait allusion ! s'écria Amanda qui comprenait enfin.

— Quoi donc ?

— Pas grand-chose. Il m'a parlé d'une tentative qui a échoué et n'a servi qu'à le rendre ridicule.

— Quand y a-t-il fait allusion ? demanda vivement Persis. L'avez-vous vu cet après-midi ?

— Oui, fit Amanda d'un ton hésitant.

Elle regarda Persis Halliday en réfléchissant. Elle ne savait que décider. Persis n'avait jamais rencontré Anita Barton ni entendu parler de la jeune femme avant cet après-midi où elle avait embarqué à bord de l'*Orantares,* à Port-Saïd. Elle ne pouvait donc connaître son existence ou celle de Monica Ford. Elle ne s'était jamais rendue à Chypre auparavant et n'avait aucune raison de vouloir faire endosser un meurtre — et même deux ! — à la femme de Glenn Barton.

Brusquement, Amanda prit sa décision. La frayeur, les émotions, la tension nerveuse subies au cours des jours précédents l'accablaient. Il lui fallait se confier à quelqu'un. Steve aurait été la personne idéale mais, outre son attitude brutale et hostile à son égard, il était, semblait-il, parti pour Nicosie.

— Si je vous révèle un secret, Persis, dit Amanda, me promettez-vous de n'en parler à personne ?

Persis la fixa un long moment, les paupières plissées par l'attention, puis lui tendit la main. C'était une main forte et intelligente, aux longs doigts carrés, à l'étreinte ferme et rassurante.

— Allez-y ! fit Persis, laconique.

Elle écouta avec un intérêt passionné Amanda lui raconter son entretien de l'après-midi avec Glenn et, quand la jeune fille eut terminé son récit, s'écria :

— Eh bien ! Voilà qui bat Erle Stanley Gardner ! Quand commençons-nous ?

244

— Nous ? répéta Amanda en écho.

— Naturellement. Je vous accompagne. Vous pensez bien que je ne vais pas vous laisser partir à l'aventure sans vous suivre avec un gourdin au cas où quelqu'un s'aviserait de vous chercher noise ! Voyons, c'est une expérience que je ne manquerais pas pour un million de dollars ! Je suis avec vous sur le coup, mon chou, que vous le vouliez ou non.

Amanda éclata de rire, brusquement envahie d'un intense sentiment de soulagement. Elle n'aurait jamais admis à quel point la pensée de cette équipée nocturne la rebutait et l'effrayait la perspective du long retour solitaire vers Kyrenia. Mais Persis l'accompagnait et l'expédition perdait son aspect terrifiant pour devenir une escapade excitante.

Passant un bras autour de l'épaule de la jeune femme, Amanda la serra spontanément contre elle.

— Vous êtes un ange, Persis !

— C'est ce qu'on m'a souvent répété, fit sèchement la jeune femme. Et maintenant, revenons tranquillement à la villa où nous annoncerons à Miss Moon que vous dînez avec moi au Dôme. Ainsi, nous n'aurons aucun problème pour arriver à temps à la voiture. Qu'en dites-vous ?

Elles se relevèrent, mirent leur programme à exécution et Amanda, non sans quelques remords, laissa Miss Moon dîner seule. Elle se rassura toutefois en songeant que Steve Howard avait dû prendre toutes les précautions possibles pour assurer la sécurité de la vieille demoiselle et nota avec soulagement la présence de l'habituel flâneur solitaire posté au coin de la rue, fort occupé à ne rien faire.

Elles croisèrent en chemin Alastair Blaine qui sortait du Dôme. Il semblait pressé et déclara qu'il avait rendez-vous pour dîner au restaurant Antonakis, à Nicosie.

— Il paraît que le poulpe est leur grande spécialité, dit Alastair. J'ai toujours rêvé d'en manger mais je n'en avais jamais eu l'occasion jusqu'ici. Je vous verrai sans doute demain... si je suis encore en vie !

— Avec qui avez-vous rendez-vous, Alastair ? demanda Persis, mais celui-ci s'éloignait déjà dans le crépuscule et sans doute n'entendit-il pas la question...

Claire sortit de chez Zari, la boutique de dentelles, en face de l'hôtel. Elle agita la main en direction des jeunes femmes mais ne traversa pas la rue pour les rejoindre. Elle aussi paraissait pressée.

Elles ne rencontrèrent pas d'autres personnes de connaissance, excepté quelques clients de l'hôtel, des relations de Persis, et Lumley Potter, attablé tout seul, dans un coin de la salle à manger, et qui s'en alla bientôt. Anita avait sans doute jugé préférable de s'en débarrasser pour la soirée. Aucun signe de Toby Gates ni de Steven Howard, qui dînaient sans doute ailleurs ce soir-là.

Elles firent durer leur repas le plus longtemps possible. Les aiguilles de l'horloge paraissaient avancer à grand-peine sur le cadran, s'arrêter, puis reprendre leur progression avec une lenteur exaspérante. Persis elle-même semblait affectée par la tension qui régnait ; elle allumait cigarette sur cigarette, éparpillait les cendres sur la nappe d'une main nerveuse et s'agitait sans arrêt sur sa chaise.

Neuf heures sonnèrent enfin. Persis jeta un coup d'œil à la minuscule montre sertie de diamants qu'elle portait au poignet puis à l'horloge de l'hôtel et se leva :

— Allons-y.

Elles montèrent d'abord dans la chambre de Persis. Là, après avoir tiré de l'armoire un fin manteau de tussor, la jeune femme examina longuement son visage dans le miroir. Elle noua un foulard de mousseline sur ses cheveux artistement ondulés, appliqua son rouge à lèvres avec le plus grand soin et déclara enfin qu'elle était prête.

Elles se dirigèrent vers les hauteurs de la ville et, s'arrêtant à un croisement, aperçurent George Norman au volant de sa voiture. Il ralentit en approchant du passage pour piétons et, éclairé par les phares d'une voiture arrivant en sens inverse, elles remarquèrent son visage. D'ordinaire rubicond et souriant, il était aussi boudeur que celui d'un petit garçon dérangé au beau milieu de ses jeux. Il remonta la grande avenue conduisant hors de la ville sans avoir remarqué les jeunes femmes.

— Je vous parie un dollar que la petite Claire l'a envoyé faire ses courses, commenta Persis avec un large sourire. Il ne manque à ce garçon qu'un uniforme de groom avec une belle rangée de boutons sur le devant. L'emploi lui irait comme un gant.

Elles découvrirent une voiture garée dans l'ombre, près du terre-plein. Mais ce n'était pas celle de Glenn.

— C'est celle-ci, vous croyez? demanda Persis en baissant involontairement la voix.

— Sûrement. Elle est vide et la clé se trouve sur le tableau de bord. Il n'a pas voulu nous donner sa propre voiture de crainte que sa femme ne la reconnaisse.

— Pardi, vous avez raison! D'accord, montez. Je vais m'asseoir à l'arrière et prier en silence pour que ce véhicule n'appartienne pas, en fait, à un citoyen honnête mais distrait qui aurait malencontreusement choisi cet endroit pour y garer son tacot. La perspective de passer en prison le reste de mon séjour dans l'île d'Aphrodite ne m'enchante guère!

Amanda s'installa au volant et alluma les lumières du tableau de bord. Elle tourna la clé et tira sur le starter. La voiture démarra aussitôt et s'engagea sans bruit le long de l'avenue en pente.

Anita Barton attendait à l'ombre d'un jacaranda. Un foulard noué autour de la tête, elle était vêtue d'un manteau de toile sombre et tenait une petite valise à la main.

Amanda ouvrit la portière et, l'instant suivant, Mrs Barton, le souffle court, tremblante de peur et de nervosité, prenait place à ses côtés. Elle claqua violemment la portière. Comme la voiture démarrait, elle aperçut le reflet de Persis Halliday dans le pare-brise et se retourna avec un cri étouffé.

— Qui est-ce?

— Ne vous inquiétez pas, dit aussitôt Amanda. C'est Mrs Halliday. Une amie. Elle est venue pour... pour me tenir compagnie sur le chemin du retour.

— Nous ne nous sommes pas encore rencontrées, je crois, dit aimablement Persis. Je suis ravie de vous connaître. Vous ne m'en voudrez pas de m'imposer ainsi, j'espère, mais j'ai pensé qu'un peu de compagnie ferait du bien à Amanda. La route du retour est plutôt longue.

— Vous êtes américaine, n'est-ce pas? fit Anita Barton d'une voix dure.

— Américaine cent pour cent!

Mrs Barton retomba dans le silence, un silence qui trahissait sa nervosité : tendue, frissonnante, elle se retournait de temps à autre pour jeter un coup d'œil terrifié par-dessus son épaule comme si elle craignait à tout moment d'apercevoir les phares d'une voiture lancée à sa poursuite. Par deux fois, un véhicule les dépassa dans un nuage de poussière et elle se recroquevilla sur son siège, baissant la tête de façon à dissimuler les traits de son visage.

Le clair de lune blanchissait la route sinueuse, les oliveraies et les flancs rocheux de la chaîne de Kyrenia. La mer étalait ses flots argentés, aussi unis qu'un miroir. La nuit était tiède et merveilleuse. La route descendait, grimpait, redescendait vers de minuscules vallées où des ponts de pierre enjambaient le lit rocailleux de cours d'eau à sec ; et les kilomètres défilaient derrière elles...

— Nous y sommes presque, dit Anita Barton ouvrant pour la première fois la bouche après vingt minutes de silence. Arrêtez-vous là. Près de ces arbres. D'ici nous pourrons nous assurer que la route est dégagée avant de poursuivre.

Amanda gara la voiture dans une flaque d'ombre scintillante projetée par un massif de casuarinas et d'arbustes rabougris.

— Eteignez les phares, ordonna Anita Barton d'une voix basse et pressante.

Amanda obéit, laissant tourner le moteur. Mrs Barton ouvrit la portière et descendit sur la route éclairée par la lune, suivie de Persis et d'Amanda.

La plage s'étendait à une cinquantaine de mètres de la route, séparée d'elle par une étendue de terrain rocailleux parsemé de plantes grasses, d'arbustes chétifs et de mûriers.

— Je vais aller jusqu'au tournant pour m'assurer qu'il n'y a personne, chuchota Anita Barton. Les gens pique-niquent parfois dans le coin, au clair de lune. Miss Derington restera près de la voiture. Quant à vous — elle se tourna vers Persis — vous pourriez marcher jusqu'au talus pour voir si le bateau est là. Il devrait se trouver à cinq cents mètres environ, après la pointe des rochers. De cet endroit, on embrasse toute la plage. Nous attendrons qu'il soit arrivé pour descendre.

— D'accord, fit Persis avec un soupir. Mes bas vont être mis à rude épreuve, sans parler de mes nerfs, mais c'est pour la bonne cause !

Elle tourna les talons et s'éloigna, ses mules s'enfonçant sans bruit dans le sol sablonneux et mou qui s'étendait au-delà de la route.

Anita Barton attendit quelques instants avant de se diriger vers l'avant de la voiture. Elle s'arrêta soudain, se pencha et Amanda l'entendit pousser une exclamation étouffée.

— Qu'y a-t-il ? demanda vivement la jeune fille.

— Regardez ! chuchota Anita Barton d'un air effrayé.

Amanda la rejoignit en courant, se baissa à son tour et examina le morceau de route blanche et poudreuse qu'Anita désignait du doigt.

— Qu'y a-t-il ? répéta-t-elle. Je ne vois rien...

C'est alors qu'elle aperçut l'ombre profilée sur la route illuminée par le clair de lune.

C'était l'ombre d'Anita Barton. Elle tenait un objet à la main, levait le bras sans bruit, l'abattait d'un mouvement rapide...

Amanda tenta de reculer mais il était trop tard. Le coup l'atteignit avec violence à la nuque et elle s'écroula, inanimée, sur la route.

Anita Barton se mit à rire. Un rire léger, tremblant, hystérique, qui résonna dans le silence.

Elle se retourna, inquiète, les yeux élargis par la panique, mais ne vit aucune trace de Persis Halliday. Elle se baissa alors, saisit Amanda par les épaules et la hissa péniblement jusque dans la voiture. Refermant la portière, elle contourna en courant le véhicule, s'installa au volant et desserra le frein.

La voiture commença à descendre silencieusement la route, tous feux éteints, ombre grise parmi les ombres noires, blanches et argent qui striaient la nuit. Au bas de la longue pente, la route, après un tournant, recommençait à monter. La voiture l'aborda à quatre-vingts kilomètres à l'heure et, lorsqu'elle s'engagea sur la bande côtière, l'aiguille du compteur de vitesse dépassait les cent vingt kilomètres-heure.

Le vent de la vitesse ranima Amanda. Elle s'agita sur son siège et, avec un gémissement de douleur, ouvrit les yeux

Pendant quelques minutes, elle fut incapable de situer l'endroit où elle se trouvait, consciente seulement de l'atroce douleur qui martelait son crâne. Un brouillard rouge obscurcissait sa vue, troué d'éclairs écarlates. Lentement, la brume se dissipa. L'air frais de la nuit apaisait ses tempes douloureuses et elle se souvint de l'ombre d'Anita sur la route éclairée par la lune...

Anita l'avait frappée avec un objet dur, lourd et métallique. Mais l'épaisseur de sa chevelure avait amorti la terrible violence du coup.

Anita...

Bien que le moindre mouvement la fît souffrir, Amanda releva lentement la tête et aperçut le visage d'Anita Barton faiblement éclairé par la lumière du tableau de bord : un masque blême dont les lèvres pourpres découvraient les dents en un rictus purement animal. Un peu d'écume blanchissait les coins de sa bouche et ses yeux élargis par la peur étaient fixes et étincelants.

Elle surprit le mouvement d'Amanda et tourna la tête. Aussitôt, elle lâcha l'accélérateur et freina violemment.

La voiture s'immobilisa dans un crissement de pneus, projetant Amanda encore étourdie contre le tableau de bord.

Anita Barton fouilla vivement dans sa poche et, une seconde plus tard, la lune éclaira le canon d'un lourd revolver de service.

— Attention, pas de geste inconsidéré ! menaça-t-elle d'une voix dure, aiguë, hystérique.

De sa main libre, elle arracha le foulard de soie noué autour de ses cheveux et ordonna :

— Tournez-vous et mettez vos mains derrière le dos. Vite !

Sous la froide poussée du canon, Amanda obéit docilement. Elle sentit contre ses poignets les doigts brûlants d'Anita Barton qui enroulaient maladroitement le tissu de soie et le serraient en nœuds étroits qui pénétrèrent douloureusement sa chair. Elle comprit alors qu'elle avait sans doute abandonné pour quelques instants son revolver.

— Parfait, dit Anita d'une voix haletante, oppressée. Vos chevilles, à présent.

Soulevant les jambes de la jeune fille, elle lui lia les

chevilles avec un morceau de corde qu'elle avait dû emporter avec elle puis, d'un geste violent, inattendu, elle enfonça un mouchoir dans la bouche d'Amanda, noua par-dessus un second morceau de corde en tirant sans ménagement sur ses cheveux pour que leur épaisseur ne nuise pas à l'étroitesse du bâillon.

— Voilà, conclut-elle avec satisfaction, le souffle court.

Elle plongea son regard dans les yeux affolés d'Amanda et partit d'un rire bruyant et prolongé ; un rire de folle.

— Ainsi, vous êtes une amie de Glenn, vous aussi, n'est-ce pas ? Vous avez élaboré ce plan avec lui. Ce cher Glenn ! Comme vous avez dû vous moquer de moi, n'est-ce pas ? Ainsi, il m'attend avec un bateau ? Je lui réserve une belle surprise. La dernière de sa vie. Il avait parfaitement monté son coup, n'est-ce pas ? Mais c'est lui qui va disparaître. Pas moi. Vous voyez ce revolver ? J'ai pensé un instant l'utiliser pour me tuer, mais c'est contre lui que je m'en servirai. C'est Glenn qui vous a persuadée de l'aider, n'est-ce pas ? Avouez-le ! C'est lui, j'en suis sûre. Eh bien, ce sera sa dernière mauvaise action. Vous avez cru que je marcherais, dites ? Vous agissiez pour mon bien, disiez-vous, pour assurer ma propre sécurité ; et pendant tout ce temps, vous ne pensiez qu'à Glenn ! Espèce de petite… !

Suivit une injure impossible à reproduire. Dans ses yeux brillait une lueur de folie ; son visage, d'un blanc crayeux sous la lune, était contracté par la rage et la terreur — celle d'un animal traqué cherchant en vain une issue. Elle fixa sur Amanda un regard furieux, sa poitrine se soulevant et s'abaissant rapidement au rythme de son souffle précipité. Soudain, elle éclata de rire, un rire surprenant, inattendu et, abandonnant la jeune fille, se détourna pour mettre la voiture en route.

Elle conduisait plus lentement à présent. Quelques minutes plus tard, au sommet d'une côte, elle coupa le moteur et, laissant glisser la voiture jusqu'au bas de la pente, freina doucement au bord d'une flaque d'ombre projetée par un bloc de hauts rochers érodés par le vent.

Elle demeura un moment immobile, l'oreille tendue, puis, ouvrant la portière, se glissa dehors.

Elle se retourna pour regarder Amanda et dit dans un chuchotement à peine audible :

— Quand vous entendrez le bruit d'une détonation vous saurez que, grâce à vous, Glenn aura trouvé une mort sans doute pénible. Je ne me suis jamais servie d'un revolver auparavant, je devrai donc veiller à ne pas manquer mon coup. Restez ici et ouvrez bien vos oreilles. Je m'occuperai de vous plus tard.

Elle s'éloigna sans bruit, éclairée un instant par la lune, et disparut le long d'un petit sentier sablonneux, bordé de rochers, conduisant à une pointe de terre, à cinquante mètres de distance, au pied de laquelle, invisible, la mer murmurait doucement sur la plage de galets.

Amanda se mit à se tortiller sur son siège en tirant désespérément sur ses liens. Glenn ne serait pas là, bien sûr, mais sa femme l'ignorait, et ce serait quelque innocent pêcheur qui mourrait à sa place. Impitoyable, elle abattrait sans semonce, celui qui l'attendait. Elle le tuerait comme elle avait sans doute tué cette pauvre créature sans défense : Monica Ford. Et comme elle se servait pour la première fois d'un revolver, elle veillerait, pour ne pas rater son coup, à viser la poitrine ou l'estomac de sa victime et l'homme périrait de façon horrible, en crachant son sang.

Anita Barton ne jouissait plus de son bon sens. Son angoisse touchant à sa propre sécurité lui avait fait franchir l'étroite limite séparant la raison de la folie. Glenn avait-il vraiment soupçonné, depuis le début, les instincts meurtriers de sa femme ? Est-ce pour cette raison qu'il avait tenté de l'éloigner — en utilisant n'importe quel prétexte ?

Saisie d'une frayeur panique, Amanda tenta de se libérer, se contorsionna, tira frénétiquement sur ses liens. Elle devait empêcher Anita de commettre un autre meurtre. Elle ne pouvait rester là, à guetter une détonation en sachant qu'elle-même serait la prochaine victime. Elle essaya d'appuyer son menton sur le klaxon, espérant que le bruit attirerait Anita Barton, mais elle manqua son coup, glissa, tomba sur le sol et se cogna la tête contre le volant en essayant de se redresser.

Soudain, des mains la saisirent aux épaules, la hissèrent sur le siège et une voix pressante chuchota à son oreille ·

— Pour l'amour de Dieu, tenez-vous donc tranquille ! Comment parviendrai-je à vous tirer d'ici si vous continuez à gigoter comme un ver ?

Persis ! Soulagée, Amanda se laissa brusquement aller. Des doigts s'activaient à défaire le nœud du bâillon et elle entendit Persis maugréer entre ses dents :

— Ces maudits cheveux ! Comment diable voulez-vous que je...

Le bâillon glissa, Amanda cracha le mouchoir trempé de salive qui obstruait sa bouche et aspira l'air à grandes goulées.

— Persis ! Comment êtes-vous arrivée jusqu'ici ?

— Chut ! Restez tranquille ou nous risquons de voir revenir cette folle...

Elle entreprit de défaire le foulard qui liait les poignets d'Amanda et expliqua à voix basse :

— Les manigances de cette fille ne me plaisaient pas. En outre, elle avait dans le regard une lueur que j'ai déjà vue autrefois dans les yeux d'un cheval et que je n'aime pas ! J'ai contourné le massif d'arbres, j'ai compté jusqu'à dix et je suis revenue juste à temps pour vous voir, vous et votre amie, prendre la poudre d'escampette. J'ai sauté sur le porte-bagages et me voici ! Un voyage plutôt désagréable : j'ai avalé de la poussière et manqué me rompre le cou quand elle a freiné brutalement à un ou deux kilomètres d'ici. Et voilà...

Elle avait libéré les poignets d'Amanda. La jeune fille se baissa et défit les liens qui emprisonnaient ses chevilles. Une minute plus tard, elle se retrouvait hors de la voiture, sous le ciel illuminé par le clair de lune.

— Hé ! Revenez ! souffla Persis. Filons d'ici !

— Impossible ! dit Amanda avec désespoir. Elle croit que c'est Glenn qui l'attend là-bas, sur la plage, et elle est décidée à le tuer. Ne comprenez-vous pas que je dois l'en empêcher !

— D'accord, fit Persis d'un ton résigné. Je vous accompagne. Allons-y.

Elle s'élança sur la route et poussa soudain un gémissement de douleur, vite étouffé.

— Bon sang ! jura-t-elle, en équilibre sur un pied.

— Que vous arrive-t-il ?

— J'ai perdu une chaussure, là-bas, et je viens de me cogner le pied contre un rocher.

— Vous ne pouvez pas m'accompagner en marchant à cloche-pied, chuchota Amanda, impatiente. Restez ici, trouvez une clé à molette ou un outil quelconque et si jamais elle revient, vous essaierez de la mettre K.O. !

Tournant les talons, elle partit en courant dans la direction qu'Anita Barton avait prise quelques instants plus tôt.

Le sentier débouchait sur un talus abrupt. Plus bas, un fouillis de salicornes et un entassement de rochers éboulés. Amanda ne vit aucune trace d'Anita. Sans doute guettait-elle, cachée derrière l'un des gros rochers. Elle s'avança prudemment, heureuse que le bruit de la mer sur les galets couvrît celui de ses pas, et arriva bientôt sur la plage.

Le sable, tiède et sec, s'enfonçait sous ses pieds. Elle dépassa les hauts blocs de pierre érodés par le vent et découvrit une petite anse bordée sur l'un des côtés par le talus qu'elle venait de descendre et, de l'autre, par une longue jetée naturelle formée par les rochers éboulés.

Un bateau qui, manifestement, attendait à la pointe des rochers avançait lentement sur la mer d'argent. Le doux murmure des rames dominait celui des vagues qui venaient mourir sur la plage avec un bruissement de feuilles sèches agitées par un vent d'automne. Bientôt, la coque crissa sur le sable mouillé.

Un seul homme occupait la petite embarcation. Amanda le vit rentrer les avirons et, sautant dans l'écume, tirer le bateau sur la plage.

Il se retourna, fit quelques pas sur la plage et la lune éclaira en plein son visage.

C'était Glenn Barton !

Pendant un moment, le choc priva Amanda de toute réaction. Elle ouvrit la bouche pour crier, avertir Glenn et la referma aussitôt, terrifiée à l'idée qu'Anita les guettait sans doute, tapie à quelques mètres. Entendant son appel Glenn s'arrêterait et Anita se voyant découverte ferait feu.

Elle continua donc d'avancer, protégée par l'ombre des rochers, en direction de l'endroit où, supposait-elle, Anita était cachée.

Une ombre se détacha à moins de six mètres devant elle et Glenn s'arrêtant dit doucement : « Anita. »

Ce seul nom prononcé à voix basse résonna de façon extraordinaire dans le silence argenté de la nuit seulement rompu par le murmure paresseux des vagues.

Anita Barton apparut dans le clair de lune, une main enfoncée dans la poche de son ample manteau de toile. Lentement, elle retira sa main. Amanda bondit en avant et, plongeant sur le bras de Mrs Barton, le rabattit vers le sol. Le coup partit et la balle s'enfonça dans le sable.

L'écho de la détonation emplit la petite crique. Déjà, Amanda avait saisi le revolver. L'arrachant à sa propriétaire, elle le jeta loin d'elle, sur le sable.

Glenn se baissa lentement, le ramassa et Anita Barton se jeta sur Amanda en hurlant, hérissée et sifflante comme une chatte prise de folie :

— Imbécile ! Pauvre petite imbécile ! Ne comprenez-vous pas qu'il va nous tuer ? Non, Glenn ! Non, je t'en supplie ! Je ne veux pas mourir !

Elle s'affaissa aux pieds d'Amanda, frissonnante, secouée de sanglots.

Glenn Barton regarda d'abord l'arme qu'il tenait dans sa main puis sa femme terrifiée. Il leva tranquillement le revolver et dit d'une voix douce et aimable :

— Oui. Je vais vous tuer. Vous devenez vraiment trop dangereuses toutes les deux. Non, ne bougez pas, Amanda ! Je suis un excellent tireur et il se trouve que j'ai mon propre revolver en plus de celui que ma chère épouse — ma très chère épouse — m'a si obligeamment fourni. Je suis navré de devoir vous faire disparaître, vous aussi. Vous aurez, bien sûr, accompagné Anita au Liban et un télégramme, envoyé de là-bas dans un jour ou deux, le confirmera. Anita, évidemment aura expliqué les raisons de sa fuite dans une lettre adressée à Miss Moon et à toutes les personnes intéressées. Je sais fort bien imiter son écriture. Quand, enfin, on s'étonnera que vous ne reveniez pas, on concluera naturellement que ma femme a commis un autre meurtre.

Amanda s'écria, affolée :

255

— Glenn ! Qu'est-ce que vous racontez ? Je ne comprends pas...

Sa voix résonna curieusement à ses oreilles comme celle d'une étrangère.

— Je crois bien que si, dit doucement Glenn. Vous êtes venue à Chypre pour m'espionner, n'est-ce pas, Amanda ? Pour faire un rapport sur moi à votre oncle. Je suis désolé d'être obligé de vous abattre. C'est bruyant, sanglant et je déteste le bruit et la vue du sang. Malheureusement, je n'ai pas le choix. Le poison semble sans effet sur vous : l'une de vos amies a avalé la boisson qui vous était destinée, sur le bateau, et vous n'avez même pas touché à celle que je vous offrais à l'auberge. Dans les deux cas, votre mort serait apparue comme un suicide, ce qui aurait bien simplifié mes affaires. Et puis, j'ai cru enfin que l'occasion se présentait à Hilarion, mais le sort a voulu que vous en réchappiez. Quand je suis revenu sur mes pas, j'ai trouvé Howard sur mon chemin. Cette issue bloquée et comme personne ne se trouvait là-haut, il ne me restait plus qu'une façon de me sortir d'une situation fort embarrassante, c'était de risquer ma vie pour vous tirer d'affaire. Vous goûterez, j'espère, l'ironie d'un tel sauvetage !

— Non ! murmura Amanda dans un sanglot. Non, Glenn, c'est impossible ! Vous êtes fou ! Vous ne savez pas ce que vous dites.

— Oh ! mais si. J'ai espéré, à un moment, faire d'une pierre deux coups. C'est vous qui m'en avez offert l'occasion. J'avais l'intention de vous pousser en bas de l'escalier dans l'immeuble d'Anita et ensuite de remonter chez elle et de l'envoyer vous chercher. On aurait pensé qu'elle était saoule et qu'elle vous avait poussée avant de tomber à son tour. Ces escaliers sont aussi fragiles que du bois d'allumettes. Mais cet imbécile d'Howard est intervenu une fois de plus et a déjoué mon plan.

Amanda protesta d'une voix étranglée :

— Je ne vous crois pas, Glenn. C'est faux !

— Anita me croit. N'est-ce pas, Anita, ma chère ? Lève-toi, Anita, lève-toi, ma chérie. Tu n'aimerais pas que je tire sur toi ainsi allongée. La balle risquerait de t'atteindre dans un endroit sensible. Debout, tu ne sentiras rien. Si jamais on repêche ton corps, les poissons n'auront rien laissé qui permette de t'identifier. Mais cela n'arrivera pas. Je prendrai soin de lester correctement ton cadavre. Lève-toi, Anita...

Affalée dans le sable, Anita Barton sanglotait, suppliait. Elle se traîna sur les genoux, une terreur folle imprimée sur son visage pareil à un masque, maculé par les larmes et le sable.

Glenn Barton la fixa avec une expression de mépris glacé et tira avec une totale indifférence.

Anita hurla en entendant le bruit de la détonation et bondit sur ses pieds, mais Glenn n'appuya pas une seconde fois sur la détente.

Les yeux élargis d'étonnement, il fixait le revolver qu'il tenait dans sa main. Il le laissa tomber sur le sable et en tira un second de la poche de son manteau.

Une ombre se détacha de l'entassement de rochers, puis une autre et une autre encore : un cercle d'hommes silencieux cernait la crique étroite et une voix familière remarqua d'un ton plaisant :

— Vous constaterez que cette arme est aussi inutilisable que l'autre, je le crains.

19

Revolver en main, Glenn Barton se tourna vers celui qui avait parlé et Amanda, rapide comme l'éclair, se jeta entre les deux hommes.

— Steve !

Une flamme orangée jaillit et, pour la troisième fois cette nuit-là, la petite anse tranquille résonna sous le coup d'une détonation.

Steve Howard détacha les doigts d'Amanda crispés sur sa main et dit : « Le revolver est chargé à blanc », et Glenn Barton lui jeta sauvagement l'arme à la tête.

Steve se baissa, repoussa Amanda et bondit sur lui.

Amanda entendit le coup frapper Glenn Barton en pleine poitrine, le vit se plier en deux, la tête rejetée en arrière, la bouche ouverte. Le second coup l'atteignit à la mâchoire avec un craquement aigu et sec, presque aussi bruyant que la détonation du revolver. Le corps de Glenn Barton parut projeté dans les airs et il retomba un mètre plus loin, inconscient, sur le sable.

— Il y a des jours que j'attendais cela ! observa Steve légèrement essoufflé.

Il se tourna vers l'homme qui attendait, debout près de lui, et Amanda reconnut sans surprise l'individu au nom étrange qu'elle avait déjà vu dans le hall de la villa « Les Lauriers », le soir où Monica Ford avait été assassinée.

— Voilà, fit-il. Il est à vous.

Et, s'adressant à Anita Barton :

— Si vous vous sentez assez bien pour marcher, Mrs Barton, nous allons regagner la voiture. Amanda, vous n'allez pas pleurer ici ! Gardez vos larmes pour le trajet du retour. Je vous prêterai mon épaule.

Il prit d'une main le bras d'Anita, de l'autre celui d'Amanda et les poussa sur l'étroit sentier en direction de la voiture. Une silhouette s'avançait à leur rencontre en sautillant et Steve s'arrêta brusquement à sa vue.

— C'est Persis, dit Amanda.

— Ça par exemple ! fit Mr Howard, exaspéré. Que diable vient-elle faire ici ?

— Elle m'a accompagnée, expliqua Amanda.

Persis apparut, éclairée par la lune.

— Salut, Steve ou dois-je dire : Sugar Ray Robinson ? Je regrette d'avoir manqué la première partie du spectacle ainsi que l'entracte mais j'étais merveilleusement placée pour le baisser de rideau. C'est ce qu'on appelle cogner avec style !

Boitillant légèrement, elle revint avec eux jusqu'à la voiture et s'effondra brusquement sur le marchepied.

Steve sortit une flasque de la poche de son manteau, dévissa le bouchon, le remplit et le tendit à la jeune femme.

— Merci, dit Persis en vidant le contenu d'une seule gorgée. J'en avais sacrément besoin. Versez-en un peu pour Anita, elle doit en avoir encore plus besoin que moi.

Anita Barton but en claquant des dents et leva les yeux vers Steve Howard. Son visage maculé par les larmes était toujours aussi pâle mais elle avait retrouvé le contrôle de sa voix.

— Je ne sais comment vous remercier. Quand avez-vous... comment avez-vous deviné que Glenn était l'assassin ?

— Vous le saviez, n'est-ce pas ? demanda doucement Steve.

— Bien sûr. C'est pour cette raison que je l'ai quitté. J'ai tenté de mettre en garde cette imbécile de Monica Ford mais elle n'a rien voulu entendre. Elle était folle de lui.

— Comment avez-vous deviné ?

— Oh ! par de simples détails. Une foule de petits détails sans importance qui ont fini par m'alerter. Je me suis mise à le surveiller et... et à la fin j'ai compris. J'ai pris peur à ce moment-là. Je savais qu'en se voyant découvert il... il tenterait de me supprimer. C'est un tueur. Un tueur dange-reux sous ses airs tranquilles et convenables. Il faisait la cour à Monica, alors j'ai utilisé ce prétexte. Je devais m'éloigner de lui. Le fuir à tout prix !

— Après ce que j'ai vu cette nuit, je suis prête à croire

n'importe quoi ou presque, intervint brusquement Persis, mais certainement pas qu'un garçon comme Glenn ait pu courtiser une demoiselle d'un certain âge, affligée d'une mâchoire de cheval et d'un tour de taille de quatre-vingt-quinze centimètres !

— C'est pourtant ce qui s'est passé, dit Anita Barton d'un ton morne. Voyez-vous, elle était venue à Chypre pour surveiller Glenn. C'est Mr Derington qui l'avait chargée de cette mission. Il a toujours pensé que les femmes possédaient un instinct infaillible pour dépister les malversations dans une affaire. Certains bruits ont dû lui parvenir. Il a donc dépêché sur place une secrétaire compétente pour découvrir ce qui se passait et faire son rapport.

Anita Barton se laissa tomber avec lassitude sur le marche-pied, à côté de Persis, et appuya sa tête contre la portière.

— Glenn l'a séduite, reprit-elle. Il a toujours su s'y prendre avec les femmes. Il a cet air de petit garçon perdu qui dupe les meilleures d'entre nous — il a réussi à me berner moi aussi ! Monica a plongé tête la première. Il était sans doute le seul homme qui ait jamais fait attention à elle et elle est tombée folle amoureuse de lui. Après cela, il pouvait la manœuvrer à sa guise et lui faire avaler n'importe quel mensonge. J'avais toléré ses aventures avec une demi-douzaine de femmes, y compris Claire — il se servait de Claire pour envoyer des messages qu'il ne pouvait prendre le risque de transmettre lui-même. Je ne crois pas qu'elle ait compris de quoi il retournait. Il avait sans doute forgé un beau mensonge pour la convaincre et d'ailleurs, Claire sait se défendre. Mais qu'il s'attaque à Monica m'a écœurée. Lorsque j'ai tenté de la mettre en garde, elle s'est montrée grossière et hystérique. Alors, j'ai convaincu Lumley de me laisser partir avec lui. Il n'a accepté que pour marquer un point aux dépens de Glenn et de Claire et aussi parce que, à cause de sa position d'objecteur de conscience pendant la guerre, il nourrit un complexe d'infériorité et se croit obligé de jouer à l'artiste qui brave l'opinion publique.

— Je ne comprends pas, dit Amanda, déconcertée. Quelles étaient donc les activités de Glenn ?

— Le trafic d'armes, dit brièvement Steve Howard.

— Quoi ?

Persis se redressa brusquement et faillit s'étaler sur la route.

— Eh bien... Dites-moi, Steve : que venez-vous faire dans tout cela ?

— Oh ! On m a chargé de découvrir qui était à l'origine du racket.

Il jeta un coup d'œil par-dessus son épaule et dit avec impatience :

— Combien de temps va-t-il nous falloir attendre ces policiers ?

— Aucune importance, dit fermement Persis. Dites-nous tout, mon chou, nous vous écoutons. En ce qui me concerne, je ne bougerai pas ici d'avant de savoir la vérité sur cette affaire et je vous vois mal en train de filer en voiture avec une fille sur le marchepied !

Steve eut un rire un peu contraint. Il accepta la cigarette que lui offrait Persis, l'alluma au briquet de la jeune femme et commença :

— Nous savions que des armes arrivaient clandestinement en Afrique en provenance d'un pays satellite, *via* Chypre. Nous ignorions comment on procédait au transport mais, après enquête, nos soupçons se sont portés, entre autres, sur Glennister Barton. L'idée nous est venue qu'il utilisait peut-être le commerce de vins pour couvrir un trafic plus rentable. Nous avions mis dans le mille. Ses affaires marchaient plutôt bien jusqu'à l'arrivée d'Amanda. Elle a mis le loup dans la bergerie.

— Moi ? fit Amanda, sceptique. Et comment cela ?

— Quand vous avez décidé d'aller à Chypre, votre oncle Oswin a envoyé une lettre extrêmement formelle à Glenn lui demandant de vous héberger, de vous faire visiter l'île, bref, de vous fournir toutes les facilités destinées à agrémenter votre séjour. Un tel document pouvait prêter à confusion et, sachant que votre oncle préférait choisir des femmes pour fureter dans ses affaires, Glenn Barton s'est imaginé qu'on vous avait envoyée — comme Monica Ford — dans le but précis de l'espionner. Peut-être aurait-il eu une chance de s'en tirer, d'ailleurs, sans cette histoire de divorce...

— Mais quelle importance ? demanda Amanda.

— Votre oncle est connu pour sa pruderie en la matière, dit Steve Howard. Une simple allusion de votre part au fait que celle qu'il avait nommée au poste de secrétaire de Barton soit accusée par la rumeur publique d'être amoureuse de son patron — sans parler du trafic dans lequel elle trempait —, et Barton aurait reçu son congé par télégramme. Ou — ce qui est plus probable — votre oncle Oswin aurait débarqué par le premier avion pour procéder au grand nettoyage.

— Oui, acquiesça lentement Amanda. C'est possible en effet. Il se montre volontiers intransigeant sur les questions de morale.

— Exactement. Barton ne pouvait se permettre de prendre des risques. Il était sur le point de réussir un gros coup. Trois semaines encore et il aurait la possibilité de filer dans un pays sûr, comme l'Amérique du Sud, et d'y finir ses jours en se nourrissant de champagne et de caviar. Il touchait au succès. Comme il n'osait pas refuser de vous recevoir, il a tenté de vous empêcher d'arriver à Chypre. La boisson absorbée par Julia Blaine vous était destinée.

— Julia! s'écria brusquement Persis. Vous voulez dire qu'elle a été empoisonnée?

— Mais... mais le poison se trouvait dans son jus de citron, dit Amanda cherchant vainement à comprendre.

— Il s'agissait de citron vert et non de citron. En outre, il était très sucré. Le tapis était tout poisseux. Vous avez aussitôt conclu qu'il s'agissait d'un jus de citron destiné à Julia parce que vous ne l'aviez pas commandé vous-même et que le hasard a voulu que vous changiez de cabine avec Julia au début de l'après-midi. Celle-ci n'aurait jamais demandé ni bu une citronnade sucrée. Mais quel appât tentant qu'un jus de citron glacé laissé dans une cabine par une nuit chaude! Et quand vous m'avez dit que Mrs Blaine était descendue se coucher aux environs de dix heures, il m'a semblé encore plus évident que ce verre n'avait pas été placé par erreur dans votre cabine.

— Mais pourquoi, Steve?

— A cause de la glace. Vous n'êtes pas descendue avant onze heures et il y avait encore de la glace dans le verre. Il restait quelques glaçons sur le tapis quand je suis arrivé. Si cette boisson s'était trouvée dans votre cabine *avant* dix heures, la glace aurait fondu. D'autre part, si elle avait été destinée à Mrs Blaine, elle n'aurait jamais été placée là presque trois quarts d'heure après que celle-ci eut quitté le pont et fut descendue dans sa cabine au vu et au su de plusieurs témoins. Vous, de votre côté, étiez occupée à danser.

— Mais... mais Glenn ? Vous ne pouvez pas l'accuser protesta Amanda, suffoquée. Il n'était même pas à bord !

— C'est exact. Mais l'un de ses hommes de main s'y trouvait. Vous ne pensez pas qu'on puisse diriger une entreprise de cette envergure sans l'aide de complices. Ils étaient toute une bande dans le coup ! Ainsi cet homme, Kostos, qui se faisait passer pour matelot. Incidemment l'époux de cette tenancière d'auberge sur la route de Limassol où, semble-t-il, vous avez frôlé la mort.

— Impossible ! Glenn m'a dit que le mari était une misérable épave qui...

Elle se tut brusquement et reprit, ébranlée :

— Je comprends à présent. Il lui fallait trouver un prétexte pour accaparer mon attention et me forcer à détourner les yeux de la table, et il m'a raconté le premier mensonge qui lui passait par la tête. Et elle — la femme — a prétendu que son mari avait travaillé sur un bateau. Comment n'ai-je pas remarqué ce détail ? Et puis, Glenn a laissé tomber sa cigarette dans mon verre. Pour s'assurer que personne d'autre n'y toucherait, je suppose.

— Et il s'est également arrangé pour se débarrasser du marin en question, ajouta Steve d'un air sombre. Il ne voulait prendre aucun risque. L'homme a soi-disant trouvé la mort au cours d'une rixe, dans un bar. Cette mort, curieusement, explique la raison de l'absence des employés de Miss Moon à la villa l'après-midi où Monica Ford a été assassinée et où l'on vous a si adroitement poussée au-dessus des remparts d'Hilarion.

Amanda eut un brusque frisson.

— Mais pourquoi, Steve ? Ma mort, là-bas, n'aurait certainement pas arrangé les affaires de Glenn Barton. Oncle Oswin aurait aussitôt débarqué à Chypre.

— Croyez-vous ? D'après ce que je sais de lui, il n'est pas homme à laisser sa nièce — qui est également sa pupille — être enterrée dans un endroit comme Chypre. Pour vous, c'était le caveau de famille des Derington ou rien ! Il suffisait à Barton de télégraphier à votre oncle qu'il prenait les dispositions nécessaires pour faire rapatrier votre corps par avion et le tour était joué ! Et je parie que votre parent éploré aurait annulé la dernière partie de son voyage et sauté dans le premier avion pour l'Angleterre afin de réceptionner la chère disparue à l'aéroport de Londres et lui préparer des funérailles dignes d'elle. Et puis, même s'il avait débarqué à Chypre, croyez-vous qu'il aurait songé, en de telles circonstances, à se préoccuper de son commerce de vins ? Il serait venu avec un seul but : récupérer le cercueil et le convoyer en personne jusqu'en Angleterre. Dans les deux cas, il n'aurait eu ni le temps ni l'envie d'entreprendre une enquête sur les agissements de Glennister Barton avant d'avoir confié votre dépouille mortelle au caveau familial. Barton, pendant ce temps, aurait mené la grande vie à Buenos Aires, Montevideo ou ailleurs.

— Je vois, dit Amanda avec un frisson. Vous ne vous trompez pas au sujet du caveau familial ; ni sur le compte d'oncle Oswin, d'ailleurs. Il n'aurait jamais accepté qu'on m'enterre ici...

— Exactement. Et Barton misait là-dessus, je suppose. Mais lorsque vous avez débarqué saine et sauve à Chypre — dans le but de l'espionner, pensait-il — il ne pouvait plus prendre le risque de vous laisser repartir vivante. Le temps jouait contre lui. Il lui fallait ces trois semaines de tranquillité et l'enjeu financier était tel qu'il valait certains risques. N'importe quel risque ! Il vous aurait tuée avec joie, vous et une demi-douzaine de personnes, pour assurer le succès de son entreprise !

— Mais pourquoi me serais-je suicidée ? Quel motif...

— A en juger par les statistiques, l'interrompit Steve avec impatience, l'adolescente moyenne peut décider d' « en finir avec la vie » pour nombre de raisons aussi futiles les unes que les autres. Le chagrin d'amour vient en tête de liste : le fameux « je ne peux pas vivre sans lui ». C'était un atout sûr

264

dans le jeu de Glenn car il aurait été difficile de prouver le contraire après votre mort. Moi-même, j'ai songé un instant — et la police plus sérieusement que moi ! — que vous aviez peut-être supprimé Julia Blaine pour mettre la main sur son mari. C'était une hypothèse. Et si vous étiez morte dans cette auberge, après avoir absorbé le même poison, on aurait conclu que vous vous étiez suicidée par remords !

— Oui, vous m'avez effectivement parlé de cette « hypothèse », coupa Amanda, partagée entre l'indignation au souvenir de l'insulte et l'irritation de se voir classée comme « adolescente moyenne ». Mais le meurtre de Monica ? Je vois mal comment vous pourriez en accuser Glenn même en faisant appel à votre imagination, pourtant fertile.

— C'est pourtant évident. Il l'a vue entrer dans la villa de Miss Moon, cet après-midi-là, et il l'a suivie. Elle était venue vous rendre visite.

— Mais pourquoi ? Pour quelle raison voulait-elle me voir ?

— Parce que à la suite de la lettre de votre oncle, elle était convaincue, comme Barton, que vous étiez venue à Chypre pour l'espionner. Et parce qu'elle avait découvert le projet de Glenn.

— Mais elle était certainement déjà au courant.

— Elle devait probablement savoir ou soupçonner qu'il se livrait à des activités douteuses mais elle préférait les ignorer ou s'imaginer qu'il s'agissait d'un banal trafic de cigarettes ou d'une peccadille de ce genre. Mais ce fameux après-midi, une caisse supposée contenir du vin s'est trouvée endommagée. Barton était absent, elle l'a ouverte et a découvert le pot aux roses. Une semaine plus tôt, elle aurait fermé les yeux car, vieille fille frustrée, elle se trouvait totalement sous l'emprise de son séducteur. Mais son frère venait d'être assassiné par des terroristes mau-mau, armés par Glenn Barton ! Cette découverte l'a brisée et elle s'est précipitée à Kyrenia pour vous révéler toute la vérité. Et Barton l'a étranglée.

— Mais c'est impossible, Steve ! Il ne peut pas l'avoir tuée. La police a prouvé qu'il s'était rendu directement d'Hilarion à Nicosie.

— C'est exact. Mais il avait tué Monica Ford *avant* d'arriver à Hilarion.

— Pourtant son corps était tiède !

— Je sais. C'est ce qui nous a égarés pendant un moment. Après le crime, il a laissé le cadavre devant les portes-fenêtres, exposé tout l'après-midi aux rayons du soleil. Celui-ci venait juste de disparaître lorsque nous sommes rentrés, vous vous en souvenez ? Dans ces circonstances, il n'est pas étonnant que le corps ait été tiède ! Fixer avec précision l'heure de la mort n'est pas aussi facile que les romans policiers veulent bien vous le laisser croire. Elle dépend d'un bon nombre de facteurs dont l'un des plus importants est la température ambiante. Glenn Barton n'avait pas perdu la tête et il a fort bien utilisé le fait qu'à partir de quatre heures et quart environ le soleil ne quitterait pas ce coin du salon jusqu'au crépuscule. Il s'est ensuite rendu à Hilarion, a mentionné avoir vu Monica et s'est procuré un parfait alibi grâce à notre petit groupe. Et lorsque la police l'a convoqué par téléphone — ce qu'il avait prévu —, il est arrivé avec cette fleur de tissu, excellente preuve contre sa femme, qu'il a accrochée sur le coffre en traversant le hall.

— Je savais que c'était Glenn qui l'avait mise là, dit Anita Barton en frissonnant. Cela ne pouvait être que lui. Il y avait plusieurs de ces fleurs à la maison. Elles se détachaient facilement de ma robe et j'avais laissé pas mal de vêtements en partant. Il a sans doute fouillé les tiroirs de ma coiffeuse et en a trouvé une.

— C'est en effet ce qui a dû se passer, dit Steve. Il vous a ensuite joué une scène émouvante : à la vue de la fleur, il a manifesté une horreur susceptible d'attirer l'attention d'un policier soupçonneux. Amanda, hélas, a failli lui gâcher ses effets en volant à son secours avec l'intrépidité d'une Florence Nightingale et en prétendant que la fleur lui appartenait. Mais, au cas où les policiers se seraient montrés assez stupides pour la croire, il a pris la précaution de téléphoner à Mrs Norman en la suppliant d'aller vous voir, Mrs Barton, pour vous recommander de détruire la robe. Il savait fort bien que, vous détestant, elle n'accepterait jamais et aussi qu'on pouvait lui faire confiance pour répandre l'histoire dans toute l'île.

— Vous voulez dire qu'il essayait de me faire condamner pour meurtre?

Steve secoua la tête :

— Je ne crois pas. Un procès de ce genre était à éviter, au contraire. Il préparait plutôt, en artiste, votre disparition prochaine. On aurait conclu que vous aviez perdu la tête et pris la fuite. Il a monté une habile comédie à laquelle j'ai moi-même ajouté la dernière touche en ordonnant à Amanda d'écrire sur-le-champ à son oncle. Ça l'a décidé. Si elle m'obéissait et que son oncle arrivait par le premier avion, son astucieuse machination volait en éclats. J'ai pensé que la menace le pousserait à agir et je ne me suis pas trompé.

Amanda le fixa, interdite, et Anita Barton dit d'un ton las :

— Et j'ai soupçonné Amanda d'être sa complice. J'ai pensé qu'elle était tombée amoureuse de lui, elle aussi, comme Monica et toutes ces imbéciles. Je l'ai frappée à la tête avec ce revolver et j'ai cru un instant que je l'avais tuée. Je vous demande pardon, Amanda. Je savais qu'il voulait me supprimer et j'ai pensé que vous l'aidiez.

Mais Amanda ne l'écoutait pas. Agrippant d'une main la poignée de la portière, elle dit d'une voix hachée, sans cesser de fixer Steve :

— Vous voulez dire que vous *saviez* ce qu'il préparait ce soir? Vous m'avez demandé d'écrire cette lettre uniquement pour... pour qu'il...

Les mots lui manquaient pour exprimer son indignation.

— Il le fallait, ma chérie, dit Steve. Nous devions l'acculer à la panique pour qu'il se démasque. Mais, si cela peut vous consoler, c'est certainement la tâche la plus déplaisante que j'aie eue à exécuter. Nous serions sans doute parvenus, sans cela, à l'épingler pour trafic d'armes mais peut-être pas pour meurtre. Et j'ai pris soin de vider tous les revolvers qu'il possédait et de remplacer les balles par des cartouches à blanc, ce qui n'était pas chose facile, croyez-moi. J'avoue, toutefois, ne pas avoir prévu que Mrs Barton vous assomme·

rait à l'aide d'un instrument contondant. Ajouterai-je que je comprends son point de vue ?

Amanda le fixa encore pendant un long moment, son visage blême sous la lune.

Elle dit enfin d'une voix faible et glacée :

— Puisque vous avez l'intention de nous ramener, je crois que nous aimerions toutes rentrer chez nous. Etes-vous prête, Persis ?

— Et comment ! fit Persis. Anita, mon chou, voulez-vous vous asseoir devant, à côté de moi ? Et j'ai une bonne idée : si nous partagions la même chambre, cette nuit, pour nous tenir compagnie. Qu'en pensez-vous ? Je ferai monter un lit chez moi, à l'hôtel, ainsi que des litres de café chaud et un flacon de chloroforme. La soirée a été rude et une bonne nuit de sommeil nous fera le plus grand bien.

— Venez donc, Persis ! dit Amanda en montant d'un air hautain à l'arrière de la voiture.

Persis referma la portière sur Anita Barton et se tourna vers Steve Howard.

— Steve, mon chou, demanda-t-elle d'une voix douce, combien m'offrez-vous pour conduire cette voiture ?

Steve éclata de rire.

— Persis, ma chérie, dit-il, vous allez vous installer derrière le volant ou sinon... ?

— D'accord, fit Persis. Je cède à la menace !

Amanda tenta de descendre de la voiture mais Steve fut plus rapide qu'elle. Il claqua la portière derrière lui et attira brusquement la jeune fille dans ses bras.

Amanda émit une protestation inintelligible accompagnée d'un sanglot, vite étouffé. Un silence suivit et elle supplia d'une voix haletante :

— Steve, je vous en prie...

— Taisez-vous, mon cœur ! dit Mr Howard. Nous parlerons plus tard. Pour l'instant, nous ne sommes pas seuls.

— Ne faites pas attention à nous, dit Persis d'un ton cordial.

Elle mit en marche le moteur et fit adroitement reculer la voiture sur le bas-côté sablonneux.

— Allez-y, fit-elle, embrassez-la !

*La composition de ce livre
a été effectuée par Bussière à Saint-Amand,
l'impression a été effectuée
sur presse CAMERON
dans les ateliers de la S.E.P.C. à Saint-Amand-Montrond (Cher)
pour le compte de France Loisirs*

*Achevé d'imprimer en juin 1988
N° d'édition : 14021. N° d'impression : 1154.
Dépôt légal : juin 1988.*

Imprimé en France